L’ange dans le placard

Du même auteur

Romans

Le siège de Bruxelles, Desclée de Brouwer, Paris, 1996.
Les cendres de Superphénix, Desclée de Brouwer, Paris, 1997.
Les chroniques de Fully :
vol. 1 : *Le Manuscrit du Saint-Sépulcre*, Cerf, Paris, 1994. Traduction en allemand (Rowohlt, Reinbeck), espagnol (PPC, Madrid), portugais (Noticias, Lisbonne), italien (Piemme, Monferrato Casale).
vol. 2 : *L'Ange dans le placard*, Desclée de Brouwer, Paris, 1999.
vol. 3 : *Le Pèlerin de Sylvanès* (en préparation).

Essais

Le consommateur averti, Favre, Lausanne, 1978.
Le huitième jour de la création, Presses Polytechniques Romandes, Lausanne, 1986. Traduction en allemand, *Der Göttliche Ingenieur* (Expert Verlag, Sindelfingen).
Première épître aux techniciens (avec Philippe Baud), Presses Polytechniques et Universitaires Romandes, Lausanne, 1990.
L'énigme Vassula, Favre, Lausanne, 1997. Traductions en allemand et en japonais.
Tout savoir sur le génie génétique, Favre, Lausanne, 1998.

Ouvrages scientifiques

Analyse des circuits linéaires (avec René Boite), Gordon and Breach, Paris, 1971.
Théorie des réseaux de Kirchhoff (avec René Boite), Georgi, Saint-Saphorin, 1976. Traduction en espagnol, *Teoria de las redes de Kirchhoff* (Limusa, Mexico).
Filtres électriques (avec Martin Hasler), Georgi, Saint-Saphorin, 1981. Traduction en anglais, *Electric Filters* (Artech, Dedham).
Circuits non linéaires (avec Martin Hasler), Presses Polytechniques Romandes, Lausanne, 1985. Traduction en anglais, *Nonlinear Circuits* (Artech, Dedham).

Jacques Neirynck

L'ange dans le placard

DESCLÉE DE BROUWER

76 *bis*, rue des Saints-Pères, 75007 Paris
ISBN : 2-220-04420-3

POUR CÉCILE

L'immortalité de l'âme est une chose
qui nous importe si fort, qui nous touche si profondément,
qu'il faut avoir perdu tout sentiment
pour être dans l'indifférence de savoir ce qu'il en est.

Blaise Pascal, *Pensées*, III, 194.

J'ai été renvoyé du collège
pour avoir triché durant l'examen de métaphysique.
J'avais regardé dans l'âme de mon voisin.

Woody Allen.

Avertissement

S'ils ne sont pas identifiés par des noms de personnalités, tombés dans le domaine public, les personnages relèvent de l'invention de l'auteur et toute similitude avec des personnes vivantes ou mortes ne pourrait être que l'effet du hasard.

L'École polytechnique fédérale de Lausanne, où l'auteur situe l'action, a été choisie parce qu'elle lui est familière et qu'il souhaitait mettre en scène un laboratoire de recherche avec toute l'épaisseur humaine qu'il suppose. Mais l'auteur tient à préciser qu'aucun laboratoire de cette École ne s'est jamais livré à quelque recherche en psychologie physique ou à quelque spéculation métaphysique que ce soit. L'idée qu'une école d'ingénieurs puisse s'occuper du monde invisible lui a d'ailleurs paru tellement paradoxale et incongrue qu'elle a suggéré le thème de ce roman. Les événements qui font la trame du récit relèvent donc de l'imagination de l'auteur.

L'auteur tient à remercier toutes celles et tous ceux, trop nombreux pour les énumérer, qui ont bien voulu l'aider dans la tâche d'améliorer le manuscrit. Un remerciement spécial à Solange Cuénod qui a accepté quelques emprunts à son ouvrage Faussement vrai et vraiment faux *(PPUR, Lausanne, 1998).*

I

Le vautour qui dévorait le foie de Norbert manquait d'appétit. Parfois il jetait un coup d'œil inquiet à sa victime comme s'il tentait de se rassurer sur la qualité de la viande qu'il chipotait du bout du bec.

Norbert était attaché par les quatre membres à la paroi de la falaise qui constitue le point culminant des Rochers de Naye. Sous ses yeux se déroulait le paysage majestueux du lac Léman, depuis Montreux à ses pieds jusqu'au Salève deviné à l'horizon. Un pompeux coucher de soleil barbouillait de rouge les montagnes de Savoie. Il répandait à profusion sur les nuages le vermillon du sang qui coulait de la plaie ouverte dans son flanc. Le spectacle se nourrissait de sa blessure et de sa vie. Après avoir mal vécu il mourait en beauté.

La douleur ne semblait pas intolérable. Ainsi, il était possible de se retrouver les entrailles à l'air, fouillées par un bec crochu, sans s'évanouir ou sans hurler de douleur. Norbert mit cette insensibilité sur le compte de son imperfection native. Il n'était même pas capable de souffrir pour expier ses fautes.

Il s'efforça alors d'encourager le vautour à la tâche par de petits claquements de langue mais ses lèvres parcheminées et son palais desséché ne produisirent aucun son. Il demeura donc silencieux et apathique dans cette posture épouvantable. D'autres en auraient sans doute profité pour se faire plaindre ou pour attirer l'attention sur eux. Mais, comme Norbert était rigoureusement nu, il ne tenait pas du tout à être remarqué par ses nombreuses relations de Genève à Montreux. Il persista donc dans un silence circonspect.

— Quelle bectance ! finit par dire le vautour avec un accent parigot tout à fait déplacé pour la circonstance. Ton foie est pourri et tu vas crever de cirrhose. Adieu donc !

Comme Norbert n'avait jamais rencontré de vautour parlant avec l'accent parisien, il comprit alors qu'il rêvait et il s'éveilla tout à fait.

*

Norbert reprit conscience dans une panique considérable. Il n'aurait jamais dû s'assoupir. D'habitude, il ne s'endormait pas au bureau. Sans doute se sentait-il toujours coupable de travailler peu et mal, mais du moins restait-il éveillé. Le président de l'École polytechnique n'avait pas le droit de dormir pendant les heures de travail, même s'il s'agissait de la pause de midi. Un capitaine reste vigilant sur la passerelle, surtout s'il est dépassé par sa tâche. Pourquoi avait-il commis aujourd'hui ce forfait révélateur ?

Il demeurerait toujours inférieur à cette responsabilité qu'il n'avait pas choisie mais qu'il avait eu le tort d'accepter. Il avait atteint et, sans aucun doute, dépassé depuis longtemps son niveau d'incompétence. En ce moment il venait de descendre un échelon supplémentaire dans l'indignité. La chaleur insupportable de son bureau évoquait des images d'enfer dans son cerveau, qui était embrumé par le sulfureux vin blanc du déjeuner, le vin de sa propre vigne, sa raison de vivre et le ferment de sa mort.

Au bord du Léman à quatre cents mètres d'altitude, le bon sens commanderait de ne pas essayer de produire du vin. Seul mûrit à coup sûr le chasselas, qui produit normalement un vin insipide. Le palliatif consiste à interrompre la fermentation du moût par une bonne dose de soufre. Le breuvage toxique, résultant de cette machiavélique manipulation, engendre des maux de tête chez certains et des diarrhées chez d'autres. Comme les conventions sociales imposent de consommer le vin blanc local à tout propos, la région lémanique abonde en migraineux opiniâtres et en coliteux entêtés. Le véritable patriotisme se mesure à la capacité de mettre sa vie en péril pour les raisons les plus triviales.

En sus de l'anhydride sulfureux et de l'alcool, Norbert souffrait de la chaleur. Dès la fin juin, le climat de Lausanne prend certains jours une tournure tropicale. Par les fenêtres sans rideaux, des nappes aveuglantes d'un soleil blanc comme de l'acier en fusion inondaient le plancher. En vue d'économiser les deniers publics, la climatisation n'avait pas été installée dans les bureaux de l'École polytechnique. Seuls les appareils délicats bénéficiaient de ce privilège, dénié par le Service des Bâtiments aux hommes, qui sont supposés soit plus robustes, soit moins précieux que des machines.

Soucieux de donner l'exemple, Norbert passait donc tout l'été, sans prendre de vacances, en vivotant dans un bureau surchauffé. Quand il était seul, il s'autorisait cependant à tomber la veste et même à s'exhiber en bras de chemise devant Solange, sa secrétaire. Au fil de la journée, deux grandes taches sombres de transpiration s'élargissaient sous ses aisselles, tandis qu'une odeur fade et sucrée envahissait la pièce.

À midi, il avait pique-niqué dans son bureau avec Solange, derrière la porte fermée à double tour. Comme à chacun de ces déjeuners improvisés, ils s'étaient contentés de grosses tranches de pain mi-blanc agrémentées de quelques morceaux de jambon et de gruyère, grossièrement taillés en utilisant le canif de Norbert, souvenir de son service militaire. Il avait débouché une bouteille de blanc de sa propre vigne, qu'ils avaient consommé à deux dans des gobelets de carton. Puis, il avait essuyé son canif à son mouchoir et Solange avait prétexté un travail urgent pour gérer la débâcle intestinale provoquée par le vin sulfureux.

Par la porte entrebâillée de son bureau, le chef du personnel avait consigné une fois de plus la matérialité des faits en notant les heures de fermeture et d'ouverture de la porte du président ainsi que les allées et venues suspectes de Solange vers les toilettes. Il nourrissait la haute ambition d'être promu au rang de directeur des ressources humaines, titre qui impliquait l'ascension de deux échelons dans le barème à trente-six cases du personnel. En vue d'un éventuel chantage, il accumulait patiemment un dossier contre Norbert Viredaz.

Mais rien de très romantique ne s'était passé derrière la porte close. Contrairement aux soupçons sournois du chef du personnel, le président ne sombrait pas dans des amours subalternes. Même s'il l'avait souhaité, il n'aurait pu passer à l'acte. Son corps s'y dérobait depuis bien longtemps. Son cœur s'y était refusé depuis toujours. Il avait vécu, en célibataire, un simulacre d'existence centrée sur l'amélioration de la vigne lémanique, sa seule passion.

En réalité, Norbert et Solange avaient bavardé de la chaleur, du vin frais et des derniers ragots sur les professeurs. Ils avaient devisé agréablement, à la mode locale, au ras des pâquerettes, sans se presser, en échangeant ces banalités insipides qui prennent d'autant plus de force qu'elles ont été ressassées davantage.

Aucune chaussure n'est confortable avant d'avoir été longtemps portée. De même que les lords britanniques ne mettaient pas de souliers neufs sans les faire porter d'abord par leurs valets, Norbert attendait de Solange qu'elle façonne sa pensée, déjà flexible par nature, aux attentes du petit peuple. Il s'ébrouait dans les platitudes qui le reposaient des idées neuves et des entreprises originales de ses professeurs, appartenant tous à la race inquiétante des intellectuels cultivés à outrance. On ne se maintient pas au pouvoir, à quelque place que ce soit, si l'on ne devient pas un orfèvre en poncifs, un virtuose de la pensée consensuelle et un pense-petit de choc.

Poussé par une bouffée subite de culpabilité, Norbert jeta un regard désespéré sur son bureau, couvert d'une couche de dossiers atteignant au moins cinquante centimètres, le reliquat du travail de l'année académique, empilé dans l'attente des vacances. Comme la paperasse avait été entassée par ordre chronologique, les franges des documents situés au bas des piles étaient décolorées par le soleil et couvertes de poussière. Pêle-mêle, des thèses de doctorat, des procès-verbaux de commissions, des articles de revues, des lettres anonymes de dénonciation ou d'injure, des dossiers de professeurs à renommer avant l'automne, des invitations à une foule de colloques, et même des enveloppes qui étaient restées closes depuis le jour de presse où elles avaient atterri sur son bureau.

En principe, Norbert ne répondait qu'aux missives émanant des échelons supérieurs pour abonder dans leur sens. Tout ce qui venait du bas était négligé. Dans une organisation quelconque, il n'est jamais nécessaire que des idées circulent de bas en haut puisque l'absence de pensée se répand si facilement de haut en bas par l'effet de sa propre pesanteur.

Dans l'espoir d'échapper à ce travail de Sisyphe, Norbert consulta le cadran accroché au mur. Faute de pouvoir organiser l'espace de son bureau, il s'efforcerait au moins de contrôler la quatrième dimension, celle du temps. Il lui restait cinq minutes avant son premier visiteur. Il avait juste le temps de se rafraîchir. Il n'était donc pas vraiment obligé de s'attaquer aux piles de dossiers. Pour faire bonne mesure, il nivela deux piles qui lui paraissaient inégales et il essuya un peu de poussière avec son mouchoir, qui était d'ailleurs très sale. La lessive constituait le point le plus faible de son organisation de célibataire.

À la fin des vacances, Solange proposerait de ranger tous les documents accumulés sur le bureau : en réalité elle les jetterait car il serait trop tard pour prendre des décisions ou pour répondre aux lettres. Mais Norbert ferait semblant de ne pas s'en apercevoir. Selon lui, tout l'art de la gestion consistait à attendre que l'urgent se périme. Il rejoignait ainsi les meilleurs spécialistes du management pour lesquels les bonnes décisions se prennent toutes seules ; elles tombent d'elles-mêmes comme les fruits mûrs de l'arbre, tandis que les dossiers compliqués pourrissent sur pied et se muent en compost administratif.

Dans le cadre de cette sagesse managériale, Norbert préférait souvent s'en remettre au hasard pour les décisions délicates. L'expérience ne lui donnait pas tort. Les experts en gestion ne tarissaient pas d'éloges sur le dynamisme de l'École polytechnique. Norbert, seul, savait que sa négligence calculée, plus précieuse qu'un appui mal venu, permettait à l'énergie des professeurs de se déployer sans entraves. Il s'occupait des taupinières et les montagnes s'occupaient d'elles-mêmes.

Or, une montagne s'était mise en mouvement vers lui et menaçait de l'écraser.

*

Le visiteur attendu, Charbel Kassis, arpentait avec une irritation croissante les corridors de l'École sans parvenir à trouver son chemin. Les murs de béton, les portes métalliques, les fenêtres ouvrant sur des cours intérieures se répétaient sans la moindre variété. Peut-être était-il déjà passé dans le couloir qu'il parcourait maintenant, mais il aurait été bien incapable de le décider car tous les corridors se ressemblaient. Il montait et descendait des escaliers aveugles, poussait des portes coupe-feu, débouchait parfois sur des parkings inconnus et toujours semblables.

Le décor évoquait une cage pour zombies. Dans l'élaboration des plans, les architectes avaient bien évalué le caractère singulier des futurs occupants, qui refusaient toute concession à la beauté tant ils aspiraient à se concentrer sur une tâche austère. L'École polytechnique constituait un chef-d'œuvre d'inesthétique industrielle tout à fait adéquat à sa fonction : prédisposer les futurs ingénieurs à l'environnement sinistre des usines et des bureaux. Là où tout n'est que désordre et rentabilité, argent, bruit et productivité.

De temps en temps, le parcours était égayé par une prétendue œuvre d'art, obstinément abstraite. Des cubes de béton, des parallélépipèdes de céramique, des empilements de parpaings, des tôles de chaudronnerie, des cailloux sciés s'évertuaient à représenter les divers non-sens de l'ère industrielle. Les soi-disant artistes s'étaient manifestement gaussés de leurs commanditaires. Charbel remarqua que la figure humaine n'apparaissait jamais dans cette exposition d'art non figuratif. Pour les ingénieurs, le corps humain n'est qu'une figure géométrique imparfaite, puisqu'elle est impossible à mettre en équation.

Le paroxysme de cette promenade fut atteint lorsque Charbel découvrit une pince à linge en tôle, haute d'une douzaine de mètres, peinte du même rouge agressif que le derrière de certaines guenons en chaleur. C'était le repère culminant de cette ville technique, son clocher, son enseigne. Charbel pénétra ainsi dans ce monde qui avait aboli les symboles usuels, la croix, le croissant, l'étoile de David, voire la faucille et le marteau, et qui avait choisi de vivre sous l'égide de la pince à linge, le plus modeste et le plus indispensable des objets techniques. Peut-être était-ce un hommage à l'idéal suisse de propreté maniaque.

À intervalles réguliers, Charbel découvrait des panneaux censés orienter le visiteur. Mais ceux-ci n'exhibaient que des signes et des schémas incompréhensibles, sauf pour les architectes qui les avaient conçus. Les sigles administratifs composés de lettres et de chiffres possèdent un sens pour celui qui les assemble, car ils le protègent des investigations du profane. Charbel sentit qu'il pénétrait, sans fil d'Ariane, dans le dédale de la science. Au centre de ce labyrinthe, trouverait-il un Minotaure, prêt à le dévorer ? Ou bien un amour indicible ? Un vers lui revint en mémoire, un vers appris voici trente ans au collège des jésuites à Beyrouth : *Ariane ma sœur de quel amour blessée*... Il ne trouva pas la suite et en fut contrarié. Vieillissait-il déjà ?

Il aboutit à une cour intérieure. La porte se referma avec un claquement sec derrière lui. Charbel essaya de sortir par où il était venu mais la porte refusa de se rouvrir. Il était au fond d'une sorte de puits carré dont le côté devait bien faire douze mètres. Des fenêtres prenaient le jour sur cette cour mais aucune présence humaine n'était perceptible. Il n'aperçut pas d'autre issue. Il était au centre du labyrinthe, il ne pouvait plus en sortir et le Minotaure allait bientôt surgir.

— Il y a quelqu'un ? cria Charbel.

Pas de réponse. Sur une planète morte il était le dernier survivant d'une race défunte.

Il cria plus fort sans obtenir davantage de réaction. La situation devenait grotesque. Il était attendu par le président et il se trouvait prisonnier d'une sorte de piège, à l'image de ces bureaucraties qui veulent le bien des hommes et les écrasent dans leur zèle.

Il essaya d'ouvrir les fenêtres donnant sur la cour, les unes après les autres. Il était inondé de transpiration et sa chemise collait à sa peau. La dernière fenêtre céda enfin, sans doute parce qu'elle donnait sur des toilettes qu'il fallait ventiler. Charbel enjamba l'appui de la fenêtre, se rafraîchit au lavabo, corrigea son nœud de cravate qui avait tendance à virer sur la gauche, puis il reprit son errance.

*

Norbert Viredaz sortit de son bureau, enfila le couloir et s'enferma dans les toilettes. Il s'aspergea le visage à grandes giclées d'eau, puisées à deux mains dans le lavabo, en insistant derrière les oreilles mais sans utiliser de savon. Chaque petit matin, hiver comme été, son père, le vigneron Daniel Viredaz, avait procédé rituellement aux mêmes ablutions dans la fontaine de la cour à Épesses.

Norbert sentit qu'il demeurait en lui quelque chose qui n'était pas contaminé par sa fonction. Selon le code rural vaudois, son frère aîné avait hérité du domaine. Mais Norbert possédait une petite vigne, la seule qu'il ait pu acheter, six cents ceps entre le Léman et la voie de chemin de fer du Simplon, cent mètres avant la gare de Villette. Le soleil, qui le tourmentait ici, faisait mûrir les grappes là-bas.

Après avoir dorloté cette pensée réconfortante, il revint à son cauchemar. Cette histoire d'homme tout nu, accroché à une falaise tandis qu'un vautour dévorait son foie, lui rappelait quelque chose. Mais quoi ? Tous les rêves possèdent une signification, et pourtant Norbert n'avait pas la clé de celui-ci.

À supposer que sa vie ait un sens, il eût été bien incapable de le découvrir. Comme tant d'hommes de sa génération, Norbert avait été condamné à gagner sa vie en simulant, pour la science et la technique, un intérêt exclusif qu'il n'avait jamais éprouvé. Parfois il lui arrivait de réfléchir à la solitude de l'espèce humaine dans un univers vide : peut-être toutes les planètes habitables étaient-elles devenues désertes parce que l'industrie y avait atteint un point de non-retour.

Dans sa fonction de président d'une école d'ingénieurs, il

précipitait une évolution qui lui faisait horreur. Il souffrait de ce désaccord et, plus il souffrait, plus il se raidissait. La culture politique helvétique exige que le pouvoir soit exercé avec discrétion. Un bon exécutif administre plutôt qu'il ne gouverne. Comme il était bien incapable d'administrer, Norbert finissait par régner plutôt que de gouverner. Privé de tous ses repères traditionnels, il exerçait le pouvoir capricieux d'un tyran.

*

De temps en temps, par une porte entrouverte Charbel Kassis entrevoyait un homme ou une femme, généralement jeune, absorbé par une tâche mystérieuse, le regard braqué sur un écran. En désespoir de cause, il poussa l'une de ces portes et se retrouva devant un robuste gaillard, vêtu seulement d'une sorte de liquette qui avait été blanche dans un passé éloigné, de baskets avachies ainsi que d'un short bariolé et effrangé, obtenu par la méthode expéditive consistant à raccourcir, par deux coups de ciseaux, les jambes d'un jean usé jusqu'à la corde.

Charbel éprouva un choc. Dans une banque, le personnel est correctement habillé, car personne ne confierait son argent à des romanichels. La crédibilité d'un financier se jauge à la correction de son vêtement bien plus qu'à la profondeur de sa pensée, qui constituerait plutôt une entrave professionnelle. En revanche, à en juger par les apparences, le sérieux d'un chercheur se mesurait à la négligence de sa tenue. Charbel pénétrait dans un monde, dont il ignorait tout, pour proposer un projet qu'il ne parvenait pas à formuler lui-même. Il songea à celui qui lui avait confié cette mission et il retrouva un peu de courage.

Le jeune homme dépenaillé remit Charbel sur le bon chemin, non sans gratter, par l'échancrure de sa camisole, sa poitrine qu'il avait velue. À part ce détail sordide, Charbel trouva qu'il ressemblait à un ange par un inexplicable mélange de simplicité et de sérieux. Ainsi les anges de notre époque ne portent-ils plus de robes blanches éblouissantes. Ils passeraient pour des réclames de lessive. La blouse de laboratoire souillée sied aux esprits contemporains.

Charbel Kassis finit par aboutir au corridor sur lequel donnaient les bureaux de la direction. Il identifia sans peine la porte du secrétariat et toqua discrètement. Il n'obtint pas de réponse et réitéra son signal. Au bout de quelques secondes, il estima qu'il pouvait franchir la porte sans plus de cérémonie : les secrétaires recopient parfois des enregistrements avec des écouteurs sur les oreilles.

Une fois le battant ouvert, il découvrit Solange effondrée sur son bureau, la tête entre les bras, émettant le délicat ronronnement qui signale une sieste sereine. Charbel toussota, tapa dans ses mains sans réussir à la réveiller. Puis, son odorat, demeuré subtil, décela une légère odeur de vinasse. De plus en plus décontenancé, il referma doucement la porte pour ne pas réveiller la dame en sursaut et il décida de tenter directement sa chance à la porte du bureau présidentiel.

Celle-ci s'ouvrit tout de suite et Charbel découvrit un homme assez petit, robuste, le visage coloré, engoncé dans un costume de confection, transpirant abondamment. Au premier abord, Norbert Viredaz donnait l'impression d'un paysan endimanché. Quelques secondes plus tard, Charbel décela une odeur déplaisante, faite d'acétone et d'ammoniaque. Sa lointaine formation de médecin déclencha des réflexes : il contempla les paumes de Norbert qui étaient rouges ; à la base du cou, la chemise bâillait parce qu'un bouton était décousu et il découvrit quelques petites étoiles faites de vaisseaux sanguins éclatés. Les signes de cirrhose étaient manifestes.

Par son métier, Charbel avait acquis le réflexe de jauger du premier coup d'œil ses interlocuteurs. L'homme lui parut plutôt sympathique mais curieusement hors contexte. Il avait le visage d'un honnête homme surpris par la pluie, qui aurait emprunté délibérément un parapluie ne lui appartenant pas et qui souffrirait d'un accès de culpabilité disproportionné.

Le président fit entrer son interlocuteur et, après quelques hésitations, le mena à une table qui était moins encombrée de dossiers que ne l'était son bureau.

Norbert Viredaz dévisagea Charbel Kassis avec une certaine insistance. Il ne le connaissait que par des photos de presse qui ne rendaient pas justice à l'homme. De taille moyenne, le visage fin, le regard aigu, il donnait l'impression d'un voilier taillé pour la course. Norbert fut déçu de ne découvrir en lui aucun de ces traits physiques qu'il attribuait naïvement aux Arabes. Les yeux étaient bleus, le nez droit et la peau très blanche.

Il n'entrait pas dans les habitudes du président d'accorder des entretiens aux gens qu'il ne connaissait pas. En fait, la plupart des professeurs ne parvenaient même pas à le rencontrer pour les affaires urgentes. En revanche, Charbel Kassis détenait un pouvoir immense, celui de l'argent, qui compensait amplement sa tare originelle aux yeux de Norbert : malgré son passeport suisse acquis par naturalisation, le banquier était d'origine libanaise.

Pendant cinq minutes, il ne se passa rien que des échanges de politesse. Norbert était au martyre : que lui voulait le banquier ? Pourquoi n'annonçait-il pas la couleur ? En dissimulant sa méfiance sous un sourire crispé, le président s'enquit, du bout des lèvres, des intentions de son visiteur. Charbel avait préparé son assaut :

— Monsieur le président, j'ai l'intention de créer une fondation scientifique et d'en faire bénéficier l'École polytechnique.

Norbert opina benoîtement car il n'en attendait pas moins. Pour lui, les financiers n'avaient d'autres justifications que de redistribuer l'argent qu'ils avaient acquis grâce à leur compétence suspecte dans un domaine scabreux.

— Je voudrais, reprit le banquier, soutenir des travaux en psychologie physique. Vous savez que j'ai reçu ma formation initiale en médecine et que je n'ai pas pratiqué celle-ci parce que j'ai hérité de la banque familiale. Or, j'ai atteint un âge où l'on revient à ses passions de jeunesse. Voici trente ans j'étais fasciné par le problème de la conscience et par la controverse entre dualisme et monisme. J'ai consulté quelques ouvrages récents sur la question et je me suis rendu compte que l'on n'en sait pas plus aujourd'hui qu'hier. Je souhaite donc investir des fonds pour contribuer à résoudre cette énigme : qu'est-ce que la conscience ? Est-elle réductible à des signaux électriques échangés dans le cerveau, ou bien a-t-elle pour support une entité invisible, ce que l'on appelle parfois l'âme ou l'esprit ?

Norbert Viredaz se sentit doublement contrarié.

D'abord, parce que Charbel utilisait des termes en « isme ». Un président d'École polytechnique était probablement censé connaître la différence entre dualisme et monisme. Norbert s'exagérait tellement son ignorance et son indignité qu'il ne supportait pas qu'on les lui rappelât à tout bout de champ.

Ensuite, parce que son visiteur s'était manifestement trompé de porte et que son argent irait se perdre au bénéfice d'une université quelconque.

Tout en plissant ses grosses lèvres pour mieux détacher les mots, le président opéra une mise au point :

— Vous vous trouvez dans une école d'ingénieurs, monsieur Kassis. Nous n'effectuons aucune recherche dans le domaine de la psychologie. Je le regrette vivement, mais il faudra vous adresser à l'université. Cette noble institution pourra sans doute répondre à votre question. Ou du moins tenter d'y répondre en engageant des travaux probablement longs et coûteux.

Il décocha un sourire carnassier au banquier afin de transmettre le message qu'il ne pouvait formuler plus ouvertement : les psychologues sont des charlatans ; plus avisés que les philosophes ou les théologiens dans l'aménagement de leur réputation ; mais tout aussi inconsistants ; ne produisant aucun résultat susceptible d'applications industrielles, c'est-à-dire rentables.

À la grande surprise de Norbert, son interlocuteur entendit le message.

— Il n'y a aucun malentendu de ma part, monsieur le président. Je ne souhaite nullement subventionner la rédaction de la millième thèse de philosophie sur la conscience. J'ai lu tout ce qui s'est écrit sur ce sujet, je connais ces opinions contradictoires, d'autant plus catégoriques qu'elles ne s'appuient sur rien de concret sinon la conviction de l'auteur. J'ai parlé tout à l'heure de psychologie physique. L'épithète est importante. Je souhaite que l'on étudie le fonctionnement de la conscience par des moyens expérimentaux, ceux d'une école d'ingénieurs. Et j'ai choisi la vôtre à cause de son excellente réputation. Selon mes informations, l'École polytechnique fédérale de Lausanne constitue la plus grande école d'ingénieurs de langue française. Et la meilleure.

Après un instant, il ajouta :

— Et la mieux gérée, me suis-je même laissé dire !

Norbert inclina mollement la tête pour enregistrer le compliment. Rien ne l'étonnait davantage que la qualité de cette institution qu'il ne parvenait pas à gouverner.

Parfois le hantait la pensée que l'École réussissait dans la mesure où il n'essayait même pas de la diriger. Et que le monde des hommes, cette machine horriblement compliquée, fonctionnait parce que personne ne possédait le pouvoir à lui seul. Et, tout au bout de cette réflexion, survenait la pensée ultime, la plus désespérante : si Dieu existait, peut-être ne s'occupait-il pas du monde, sachant dans son omniscience que c'était la moins mauvaise solution. Et alors, Dieu ou non, les hommes étaient seuls, de toute façon. Comme Norbert lui-même.

— Alors, quelle est la question ? dit-il poliment en sortant de son amorce de méditation métaphysique.

— Est-ce que cette sensation d'être, que nous éprouvons tous, provient uniquement de l'activité électrique des neurones de notre cerveau ? Ou bien traduit-elle autre chose que nous ne connaissons pas. Par exemple un champ immatériel qui serait le vecteur de l'information ? Dans lequel se situerait ce que l'on appelle communément l'esprit ou l'âme.

Le bureau de Norbert Viredaz avait déjà vu nombre d'utopistes, de maniaques et de farfelus. Il les congédiait sans traîner mais il n'était pas question d'agir de même avec un banquier. L'argent de Kassis lui donnait tous les droits, y compris celui de formuler des requêtes insensées. Avec infiniment de prudence, le président s'efforça de capter une information essentielle :

— Cela suppose une réorientation de certains de nos laboratoires, des investissements, du personnel. Cela risque de coûter très cher.

Kassis planta ses iris clairs dans les yeux jaunes du président. Il détacha bien les mots :

— Si vous répondez à ma question, si je parviens à apprendre ce que l'homme est vraiment, cela n'a pas de prix. Vous connaissez les ressources d'une banque privée et la liberté dont dispose son principal actionnaire. Avant de venir ici, je me suis renseigné. Le budget de fonctionnement de votre institution, financé par la Confédération helvétique, s'élève aux alentours de deux cents millions de francs suisses par an. Les bénéfices annuels de la Banque du Moyen-Orient me permettraient presque de couvrir la totalité de ce budget. Bien entendu, dans une première étape, je ne compte pas vous proposer des subsides aussi élevés. Quelques millions par an tout au plus. Pourvu qu'ils soient justifiés. D'ailleurs, si la réponse à la question est découverte, elle est susceptible de retombées inimaginables. Je suis peut-être moins généreux qu'il n'y paraît : par contrat, je me réserverai les brevets obtenus lors des recherches que je subventionne. En fin de compte, les meilleures affaires paraissent les plus risquées au moment où l'on s'y engage.

Norbert Viredaz sentit que la décision lui échappait. Il se trouvait en face d'un des maîtres du monde, un membre de cette caste supérieure à laquelle n'appartiendrait jamais le petit enseignant, fils d'un vigneron et d'une institutrice, calleux, inculte, malappris, affecté à une fonction académique sans pouvoir réel. Il fallait en référer plus haut et faire patienter le financier.

— Je vous comprends mieux. C'est un projet très intéressant. Je ne voudrais sous aucun prétexte le laisser échapper. Je dois naturellement consulter les directeurs de laboratoire.

— Puis-je espérer une réponse avant une semaine ? précisa Kassis. Je souhaite rencontrer le plus tôt possible le professeur qui prendra en charge le projet, pour bien lui préciser l'objet de ma demande.

Sous la formule polie, le message était clair. C'était à prendre ou à laisser. Norbert Viredaz assura qu'il prenait et reconduisit son visiteur jusqu'à l'ascenseur, ce qui ne lui arrivait pas avec un invité sur cent.

Lorsque la porte de l'ascenseur se referma sur le visage rougeaud de Norbert, Charbel Kassis soulagé murmura : *Ariane, ma sœur, de quel amour blessée, vous mourûtes aux bords où vous fûtes laissée ?* Cela lui parut de bon augure. Il réussit à sortir du labyrinthe de l'École polytechnique à l'intuition, sans jamais se tromper.

*

Son visiteur sorti, Norbert retira sa veste et défit sa cravate, deux ornements qui lui faisaient horreur. Il constata qu'un bouton de la chemise était tombé et il en fut irrité parce qu'il était maladroit en couture avec ses grosses mains de paysan. Il appela Solange sur l'interphone. Comme il n'obtenait pas de réponse, il fit irruption dans son bureau car l'heure de la sieste était décidément passée. Il finit par la découvrir à la photocopieuse. C'était bien la seule activité qu'elle semblât affectionner pour des raisons qui échappaient à Norbert. Il avait l'âme tellement naïve qu'il n'imaginait même pas qu'elle eût pour fonction de l'espionner.

Il lui demanda d'annuler les rendez-vous de l'après-midi. Il devrait mobiliser toutes ses facultés pour négocier une situation qui lui apparut tout de suite pleine de périls, car il ne pouvait ni refuser, ni accepter cette offre.

Il en référa donc à l'autorité supérieure en formant un numéro de téléphone qui n'était inscrit dans aucun annuaire. La sonnerie retentit à l'autre bout de la ligne dans une pièce que Norbert Viredaz pouvait imaginer les yeux fermés, tant il y avait subi de séances humiliantes. Au dernier étage d'une banque, une pièce mansardée aux murs beiges, louée par une association aux buts imprécis. Un mobilier de bureau standard. Une rangée impressionnante de classeurs suspendus, toujours fermés à clé. Une porte blindée munie d'une alarme connectée, par un privilège inouï, directement à la permanence de la police judiciaire. Dans les classeurs, un dossier à son nom, Norbert Viredaz, parmi beaucoup d'autres. Rien que de songer au contenu, le rouge lui monta au front.

Derrière le seul bureau de la pièce, un homme en costume gris sombre trois-pièces malgré la chaleur. Sa chevelure rousse commence à blanchir. Ses sourcils incolores ajoutent de la froideur à son regard gris. Il est assis, les mains croisées sur le bureau rigoureusement vierge de tout dossier. Il ressemble à un chat tapi devant un trou de souris, parfaitement immobile, enregistrant tous les mouvements de la ville, prêt à agir avec la rapidité de l'éclair et la puissance de la foudre.

De fait, il est le maître de la ville et de la région, le Maître tout court. Pas un préfet de district ou un directeur de collège n'est nommé sans qu'il ait donné son agrément ou sans qu'il ait imposé son candidat. Il contrôle aussi bien le Conseil synodal de l'Église réformée que la Fédération des paroisses catholiques en passant par les différentes loges maçonniques. On ne lui connaît ni ami, ni famille. Point de vices et encore moins de défauts. Il apprend tout, n'oublie rien et ne pardonne jamais. L'exercice du pouvoir constitue sa seule raison d'être. Il en délègue des parcelles dont il demande toujours compte. Il ne porte aucun titre ; aucun nom n'est marqué sur la porte de son bureau ; seuls les gens très bien informés connaissent son existence. Et ils sont bien informés dans la mesure où ils n'en parlent jamais.

C'est le Maître qui avait assigné la fonction de président de l'École polytechnique à Norbert Viredaz, modeste professeur au Département de Mathématiques, alors que les capacités d'enseignant, de chercheur ou de gestionnaire de celui-ci n'avaient jamais frappé aucun de ses collègues ou de ses étudiants. Il avait fallu écarter d'autres candidats à ce poste, dont les qualités trop évidentes n'étaient pas neutralisées par un dossier substantiel dans les classeurs fermés à clé du Maître.

Après trois sonneries, le combiné fut décroché. Norbert s'identifia discrètement :

— Bonjour, monsieur. Ici Norbert.

— Je vous écoute.

— J'ai reçu la visite de M. Charbel Kassis, directeur de la Banque du Moyen-Orient, qui propose de créer une fondation richement dotée.

— Combien ?

— Il n'a pas précisé, monsieur. Plusieurs millions de subsides par an.

— La Banque du Moyen-Orient est une institution genevoise. Pourquoi s'est-il adressé à vous plutôt qu'à l'université de Genève ?

— C'est bien la question, monsieur. Je ne comprends pas très bien. Il veut confier ces fonds à une école d'ingénieurs, pas à une faculté des sciences humaines.

Puis, très timidement :

— Il m'a dit aussi qu'il avait été attiré par la bonne réputation de l'École polytechnique.

Norbert espérait vaguement un mot de félicitations qui ne vint pas. Silence à l'autre bout de la ligne. Puis :

— Il vous laisse libre d'affecter ces fonds comme vous l'entendez ?

— Non. C'est le problème, monsieur. Il exige de les consacrer à une recherche sur la conscience. En somme, il voudrait créer une nouvelle discipline qu'il appelle psychologie physique.

— Qu'est-ce que cela veut dire ?

— Démontrer par des mesures en laboratoire que l'être humain dispose d'une conscience indépendante de son cerveau.

Nouveau silence, prolongé cette fois-ci par une petite toux. Norbert buvait trop mais il ne fumait pas du tout. Son interlocuteur était affligé des qualité et défaut symétriques. Le tabagisme de l'homme roux aux yeux gris constituait son seul point faible, ce qu'il y avait de plus humain en lui.

— Vous avez bien fait de m'appeler. La situation me paraît claire et la solution évidente.

C'était sa méthode pour humilier les autres. Leur expliquer sèchement qu'ils ne comprenaient rien à rien.

Une cigarette fut allumée à l'autre bout de la ligne. Le claquement sec du briquet que l'on referme marqua la fin de cet intermède.

— Vous ne pouvez pas refuser ces subsides sans passer pour un mauvais gestionnaire. Vous ne pouvez pas les accepter sans nuire à votre réputation scientifique.

— Je suis d'accord avec vous, monsieur ! admit humblement Norbert, qui avait discerné ce piège dès le début. Depuis toujours, l'instinct de conservation lui avait appris à exagérer sa naïveté face à son interlocuteur.

— Dès lors, de deux choses l'une. Ou bien vous réussissez à

détourner ces subsides vers des objectifs conformes à l'idée que l'opinion publique se fait de la recherche scientifique.

— Je doute que cela soit possible, monsieur.

— Vous doutez trop de vous-même. Passons ! Ou bien vous les confiez à un professeur dont vous cherchez à vous débarrasser et qui servira de fusible en cas de scandale. Dans cette hypothèse, il faut veiller à traiter tout de vive voix, sans laisser de traces écrites, afin de pouvoir l'impliquer sans que vous soyez compromis. Je m'excuse de vous rappeler ces évidences mais elles n'ont pas toujours été comprises, ni appliquées dans des affaires antérieures dont vous avez été chargé.

— Oui, monsieur, admit lamentablement Norbert.

— Je vous suggère de confier cette mission au professeur Martin. Il nous a causé des torts considérables lors de l'affaire Fujitsu. Vous savez à quel point celle-ci est importante pour la région. Les Japonais ont proposé l'implantation d'un laboratoire de développement à Lausanne, si...

Un nouveau silence, moins long. Puis le Maître reprit :

— Vous avez autre chose à me dire ?

— Oui, monsieur. Le professeur Martin, à qui je proposerai le projet, le refusera probablement.

— Je m'en doute. Vous menacerez de réduire les crédits dont il dispose déjà. Vous lui supprimerez des postes de personnel. De toute façon, pour sanctionner les difficultés qu'il nous cause, vous l'avez déjà réduit au minimum vital. Enfin j'espère !

— Naturellement, monsieur.

— Donc il ne pourra plus reculer. Il sera contraint d'accepter.

— Si le projet Kassis ne réussit pas, il faudra alors que je révoque le professeur Martin ?

— C'est l'évidence même. C'est pour cela que vous lui confiez cette mission impossible. Vous pourrez lui reprocher de s'être engagé dans une recherche située en dehors de sa compétence, loin des objectifs d'une école d'ingénieurs.

— Mais c'est un des professeurs les plus prestigieux de l'École !

— Vous ne pouvez pas maintenir la discipline chez des intellectuels arrogants, sans commettre, de temps à autre, un acte arbitraire. Si vous envoyez à la retraite anticipée un professeur atteint par un début de Parkinson ou d'Alzheimer, tout le monde vous comprendra et vous approuvera. Tandis que si vous révoquez un chercheur en pleine possession de ses moyens, plus personne ne se sentira à l'abri. Dès lors qu'un professeur d'université n'est pas protégé du licenciement, plus aucun cadre de l'industrie ne se sentira en sécurité. Tout le monde redoublera d'efforts. Vous comprenez cela ?

— Oui, monsieur, articula péniblement Norbert dont le bon sens paysan renâclait à retrancher un membre utile de son École au nom d'intérêts aussi abstraits.

— La prospérité du pays dépend de la productivité de ses travailleurs, à commencer par les cadres. Ceux-ci doivent se sentir continuellement sur la sellette. Et remerciés dès qu'ils fléchissent par l'effet de l'âge ou de la maladie. Il n'y a pas d'autre issue pour lutter contre la mondialisation.

Norbert s'efforça de réfléchir malgré la barre de migraine qui lui broyait le front. Il se promit de mettre moins de soufre dans son vin lors de la prochaine vendange.

Il trouva enfin une parade dérisoire :

— Et si le professeur Martin réussissait ? Cela renforcerait sa position.

— Monsieur Viredaz, vous devriez savoir qu'il échouera forcément. Il n'y a rien au monde qui ressemble à une conscience. Si cela existait, cela se saurait. Depuis le temps. Et des brevets auraient déjà été déposés.

— C'est l'évidence même, monsieur. Merci, monsieur !

*

Depuis six heures du matin, Michel Martin se débattait pour tenter de contrôler la masse de travail qui s'était accumulée durant l'année académique et qu'il voulait liquider afin de pouvoir partir en vacances avec un esprit à peu près serein. Il avait reçu séparément chacun des trois doctorants qui approchaient de la phase cruciale de leur thèse, celle où des résultats originaux commençaient à apparaître. Il fallait les remettre sur les rails, les encourager, les pousser à rédiger, les orienter vers les congrès où ils pourraient exposer leurs travaux, couper court à leurs dérives. Et même s'intéresser un peu à leurs vies personnelles : tout juste ce qu'il fallait pour créer une apparence de sympathie car Michel n'avait jamais le temps d'entretenir de véritables amitiés. Et enfin évoquer la suite de la carrière pour le seul des trois que Michel tenait à conserver dans son laboratoire.

De huit heures à midi, il avait fait passer des examens en troisième année. Il en était sorti épuisé et déprimé. Deux étudiants sur douze semblaient être vaguement intéressés par le traitement des signaux et y avoir compris quelque chose. Les dix autres étaient terrorisés à l'idée d'avouer leurs ignorances béantes, impossibles à dissimuler.

Il avait déjeuné d'une salade et d'un café à la Coupole, cantine partagée par les étudiants et par le personnel, en feignant de lire un journal afin que personne ne vienne le déranger, car il ne supportait les contacts humains qu'à dose homéopathique. À partir d'une heure de l'après-midi, il avait travaillé avec sa secrétaire pour tenter de liquider la pile de courrier accumulée depuis une semaine. Invitations à des colloques, épreuves d'articles à corriger, lettres de recommandation, formulaires administratifs, commandes de livres et de matériels, la variété et la complexité des documents auraient accablé tout esprit normalement constitué. Mais le cerveau de Michel n'était pas normalement constitué.

Comme ses collègues, Michel se débattait dans une marée montante de paperasses, par lesquelles les administrations centrales tentaient de contrôler un mécanisme, la recherche, suspecté de ne pas se borner à des tâches routinières. Le Fonds national de la recherche avait poursuivi cette démarche jusqu'à son terme ultime : il exigeait non seulement de connaître à l'avance les résultats que le laboratoire découvrirait dans deux ou trois ans, mais encore de savoir l'ordre selon lequel ces découvertes seraient effectuées. La seule méthode pour répondre à cette demande extravagante consistait à faire subsidier une recherche ayant déjà abouti, dont on connaissait tous les résultats et qui avait été financée auparavant sous un autre intitulé. Il fallait donc ruser avec la description du projet pour revendre des résultats périmés, plutôt que d'en formuler un nouveau qui soit original. Il fallait jouer avec les mots plutôt qu'avec la réalité. Une activité qui répugnait à Michel.

À quatre heures, il reçut un appel téléphonique du président qui souhaitait l'entretenir d'urgence. Cet appel le plongea dans une grande perplexité.

*

Selon la méthode éprouvée des policiers et des adjudants, le président Viredaz commença par mettre Michel Martin en condition. Il le laissa mijoter vingt minutes en faisant ostensiblement apporter par Solange deux tasses de café, qu'il sirota avec elle, derrière la porte fermée à double tour de son bureau. Un homme débordé de travail et surmené comme le professeur Martin serait irrité par ce temps perdu, au point qu'il perdrait sa faculté d'analyser la proposition. La salle d'attente exposée au soleil de l'après-midi, toutes fenêtres fermées, constituait une sorte de sauna qui déshydraterait la future victime et raréfierait sa salive. Comme le matador qui redoute d'affronter un taureau dangereux et qui lui fait donner le nombre maximum de coups par les picadors, Norbert travaillait ses interlocuteurs avant de les affronter.

Au bout de vingt minutes, Solange sortit avec les deux tasses vides. Elle contrefit un sourire et annonça au visiteur qu'il pouvait pénétrer dans le bureau présidentiel.

Norbert serra la main de Michel le plus mollement possible et lui désigna, d'un geste excédé, l'ensemble des sièges de son bureau, pour mieux laisser entendre qu'il était autorisé à s'asseoir n'importe où, par le seul effet d'une bienveillance exténuée, mais que sa condition subalterne eût plutôt requis la station debout.

— Monsieur le professeur, vous me connaissez, je n'irai pas par quatre chemins. Mais avant d'aborder la proposition très intéressante qui vous échoit, je voudrais liquider deux affaires pendantes. Tout d'abord, le dernier avis de la commission d'informatique, que vous présidez, persiste à désapprouver le remplacement de l'ordinateur Fujitsu actuel par le nouveau modèle. C'est extrêmement contrariant parce que je serai obligé ne pas tenir compte de cet avis. Par votre faute, j'apparaîtrai donc, une fois de plus, comme celui qui refuse le mécanisme de participation de tous les corps de l'École. Bien sûr nous ne sommes pas une démocratie. Nous sommes un service public qui essaie de fonctionner comme une entreprise du secteur privé. Pour atteindre cet objectif, je dispose de tous les pouvoirs, mais j'essaie de tenir compte des avis sensés qui me sont adressés. J'ai dit : sensés. Pas des caprices d'intellectuels irréalistes. En refusant de se rallier au choix fait par la direction, votre commission détruit le consensus et crée une mauvaise atmosphère. La commission a pour fonction d'appuyer la direction, non de la contester. Comme tous les Français, vous vous croyez sans doute à la prise de la Bastille. Qu'est-ce que vous avez personnellement contre le nouvel ordinateur Fujitsu ?

— Cela n'a rien d'une opinion personnelle. La commission est unanime dans son refus. En fait, personne n'a besoin d'un ordinateur Fujitsu dans l'École, monsieur le président. Ce serait un achat de pur prestige. Les quatorze millions que l'on dépenserait dans cette opération pourraient être plus utilement affectés au remplacement des stations de travail et des ordinateurs personnels. Ces derniers commencent à vieillir.

En fait, tout comme les membres de la commission, Norbert s'insurgeait de tout son être contre ce gaspillage. Tant qu'à dissiper une telle somme, on aurait pu lui en faire cadeau par exemple. Avec quatorze millions il aurait pu s'acheter un des meilleurs domaines du Lavaux ou du Chablais, s'y installer pour parfaire le cru et atteindre ainsi le but de sa vie. Mais il était aux ordres du Maître et il lui fallait soutenir une thèse indéfendable.

— Comment voulez-vous que l'École se distingue des autres institutions si elle ne renouvelle pas continuellement son matériel de pointe ? Vous faites bon marché du projet du laboratoire de météorologie du professeur Pasche. Grâce à l'ordinateur le plus puissant au monde, celui-ci parviendra à fournir à l'Office météorologique européen des prévisions à sept jours, les meilleures au monde.

— Avec la machine actuelle, les prévisions météo sont déjà correctes à six jours. Je ne vois pas l'intérêt pratique de disposer d'un jour en plus. Cet ordinateur Fujitsu n'est qu'une immense machine à mouliner des chiffres à toute vitesse. Il n'y a aucune recherche originale en matière de programmation ou d'algorithmes numériques. C'est un pur travail de développement à la portée de n'importe quel praticien de l'informatique. Ce travail ne devrait pas être accompli dans un laboratoire universitaire.

Contrarié, Norbert exposa naïvement la carte maîtresse de son jeu, celle qu'il n'aurait jamais dû abattre :

— Laissez-vous entendre que votre collègue Pasche serait incompétent ?

Michel s'abstint de répondre. Le professeur Pasche était le successeur désigné de Norbert Viredaz : ses qualités scientifiques étaient indiscernables pour l'œil le plus indulgent, mais il fallait absolument qu'il fasse illusion durant les quelques années à venir. Même Viredaz ne pensait pas grand bien du professeur Pasche et il ne l'avait pas caché durant certaines réceptions où il avait abusé de la bouteille. En fait, il détestait même Pasche parce que celui-ci le remplacerait. Mais les ordres du Maître ne se discutaient pas.

Norbert prit un air de circonstance pour annoncer :

— Vous comprendrez donc que je vous demande votre démission de cette commission.

— Je vous la donne instantanément. En conscience, je ne puis recommander l'achat d'une machine de pur prestige.

Conscience. Il avait dit conscience. Norbert Viredaz, qui éprouvait de grandes difficultés à organiser les transitions d'une conversation, se rua dans cette brèche inespérée :

— À propos de conscience...

Michel le regarda vraiment interloqué. Les balourdises du président ne manquaient pas de le divertir mais parfois aussi de l'inquiéter. Viredaz reprit sur un ton patelin :

— Puisque vous n'occupez plus aucune autre fonction que la direction de votre laboratoire, puisqu'en dehors de celui-ci vous créez des problèmes chaque fois par les excès de votre « conscience », je vous propose de demeurer dans le cadre restreint de vos fonctions et de traiter un problème qui vient de m'être soumis, un problème de conscience précisément.

Norbert s'efforça ensuite de transmettre la substance de l'entretien qu'il venait d'avoir avec Charbel Kassis.

Quand il eut, vaille que vaille, terminé son exposé, Michel objecta :

— Je suis désolé, monsieur le président, mais je ne vois pas le rapport. Mon laboratoire s'occupe de traitement du signal. La psychologie physique, si tant est que cela existe, n'est pas de mon ressort.

— Vous découvrirez le rapport, monsieur Martin. D'autant mieux que vous y avez intérêt. J'en viens à la seconde affaire pendante qui vous concerne. Je vous rappelle que le compte de vos mandats privés est en déficit de plusieurs centaines de milliers de francs. L'École vous prête en fait de l'argent sans intérêt : elle ne le fera plus longtemps et l'échéance est même fixée à la fin de ce mois de juillet. Votre laboratoire dispose de l'opportunité de collecter quelques millions. Ce serait une faute professionnelle de votre part que de ne pas saisir cette occasion de rembourser vos dettes.

Michel perçut le message. Pour l'exemple, Norbert Viredaz licenciait un ou deux professeurs par an. Apparemment choisis au hasard, en fait sélectionnés pour propager ce malaise diffus dont les menus potentats font le plus judicieux usage. Michel ne redoutait rien tant que les incohérences d'un pouvoir dont il ne percevait ni le véritable dépositaire, ni les règles. Norbert lui avait souvent fait l'impression d'être un homme de paille, avec lequel il aurait pu s'entendre s'il n'avait été l'agent d'un pouvoir occulte. Mais qui se tenait derrière lui ?

Michel ne tenait pas à compromettre un laboratoire qu'il avait mis dix ans à construire : c'est le genre d'entreprise que l'on ne bâtit qu'une seule fois durant une vie. Il ne pouvait perdre son poste qui lui permettait d'entretenir, à peu près convenablement, une famille trop nombreuse. Il avait d'autres problèmes à résoudre, plus urgents. Sa journée — ou plutôt la nuit — comportait encore une épreuve décisive, qui lui fournirait peut-être le moyen de redresser les finances de son laboratoire. Il serait alors en position de force pour refuser ce contrat insensé.

Il demanda une journée pour réfléchir. Norbert Viredaz consentit avec la plus mauvaise grâce en faisant remarquer que les éléments de la décision étaient déjà entre les mains de Michel Martin.

*

Irina laissait sa main courir toute seule sur le petit cahier d'écolier à couverture rouge, la couleur de l'Esprit. Comme chaque fois, elle était curieuse de ce qu'elle découvrirait à travers cette écriture haute, majestueuse, calligraphiée comme celle d'un manuscrit médiéval, cette écriture qui n'était pas la sienne.

La pression de l'ange sur le poignet se fit plus ferme pour marquer le point final.

— Merci, Seigneur, murmura Irina.

D'un seul coup elle revint à la perception de son environnement en entendant la sonnerie du téléphone. Selon la consigne de l'ange, elle quitta d'un bond la position agenouillée et alla décrocher le téléphone. C'était sa mère. C'était toujours sa mère, qui appelait au pire moment.

Durant le voyage de noces d'Irina et de Michel, voici quinze ans, Mme Vescovici les appelait tous les soirs, à plusieurs reprises, dans l'intention évidente, à peine dissimulée, de perturber leurs rapports amoureux. Elle avait réussi son coup de façon magistrale. Dès que Michel prenait Irina dans ses bras, celle-ci se raidissait dans l'attente de la sonnerie du téléphone, qui résonnait plus souvent qu'à son tour. Ainsi, Irina avait mis six enfants au monde sans jamais découvrir ce que signifiait le plaisir.

Mais l'ange était intraitable sur ce point. Il avait expliqué à Irina que, même si elle se trouvait au septième ciel et que sa mère l'appelait, il fallait qu'elle descende du ciel et qu'elle lui réponde.

Le père Balthasar Alvarez, directeur de conscience d'Irina, un prêtre de la maison lausannoise de l'Opus Dei, avait été très impressionné par cette consigne. Elle lui paraissait une preuve d'authenticité des visions d'Irina. Tous les mystiques avaient toujours reçu la même instruction : faire passer le service du prochain avant l'extase. Il avait onctueusement cité Thérèse d'Avila : « Il faut toujours être prête à quitter le service du Seigneur pour se précipiter au service du Seigneur. »

La mère d'Irina manquait de Doliprane et souffrait de migraines tout à fait considérables.

Avec un soupir, Irina referma soigneusement le placard qui contenait sa petite chapelle privée, en prenant soin de ne pas coincer l'aube de l'ange dans la porte. D'une fois à l'autre, cela faisait de faux plis. Au ciel, il n'y avait apparemment pas de fer à repasser. Ou bien il n'y avait que des hommes, célibataires et négligents. Ou bien les femmes n'étaient plus chargées de s'occuper du linge.

Irina était nulle en cuisine et peu encline à faire le ménage, mais elle avait toujours aimé la lessive. Il lui semblait suffisant de porter des vêtements propres et bien repassés pour compenser la saleté et le désordre d'un logement trop petit. Elle n'hésitait pas à doubler les doses prescrites de poudre à lessive, ce qui donnait tout de suite un aspect éraillé au linge de la famille.

Elle quitta son appartement et se rendit à la pharmacie. Quand elle apporta la boîte de comprimés à sa mère, qui habitait deux cents mètres plus loin, celle-ci annonça qu'elle avait retrouvé son Doliprane et que, du reste, ses maux de tête s'étaient dissipés. Irina l'embrassa distraitement et revint à son appartement.

Deux enfants étaient revenus de l'école et se disputaient déjà. Il n'était plus temps de prier car il fallait préparer le dîner et d'abord faire la vaisselle. Michel reviendrait peut-être à temps pour partager le repas avec sa famille. Irina eut tout de même le temps de lire ce que sa main avait écrit :

« Ne crains rien, ma fille. Ma main protège ta famille. L'homme que tu aimes se convertira. Il pénétrera les arcanes de Mon Esprit… »

Le message était rédigé en français, langue que l'ange, le messager du Seigneur, utilisait lorsqu'il souhaitait donner des recommandations pratiques. Parfois, il dictait en grec, langue qu'Irina ne comprenait pas. Elle n'avait jamais rencontré quelqu'un qui eût pu lui traduire les messages les plus secrets de Jésus. S'il dictait en grec, c'était sans doute pour cacher ses messages. Il ne fallait pas le contrarier. C'est par le mystère que le Seigneur régit l'univers.

*

En quittant le bureau du président, Michel erra un instant dans le labyrinthe des corridors sans chercher à se diriger vers son propre bureau. Il essayait tout simplement de se ressaisir après dix heures de travail ininterrompu couronnées par la tuile qui venait de lui tomber sur la tête. Le président lui tendait un piège. Il essayait de se débarrasser de lui. Le conflit au sujet de l'ordinateur Fujitsu constituait la véritable raison de cette proposition incongrue ; le déficit du laboratoire fournirait l'argument juridique nécessaire pour l'abattre ; le ridicule du projet proposé le perdrait aux yeux du monde scientifique. Michel se retrouvait dans un labyrinthe sans issue, mise à part la tentative désespérée qu'il projetait pour la nuit à venir.

Il finit par orienter ses pas vers le bureau du professeur Théophile de Fully dans l'espoir d'y trouver conseil. Michel plaçait Théo plus haut qu'il ne se plaçait lui-même, c'est-à-dire vraiment très haut.

Depuis deux ans, Théo avait atteint l'éméritat. Il avait quitté l'École polytechnique de Zurich où ses travaux sur la datation par le carbone 14 lui avaient valu le prix Nobel. Il avait réintégré la maison familiale dans le Valais et passait trois jours par semaine à l'École polytechnique de Lausanne pour se maintenir en forme intellectuelle. Son bureau ne désemplissait pas. Il appartenait à ces rares esprits qui maîtrisent l'ensemble des disciplines scientifiques et discernent les liens qui les unissent. Sa devise aurait pu être celle des scolastiques qui, avec quelque arrogance, dissertaient jadis *de omnibus rebus scibilis et quibusdam aliis*.

Son prestige était rehaussé par le fait que son frère, Emmanuel de Fully était le pape régnant sous le nom de Jean XXIV, le premier pape suisse de l'histoire [1]. Le premier à s'être attaqué de front à la bureaucratie vaticane. Il essayait désespérément de présenter une foi répondant aux interrogations d'un monde qui recherchait de façon tout aussi désespérée à se découvrir un sens. Dans cette entreprise, Jean XXIV souhaitait se cantonner à sa fonction d'évêque de Rome,

1. Voir Jacques NEIRYNCK, *Le manuscrit du Saint-Sépulcre*, Éditions du Cerf, Paris, 1994.

doté d'une primauté d'honneur qui n'incluait pas le pouvoir de décision exercé si lourdement par ses prédécesseurs. En s'effaçant, il espérait obtenir cette transparence nécessaire à la transmission de la foi.

La sœur de Théo et d'Emmanuel, Colombe, avait créé son propre hôpital aux États-Unis et s'était acquis une réputation mondiale dans l'accompagnement des mourants. Elle tenait dans les médias populaires la même place qu'occupait jadis Dante à Florence où on le considérait comme le seul homme qui avait franchi les portes de la mort et qui en était revenu. Dans la culture télévisuelle mondiale, Colombe était la seule femme censée savoir ce qui se passait après la mort.

La fratrie de Fully avait si bien réussi dans tant de domaines différents qu'elle s'inscrivait dans la mythologie des familles illustres, les Carnot, les Bernouilli, les Bach, les de Broglie, les Kennedy. Elle semblait dotée d'une sorte d'intelligence multiforme qui lui permettait de faire face aux situations les plus complexes et d'être promise à l'excellence quoi qu'elle fasse.

La porte entrouverte du bureau de Théo signifiait qu'il était disponible. Par l'huis entrebâillé, en levant les yeux de son ouvrage, le vieux professeur pouvait saisir le va-et-vient du corridor, cette juvénile animation qui rend les universités si attachantes. Il était pareil à la reine d'une ruche, tapie au plus secret de celle-ci, tandis que les ouvrières s'affairent à butiner. En frappant à la porte de Théo, Michel savait qu'il recevrait un conseil judicieux, puisé à cette source intarissable que l'on rencontre chez certains érudits. Il accédait au véritable centre de gravité de l'École alors que Viredaz ne représentait que la partie émergée de l'iceberg, la plus superficielle.

Théo ne lisait pas ; il n'écrivait pas non plus ; il n'était pas à son ordinateur ; il ne se reposait pas dans son fauteuil, un superbe Charles Eames qui lui avait été offert par ses assistants à l'occasion de son prix Nobel.

Théo passait un aspirateur à main sur la surface de son bureau, à la traque d'une très improbable poussière : la pensée que la surface pût en être souillée suffisait à inhiber chez lui tout effort de concentration. Il ne réfléchissait correctement qu'au milieu d'une chambre à la propreté chirurgicale. Le cerveau humain est tellement rebelle à la logique qu'il faut lui présenter le spectacle d'un environnement rigoureux afin de le contraindre à se discipliner. Les Grecs inventèrent la géométrie parce que leurs montagnes avaient été dénudées par l'érosion et que ces roches nues suggéraient les concepts essentiels du point, de la ligne et de la surface.

La pièce était meublée du mobilier spartiate fourni par l'administration. Théo, lui-même, ressemblait à une fourniture standard de l'intendance helvétique : modeste, sévère, discret, efficace. Une machine à penser sans ratés, fonctionnant selon des horaires immuables et des schémas rigoureux, dans un environnement propre en ordre.

Dès que Michel l'eut mis au courant, il tomba tout de suite d'accord que la proposition transmise par le président constituait au premier chef un piège. Mais il nuança le propos :

— Soyons charitables et n'accusons pas sans preuves : n'attribuons pas à la malignité du président ce que l'on peut expliquer tout simplement par son désarroi. Il est le meilleur des présidents possibles pour la meilleure école d'ingénieur de langue française parce que l'on remarque à peine qu'il existe. Il est suffisamment humble pour se rendre compte de son incompétence et pour se garder de prendre quelque initiative que ce soit. Il vous a transmis la plus dangereuse et donc la plus intéressante des propositions de recherche parce qu'elle vous mènera aux limites de la science. La qualité des chercheurs contemporains qui ont abordé le sujet vous convaincra de son intérêt : Jean-Pierre Changeux, Francis Crick, Jacques Monod, Karl Popper, et avant eux Descartes, Locke, Hume, Kant, Hegel, James, Poincaré, Schrödinger, le gratin des penseurs. Que l'on travaille en biologie, en linguistique, en philosophie, en mathématiques ou en physique, on en vient toujours, tôt ou tard, à se demander quel est l'outil que l'on utilise, quelle est la nature de celui qui réfléchit, quelle est l'origine de ce qu'il découvre. Nous ne pouvons pas éviter de nous demander ce qui nous fait penser.

— Bien sûr, je me suis posé cette question comme tout le monde mais pour l'écarter tout aussitôt, objecta Michel. Comment l'intelligence pourrait-elle réfléchir sur elle-même ? Il n'y a pas d'objectivité possible dans l'investigation de la subjectivité la plus totale.

— Bonne critique ! Vous êtes allé d'instinct au cœur du problème. Il n'est pas possible d'acquérir une connaissance objective de ce qui est subjectif par définition. Mais en énonçant cette évidence, on n'a pas éliminé le problème. Car il y a plus que l'intelligence. Mais résolvons d'abord ce problème-là, celui de l'intelligence pure, qui est un peu décalé par rapport à celui de la conscience. Vous avez sans doute rédigé l'un ou l'autre programme pour jouer aux échecs ?

— Non. Pas moi. Ce n'est pas mon domaine. Mais mon collègue en charge du laboratoire d'Intelligence Artificielle l'a fait. C'est devenu banal depuis que les chercheurs d'IBM ont réussi à battre les plus grands maîtres, à commencer par Karpov en 1997. Maintenant, on donne ce projet comme mémoire de fin d'études à des étudiants doués en informatique qui ne ratent pas le coche. Ils rédigent un programme qui bat immanquablement celui-là même qui l'a rédigé. Cela remplit toujours les étudiants d'un sentiment mélangé de fierté et de malaise. Mais cela ne veut rien dire. Le programme utilise une stratégie qu'ils connaissent parfaitement, puisqu'ils l'ont encodée. Il va plus vite qu'eux et analyse la situation en prévoyant, en un temps dérisoire, toutes les parties possibles sur une grande profondeur de coups, inaccessible à un joueur humain. Par ailleurs, le programme mémorise toutes les ouvertures et toutes les fins de partie qu'il exécute avec une rapidité foudroyante afin d'économiser du temps de calcul pour les coups inédits du milieu de partie. Il retient toutes les fautes qu'il a commises lors de parties antérieures et ne récidive jamais dans l'erreur. Le programme bat le programmeur grâce à un effet de puissance et de rapidité, de dimension de la mémoire et de force brute de calcul.

— D'accord, acquiesça Théo. Vous avez bien compris les limites de ce jeu-là. Il n'y a aucune intelligence dans ce programme qui n'y ait été placée par l'homme. Si le joueur humain disposait d'un temps infini, il finirait toujours par battre la machine, surtout s'il sait comment elle est programmée, puisqu'il peut alors prévoir comment elle jouera. On ne peut prêter une conscience à ce programme et pas davantage à l'ordinateur qui l'exécute. C'est un automate entièrement déterminé par une volonté extérieure. Cela paraît plus intelligent qu'un système de régulation du chauffage central, mais cela n'en diffère pas essentiellement. Un automate n'a pas de conscience parce que ceux qui ont une conscience — nous les hommes — nous ne sommes pas des automates. Ou du moins nous ne nous percevons pas comme des automates. Ce qui mériterait d'être corroboré avec toute la rigueur voulue. Cela pourrait déjà être une amorce de recherche pour vous.

Théo chassa une poussière imaginaire sur son bureau immaculé. Il regarda Michel par-dessus ses lunettes, comme pour mieux appuyer ce qu'il allait dire par un contact visuel direct :

— Mais Charbel Kassis vous demande beaucoup plus. Le Grand Œuvre. Cette question qui a tarabusté les mages chaldéens, les philosophes grecs, les alchimistes médiévaux, les francs-maçons du Siècle des Lumières : qu'est-ce que ma conscience d'être celui que je suis ? Mes souvenirs, mes pensées, mes décisions, mes rêveries, mon caractère, mon imagination, ma volonté. Tout cela, un peu disparate je vous l'accorde, qui constitue en fin de compte le moi. Moi Théo de Fully, face à vous Michel Martin. Nous ne sommes pas interchangeables, nous sommes même uniques. *Tout esprit est comme un monde à part se satisfaisant à lui-même*, disait déjà Leibniz. Quelle est la substance de ce monde ? Se résume-t-il à l'activité électrique et chimique des neurones ? Sommes-nous autre chose que la matière qui nous constitue ? Sommes-nous capables de lui imposer notre volonté en décidant librement du cours de nos actions ? Existe-t-il donc quelque chose qui s'appelle l'esprit ou l'âme, indépendant de la matière, utilisant le cerveau comme une interface avec le monde ? Cette âme habitant un corps peut-elle s'en détacher à la mort et subsister éternellement, c'est-à-dire en dehors du temps et de l'espace ? Est-elle le reflet de Dieu lui-même ?

Théo regarda Michel avec un air légèrement moqueur :

— Voilà, mon ami, ce que Norbert Viredaz aurait pu vous dire avec un peu d'esprit. Mais il agit à votre égard dans le cadre de ses fonctions et dans l'ordre de ses modestes préoccupations. Il est contraint d'acheter un ordinateur Fujitsu pour des raisons tellement sordides que, vous ou moi, nous ne pouvons même pas les imaginer : la vanité, une recommandation pressante des affairistes qui font le siège du gouvernement ou de l'administration bernoise, le devoir de rendre service à un de ses petits camarades de la Loge, la simulation d'une recherche de pointe par le triste Pasche prévu pour sa succession dans deux ans. Allez savoir où la médiocrité du pouvoir va se nicher ? En conséquence, l'autorité vous prend au piège, tout comme le Sphinx jadis aux portes de Thèbes posait des questions insolubles aux passants afin de pouvoir les dévorer avec un semblant de justification. Mais vous, vous pouvez dépasser cette intrigue et vous attaquer vraiment au problème. Comme Œdipe lorsqu'il a résolu l'énigme du Sphinx et qu'il l'a éliminé.

— Comment pourrais-je contribuer à la solution d'une question insoluble, avec un laboratoire dont les préoccupations sont tout à fait différentes ? objecta Michel avec une amertume née de sa fatigue. Mes chercheurs ne sont pas là, à bayer aux corneilles en attendant qu'un milliardaire genevois vienne leur proposer les devinettes qu'il lui plaît de formuler. D'une certaine façon, je suis tout à fait qualifié pour répondre à la question posée mais dans le sens contraire de celui qu'espère Charbel Kassis.

— Oui, dit Théo, je sais que vous vous êtes rendu célèbre par vos travaux d'analyse du cerveau.

— Mon métier, reprit Michel, est d'analyser les signaux et de les comprimer pour les transmettre avec une grande fidélité tout en faisant abstraction des informations redondantes ou parasites. J'étudie certes le cerveau en détail mais seulement pour savoir comment il analyse les signaux perçus par la rétine ou par l'ouïe et ce qu'il faut lui fournir comme informations pour qu'il puisse les reconstituer. Lorsque je décompose la parole humaine, il ne s'agit pas de savoir ce qu'elle signifie ou si c'est un esprit qui la prononce, mais de la décoder et construire une machine à dicter, une machine qui reconnaisse la parole humaine et qui soit capable de la transcrire dans un texte. Lorsque j'analyse une image de télévision, c'est afin d'en éliminer le décor, par exemple, qui ne doit pas être transmis à chaque image parce qu'il ne change pas. Voilà mes objectifs concrets, urgents, prioritaires. Qu'est-ce que j'ai à voir avec le bric-à-brac philosophique que l'on me propose ?

— Réfléchissez à la méthode que vous utilisez, pour découvrir le lien possible, suggéra Théo.

— J'essaie de construire des machines qui simulent le cerveau jusque dans leur organisation. Par cette activité, je suis naturellement poussé à considérer le cerveau comme une machine, tout en insistant sur le fait que ce n'est pas un automate, mais une machine d'une autre espèce, capable d'engranger des expériences et de se livrer à des tâches complexes à cause de cette expérience antérieure. En somme j'ai réussi un certain nombre de travaux parce que j'ai adopté une approche factuelle, matérialiste du cerveau. N'espérez pas de moi que je dise le contraire, même pour gagner beaucoup d'argent.

Théo commença par ranger son aspirateur, fermer le tiroir à clé et accrocher la clé de celui-ci à son trousseau.

— La difficulté que vous rencontrez provient de la qualité de votre laboratoire. Si vous êtes le meilleur au monde dans quelque domaine que ce soit, c'est le genre de questions que l'on vient vous poser. Vous êtes et vous resterez celui qui a permis le décodage par une machine de l'écriture cursive des hommes, sur une enveloppe de la poste ou sur un chèque. Et, pour réussir, vous êtes allé voir ce qui se passe dans le cerveau humain afin de simuler son fonctionnement. Ce n'est pas banal comme démarche. Et cela vous arme effectivement pour résoudre le problème que l'on vous pose.

Permettez-moi de vous rappeler ma propre histoire. J'avais monté un laboratoire spécialisé en datation par la méthode du carbone 14. J'étais le meilleur, le plus précis, le mieux équipé, le mieux organisé. Les jeunes chercheurs se battaient pour travailler avec moi et je n'avais que l'embarras du choix pour les recruter. Je mesurais avec application des carottes de glace découpées dans les glaciers de l'Antarctique ou bien des pieux de villages lacustres récupérés dans le lac de Neuchâtel. Or, on est venu me demander de dater le Suaire de Turin, pour accréditer son authenticité. Un cardinal s'est dit que, si j'authentifiais sa date au Ier siècle, l'Église disposerait quasiment d'une preuve de la résurrection de Jésus. J'étais en train de faire des mesures physiques et on m'a demandé de trancher un débat métaphysique. Vous connaissez la suite [1].

— Oui, admit Michel presque à contrecœur. Cela n'a pas si mal tourné. Si l'on oublie le coup de couteau que vous avez reçu d'un exalté.

— C'était l'indice que j'étais vraiment en prise sur le problème. Si vous êtes un bon physicien, on vous embarque dans la métaphysique et les puissances de l'ombre se vengent quand vous les débusquez.

— Quelles puissances de l'ombre ? Je ne connais qu'un vilain dans cette affaire, le président.

Théo eut un bon sourire :

— Je ne pensais pas vraiment à lui. Malgré ses intrigues naïves, il sera sauvé de l'enfer au bénéfice de son innocence. Il n'est pas à sa place et il ferait merveille en étant ailleurs. Mais vous connaissez le principe de Peter : dans toute hiérarchie, chaque employé a tendance à monter jusqu'à ce qu'il atteigne son niveau d'incompétence. Pour Viredaz, l'objectif est atteint et il est le premier à en souffrir.

Théo fut saisi par une sorte de frisson :

— Non ! Derrière Viredaz se cache le véritable artisan de cette entreprise. Vous apprendrez toujours trop tôt à reconnaître l'adversaire. Il se manifestera dans la mesure exacte où vous réussirez. Et

1. Voir Jacques NEIRYNCK, *Le manuscrit du Saint-Sépulcre*, *op. cit.*

je suis sûr que vous le débusquerez. Mais je ne voudrais pas terminer sur une note négative. Face au monde qui va si mal, il y a des gens qui se battent. Je pense en particulier à mon frère...

— Vous voulez dire le pape Jean XXIV, interrompit Michel.

— Tout à fait. Il se bat depuis un an à Rome, pris entre deux feux : d'une part un parti intégriste cramponné sur le passé, qui n'a rien oublié et qui n'a rien appris ; d'autre part une horde anarchiste prête à tout oublier et à admettre n'importe quoi. Il veut refonder une alliance entre foi et science car c'est le seul projet qui soit crédible. Mon frère sera en Suisse durant le mois d'août pour passer ses vacances en famille. Vous devriez le rencontrer.

Michel secoua la tête :

— J'ai beaucoup de respect pour l'homme mais trop de méfiance pour l'institution. J'écouterai votre frère avec attention mais il ne me fera pas changer d'avis. C'est en renonçant totalement à toutes les croyances irrationnelles que le monde sortira de ses difficultés. Depuis que l'on a inventé le bulldozer, il n'est plus besoin de la foi qui en théorie déplacerait les montagnes mais qui ne les a jamais déplacé en pratique.

*

Encore plus ébranlé par les paroles de Théo que par son entretien avec le président, Michel regagna son bureau et demeura longtemps songeur, les yeux dans le vide, situation très rare pour lui. Le président lui avait recommandé de rendre visite à Charbel Kassis. À tout hasard, Michel fit prendre un rendez-vous par sa secrétaire tout en espérant que le coup prévu pour cette nuit le dispenserait d'accepter le projet et d'aller au rendez-vous. À sa grande surprise, le banquier se révéla tout à fait disponible, dès le lendemain à l'heure qui conviendrait à Michel. Ce financier inconnu semblait subitement pressé de résoudre la question insoluble, celle que les hommes se posaient depuis qu'ils avaient commencé à réfléchir : pourquoi suis-je capable de penser ? Pourquoi suis-je inquiet de moi-même ?

Michel sortit de sa rêverie pour téléphoner à Irina et la prévenir de son retard. Par la fenêtre il pouvait contempler le jour déclinant sur le lac et les Alpes. Le ciel était rigoureusement bleu comme s'il n'existait aucun nuage au monde. Ici tout semblait tellement simple. Il suffisait de travailler comme un modeste artisan pour atteindre les sommets. Comme Rousseau, l'apprenti horloger devenu philosophe. On ne demandait à l'ingénieur Michel Martin que de résoudre la question que se posent tous les hommes : suis-je une moisissure sans intérêt, poussée au hasard sur une planète perdue, qui se distingue simplement par une température, une atmosphère et un taux d'humidité adéquats ?

Après trois sonneries, Irina répondit :

— Merci d'appeler Michel. J'ai appris la nouvelle.

— Quelle nouvelle ? Comment l'as-tu apprise ?

Michel se rendit compte que la seconde question contredisait la première. Et il se hâta de rajouter :

— Je ne puis te parler maintenant. C'est une tuile supplémentaire qui me tombe dessus.

— Non, Michel, répondit très doucement Irina, ce n'est pas un contretemps. C'est la grâce que je demande au Seigneur tous les jours.

La référence au Seigneur eut pour effet d'irriter Michel. Ce personnage, tout à fait imaginaire à son estime, ne cessait d'occuper la place d'un tiers dans leur couple. Pire qu'un amant. Invisible et donc présent sans qu'on le sache. De peur de trahir son agacement, il se tut.

— Tu as autre chose à me dire ? reprit Irina encore plus doucement.

— J'ai promis de garder les enfants. Je voulais simplement savoir quand tu quitteras la maison et quand tu reviendras, afin d'organiser mon déplacement à Divonne ce soir. Je serai absent au moins jusqu'à deux ou trois heures du matin.

Cela aurait étouffé Michel de mentionner le but de la sortie d'Irina. Il se tut et attendit la réponse qui vint enfin, comme à regret, tant Irina avait peur de l'irriter davantage en parlant de ce qui lui tenait, à elle, le plus à cœur. Ils vivaient chacun sur une planète différente.

— La réunion de prière commencera à Vennes vers sept heures. Je quitterai la maison à six heures et demie. J'ai préparé de la pâte à crêpes. Les enfants t'attendent. Ils ont grand besoin de te voir. Tu es parti tellement tôt ce matin.

— Quand est-ce que tu reviendras ?

— Vers dix heures du soir.

— Je serai obligé de partir tout de suite après pour Divonne, avec Sean et Ruth.

— Je n'aime pas que tu ailles à Divonne.

— Je n'ai pas le choix, tu le sais bien. Le laboratoire a besoin de cet argent.

— Je sais déjà que tu n'en gagneras pas. Tu en perdras au contraire.

Depuis longtemps Michel avait appris que les prédictions d'Irina se réalisaient toujours, tout en se faisant un point d'honneur de ne jamais les prendre en compte. Il fut encore plus irrité d'ouïr que l'ultime tentative pour s'en sortir par ses propres forces finirait par échouer. Il prit une tangente :

— Je ne puis pas me décommander. Sean et Ruth ont réservé leur soirée.

— Pourquoi ne dis-tu pas Ruth et Sean.

Il n'y avait aucune raison de mentionner ses assistants dans cet ordre, sinon parce qu'il les considérait selon leur ancienneté ou leur utilité. Irina parvenait toujours à déceler ses moindres failles.

— Je les cite dans n'importe quel ordre parce que, dans mon laboratoire, on ne fait pas de différence entre les filles et les garçons.

— Sont-ils toujours amoureux l'un de l'autre ?

— Cela ne me concerne pas. Ce ne sont pas nos affaires, Irina.

Il y eut un soupir à l'autre bout du fil. La conversation s'arrêta là. Michel se replongea dans ses papiers mais il ne parvint pas à progresser dans sa tâche.

Pourquoi fallait-il que l'être le plus rationnel du monde soit marié à une femme qui vivait dans un monde totalement irrationnel ? Pourquoi fallait-il qu'on lui imposât de démontrer l'existence de ce qui n'existait pas à ses yeux ? Par quel sortilège était-il confronté ainsi deux fois au même paradoxe ? Était-il le serviteur sans volonté de cette fatalité, à laquelle il croyait qu'il ne croyait pas ?

*

En rentrant dans sa tanière vers sept heures du soir, Norbert aperçut, sur la table de cuisine où il consommait des repas solitaires, *Le Matin*, un quotidien régional destiné aux cerveaux embrumés des petits matins lausannois.

Sur la première page apparaissait la nouvelle la plus importante du jour : un gypaète barbu avait été abattu par un chasseur valaisan ; or le vautour avait été réintroduit dans les Alpes à grands frais pour des motifs tenant plus de la mystique écologique que de la raison pure.

Cette nouvelle avait beaucoup intéressé Norbert au petit matin tandis qu'il essayait de décrasser son cerveau en buvant du café fort amélioré par un verre d'alcool de pomme. Comme il haïssait les écologistes, il n'avait pas cessé d'y songer tout en conduisant sa voiture vers l'École polytechnique. Ce vautour l'avait littéralement obsédé.

Norbert fut soulagé de découvrir cette explication prosaïque à son rêve. Au-delà de la réalité, il n'existait donc dans le monde des songes rien d'autre que des fragments de souvenirs assemblés sans aucune signification. Le monde était plat et les hommes de petite taille pouvaient espérer le toiser du regard.

II

— Je ne t'ai jamais vue dans cette robe, dit Sean en contemplant la toilette vert d'eau qui moulait le corps juvénile de Ruth et qui contrastait divinement avec sa peau bistre.

Née à Tunis, elle descendait de toutes les races qui avaient fréquenté ce carrefour de la Méditerranée. Elle avait des yeux phéniciens, un nez romain, des pieds grecs, un menton arabe, une chevelure juive et une peau berbère. Elle savait tout avant même de l'avoir appris : elle n'ouvrait les livres que pour vérifier si les auteurs ne s'étaient pas trompés.

Sean utilisait le ton exaspérant du constat le plus objectif. Ruth fut déçue. Elle espérait davantage d'enthousiasme.

— Je l'ai achetée spécialement pour ce projet. Tu as refusé de m'accompagner durant les essayages. Et tu ne m'as jamais conduite à un endroit où j'aurais pu la mettre. Nous n'allons jamais à l'opéra de Genève ou un concert de gala.

— En effet, admit Sean toujours aussi neutre. Je n'ai pas eu le temps.

Il pourrait tout de même s'excuser, songea Ruth. Elle était gênée par l'antenne, un fil de cuivre qui courait depuis le talon de sa chaussure droite jusqu'au bas de la nuque et qui était collé tout au long de la jambe et de la colonne vertébrale par une série de pansements adhésifs. Sous la jupe longue de son ensemble, ce bricolage était invisible mais il la démangeait. Sean aurait pu se contenter de l'antenne minuscule qui suffit aux GSM, mais il souffrait de quelques lacunes en électromagnétisme et il avait préféré se donner une marge de sécurité. Ruth aimait un homme doté d'un sentiment exacerbé de la fiabilité.

Elle s'efforça de sourire et de lui retourner le compliment :

— Tu es toujours très beau dans ton costume bleu marine.

— C'est celui que j'ai acheté à Dublin pour la soutenance de ma thèse de maîtrise. Il y a encore des tailleurs en Irlande. Le pays est assez pauvre pour que des gens gagnent leur vie en coupant des costumes sur mesure.

Il fallait toujours qu'il découvre en toute chose l'aspect le plus déplaisant. Selon lui, le monde était une machine complexe et perverse, à laquelle il fallait se garder de donner prise.

Une fois encore Ruth contempla celui qu'elle devait bien appeler l'homme de sa vie. Celui dont elle était tombée amoureuse pour son plus grand malheur, d'un amour tel qu'il la marquerait de façon indélébile et empêcherait tous les autres amours de s'épanouir sans se référer à cette norme : Sean Brian Montague, le plus brillant des ingénieurs en télécommunications de sa génération, beau comme seuls peuvent l'être les anges et les Celtes, tellement solide et sain que cela en devenait angoissant. Grand et mince, le visage hâlé, à moitié dissimulé sous une barbe courte qui ne constituait pas un choix esthétique mais une contrainte d'intendance.

Sean avait calculé le temps qu'il gagnerait en ne taillant sa barbe qu'une fois par semaine plutôt que de se raser tous les jours et le résultat avait emporté la décision : il serait barbu par souci de rentabilité. Sa propre vie était optimisée dans le temps et l'espace comme une machine bien conçue et son métier consistait à rationaliser activement la vie des autres.

Au terme d'un raisonnement rigoureux, Sean avait ainsi énoncé les règles parfaitement logiques qui présideraient à leurs relations : « Un chercheur produit ses meilleurs travaux avant d'avoir quarante ans. Il ne doit donc gaspiller aucun instant et aucun effort. Il ne peut se permettre le mariage qui implique une responsabilité financière, une perte de mobilité et un gaspillage de temps considérable. Il ne doit pas davantage tomber dans le piège d'une passion amoureuse qui est source d'instabilités émotionnelles par le flux et le reflux des sentiments entre les amants. Cependant il ne peut pas pratiquer la continence qui l'expose à de dangereuses tentations provenant de la frustration. Quant au nomadisme sexuel, il combine les inconvénients des solutions antérieures. Ces postulats généraux s'appliquent spécialement à chacun d'entre nous deux, parce que nous sommes les meilleurs chercheurs de notre génération dans nos domaines respectifs. Il faut donc trouver une méthode pour satisfaire nos pulsions sans les convertir en sentiments. »

Ruth aurait pu répéter mot pour mot ce discours qui avait été énoncé comme un théorème, aussi souvent qu'il l'avait fallu pour épuiser ses réticences.

Non seulement Sean était beau et intelligent mais il parlait un français châtié, appris en famille dans un petit manoir de style Louis XIV, bâti au XVIIe siècle à Galway par un de ses aïeux, colonel du régiment des gardes irlandaises du roi de France. Dans la famille Montague, on parlait français entre soi et on ne s'adressait en anglais qu'aux domestiques, depuis que ceux-ci avaient manifesté le mauvais esprit d'oublier le gaélique et d'apprendre la langue de l'ennemi héréditaire.

« Chacun de nous doit pouvoir demander à l'autre de lui prêter son corps dès qu'il en éprouve le besoin. La relation sexuelle devient ainsi une activité physique, réunissant deux amis, qui n'est pas vraiment différente d'une séance de jogging ou d'une partie de tennis. Après cet échange de bons procédés, chacun retourne dans sa vie, délivré de la malédiction du sexe, mais sans exaltation inconsidérée. Si nous tenons ce pacte, nous aurons déjoué la nature. On nous proposera peut-être en exemple plus tard. Après le mythe tragique de Tristan et Yseult, viendra le judicieux modèle de Sean et Ruth. On comprendra alors que l'amour-passion n'a jamais été qu'une maladie ravageant des classes oisives qui vivaient dans des conditions totalement artificielles. »

Sean ne doutait jamais des idées les plus folles pourvu qu'elles lui soient advenues personnellement.

Voici trois ans, en arrivant à Lausanne, Ruth avait accepté ce pacte, tout en étant persuadée qu'il ne serait pas tenu et qu'il s'agissait du discours insensé d'un adolescent monté en graine. Un vieux proverbe yiddish rappelle que « pour avoir de l'eau chaude, il faut mettre la bouilloire sur le feu ». Ruth attendait donc patiemment que l'eau entre en ébullition.

Or, l'amant raisonneur ne semblait pas monter en température. Ruth vivait donc le « judicieux modèle » selon Sean, sans lassitude ni résignation. Avec curiosité plutôt : celle de savoir jusqu'où cette logique devenue folle les emporterait. Cependant la sagesse ancestrale d'Israël lui soufflait en même temps qu'elle courait ainsi des dangers bien plus grands que toutes les passions amoureuses du monde.

Elle avait timidement demandé comment Sean réconciliait sa situation irrégulière avec la stricte éducation catholique qu'il avait reçue au collège des jésuites à Galway. La réponse avait dépassé ses spéculations les plus audacieuses.

— Si tu avais subi une véritable formation morale, tu saurais qu'il faut choisir sans hésiter, entre deux maux, le moindre et n'éprouver ensuite aucun regret de cette décision. Nos relations physiques m'empêchent de sombrer dans une liaison adultère, dans le recours à la prostitution ou dans la déviance homosexuelle. Je ne pèche pas en donnant une pâture minimale à ma recherche de sensation. Selon mon directeur de conscience, sentir n'est pas consentir. Je préférerais vivre dans la chasteté mais je ne le puis.

Il avait daigné sourire :

— Je ressens donc un grand plaisir avec toi mais je me garde d'y consentir.

— Ce serait peut-être plus simple de constater que tu ne parviens pas à être catholique parce que les règles morales de cette religion ne te conviennent pas, avait observé Ruth sur le ton le plus neutre possible pour maîtriser le tremblement de sa voix.

— Un Irlandais qui n'est pas catholique risque d'être pris pour un Anglais, avait répondu âprement Sean.

Ruth en avait déduit que les catholiques nourrissaient tous une tendance à la schizophrénie, surtout quand ils avaient été exposés à l'influence de jésuites irlandais.

Avec d'autres jeunes chercheurs, qui n'étaient ni mariés, ni célibataires, ils habitaient deux chambres séparées, dans un grand appartement de la rue Beauséjour, juste au-dessus de la gare de Lausanne. Le logement, caverneux et obscur avait sans doute servi auparavant de cabinet à des médecins ou à des avocats qui exerçaient leur profession à domicile. Toujours était-il que sept jeunes adultes trouvaient chacun leur chambre dans ce phalanstère sans autre loi que la libre volonté de ses occupants.

Sean la sortit de sa rêverie :

— Il est temps d'aller chercher le patron avant de partir à Divonne.

— J'ai peur, dit simplement Ruth.

Mais elle aurait été bien embarrassée de décrire la raison précise de son appréhension. Peut-être simplement la crainte qu'un pansement se détache dans son dos et que l'antenne se défasse.

— Ne te fais pas de souci ! Je te précède, dit Sean. Ma voiture est parquée très loin et tu ne peux pas marcher avec ces talons hauts. Descends dans sept minutes tout juste. Mais ne me fais pas attendre. Il est dix heures quatre. À dix heures onze, la voiture arrivera devant la maison.

Ruth marqua un peu d'agacement :

— Il faudrait peut-être apprendre à attendre.

— Je ne crois pas que ce soit une bonne idée.

— Connais-tu l'histoire du chômeur juif ? demanda Ruth qui n'était vraiment pas pressée.

— Non. Tu me la racontes, mais fais vite !

— Un petit ouvrier juif, qui se trouvait au chômage, alla trouver son rabbin pour qu'il l'aide à trouver du travail. « Tu t'installes à la porte de la synagogue et tu guettes la venue du Messie », lui conseilla le rabbin. « Mais Rabbi, cela ne rapporte pas d'argent ! » Et le rabbin lui répondit : « Bien sûr, mais c'est une situation permanente. »

Sean fit la moue :

— Ton histoire est jolie mais tu n'es pas le Messie.

— Qu'est-ce que tu en sais ?

— Ma chère, l'annonce du Messie à travers toute la Bible se réfère à un garçon et pas à une fille.

Ruth se tut. Elle n'avait jamais réfléchi à cet aspect sexiste de la Torah. Puis elle haussa les épaules. Dieu est toujours à venir. Afin de remplir sa véritable fonction, il fallait que le Messie n'arrive jamais. On ne saurait donc décider s'il est homme ou femme.

*

En ouvrant la porte de l'appartement à six heures du soir, Michel écrasa un ballon en baudruche contre le mur : l'explosion prévint du moins sa famille de son arrivée. Deux enfants accoururent en pleurant. Ils entretenaient une dispute recuite dans son propre jus, que Michel parvint à désamorcer en quelques phrases. Il essaya de progresser vers le séjour en enjambant les jouets répandus dans le hall. Il réussit à écraser un tube de peinture et à déraper sur un patin.

Le chat vint voir ce qui se passait : il sautillait sur trois pattes car il avait perdu la quatrième dans un piège posé par un voisin pour attraper les fouines. Michel avait proposé de faire piquer le chat mais ses enfants et Irina avaient arraché la grâce de l'animal : celui-ci avait pris ses invalides dans l'appartement qu'il ne quittait plus. Dans la vie de Michel tout était abîmé, même les animaux domestiques.

Irina s'activait à la cuisine dont s'échappait un bruit de vaisselle heurtée avec une vigueur proportionnelle au retard qu'elle avait pris. Dans le séjour, des piles de vieilles revues encombraient le divan. La table n'était pas mise et les reliefs du petit déjeuner traînaient encore. Le chat avait renversé le pot à lait dont le contenu était du reste caillé. Deux enfants étaient englués devant l'écran de télévision. L'aînée, Sophie, la seule qui ne regardait pas la télévision et qui ne se disputait pas, devait se trouver dans sa chambre d'où s'échappait une de ces musiquettes répétitives qu'affectionnent les adolescents.

Épuisé, Michel s'assit sur un coin du divan. Soudain, il découvrit à côté de lui un petit ours en peluche rose, hideux et sale. Cet ours avait été le préféré d'Henri jusqu'à sa mort. Michel songea à son sixième enfant, à celui qui ne serait plus jamais là, depuis qu'il était mort de mucoviscidose, étouffant à petit feu, incapable de puiser l'air dans ses poumons pourris. À l'instant de mourir, les yeux exorbités par l'effort, il avait donné son ours à Michel.

Le père Balthasar Alvarez avait organisé les funérailles en expliquant à Michel que la volonté de Dieu était ordonnée au bien suprême de l'enfant mort dans sa prime innocence avant d'avoir pu commettre les péchés graves qui formaient le destin inéluctable des adultes. Michel n'aimait pas ce Dieu-là. Bien qu'il professât son inexistence, il nourrissait cependant une haine tenace à son égard.

Pour se changer les idées, il se mit à récapituler mentalement les factures et les impôts qu'il devrait payer avant la fin du mois de juillet. Son traitement de professeur lui permettait à peine de nourrir sept personnes, dans un pays où la nourriture, les vêtements et le loyer étaient hors de prix.

Il fallait en plus subvenir aux besoins de Madame mère Vescovici, émigrée de Roumanie *via* l'Algérie en même temps qu'Irina avec les seuls vêtements que la mère et la fille portaient sur le dos. Radicalement incapable de garder un emploi. Installée dans un appartement séparé car Michel ne l'aurait pas supporté tous les jours. Elle contemplait à longueur de journée, entre ses paupières alourdies de graisse et de kohl, les quelques souvenirs de l'époque de gloire où son mari avait été un des maîtres de Bucarest : une cuillère en bois sculpté, des œufs peints et une nappe brodée de Maramures. Buvant du porto et fumant des cigarettes orientales à la chaîne. Loin de raccourcir ses jours, comme l'espérait honteusement Michel, l'alcool et la nicotine conservaient la vieille dame, protégée des microbes et des virus par les poisons dont sa maigre carcasse était imprégnée.

Comme l'appartement de la famille Martin comportait tout juste la place nécessaire pour entasser les cinq enfants dans trois petites chambres, les parents dormaient sur un divan dépliable dans le séjour. Soir et matin, les manipulations du lit mangeaient des nuits bien courtes. Les agences immobilières qui décidaient de la taille des logements ne prenaient pas en compte l'existence des familles nombreuses. Même si celles-ci fabriquaient de futurs clients, aucun gestionnaire compétent ne pouvait se permettre un investissement d'aussi longue durée, car les enfants prennent rien moins que vingt ans avant d'être rentables en devenant des consommateurs.

L'esprit déjà ailleurs, Irina se trouvait sur le départ, dans un ailleurs que Michel ne parvenait même pas à imaginer. Il assurerait la garde des enfants ce soir, le seul soir de liberté par semaine qu'Irina demandait pour pouvoir présider une assemblée de prières. Michel n'avait jamais assisté à ce genre de cérémonie. C'était la seule désapprobation qu'il s'était autorisée. Elle lui donna un baiser du bout des lèvres avec un grand sourire, qu'il s'efforça de trouver feint.

Il se mit à cuire une montagne de crêpes pour assouvir la fringale et la mauvaise humeur de ses rejetons. Au fromage, au jambon, à la confiture, au sucre. Il travaillait avec méthode et célérité, tout en essayant de remettre de l'ordre dans son cerveau. Quand il eut terminé de jongler avec deux poêles, Michel ouvrit une bouteille de cidre qu'il partagea avec les deux aînés en engloutissant sa ration de crêpes. La nourriture et l'alcool, la discussion avec les aînés, le détendirent quelque peu. Les petits, calmés, regardaient une cassette vidéo de dessins animés. La paix s'était rétablie et, entre huit et neuf heures, les enfants se couchèrent par ordre croissant d'âge, sans trop rechigner.

*

Quand Irina arriva devant la salle communale de Vennes, l'accès était encombré par plusieurs autocars, certains portant des plaques françaises des départements de Savoie et de l'Ain. Elle éprouva un bref mouvement de vanité, qu'elle réprima instantanément comme l'ange le lui avait enseigné. Les fidèles ne venaient pas pour elle, qui était une simple messagère.

La salle était pleine jusqu'au dernier rang. Six ou sept cents personnes. Irina reconnut quelques religieuses à ces coiffes d'infirmières dont elles s'étaient affublées vingt ans plus tôt pour se rapprocher du peuple, en réussissant seulement à faire abandonner le voile aux infirmières qui ne tenaient pas du tout à être confondues avec des religieuses.

Bien qu'aucun prêtre ne fût identifiable par un signe extérieur quelconque, Irina en repéra trois dans les premiers rangs. Ils désobéissaient à l'évêque en participant aux réunions de prière d'Irina qui avaient été condamnées par une lettre pastorale, lue en chaire dans toutes les paroisses du diocèse. Les prêtres retiraient simplement la croix, qu'ils portaient épinglée au revers, pour venir se ressourcer aux assemblées convoquées par Irina. La parole du Seigneur est plus forte que celle des hommes, pensa-t-elle.

Irina gravit l'estrade et s'assit face au public derrière une petite table couverte d'un tapis vert. Elle salua l'assemblée et invita quatre jeunes, assis dans les premières rangées, à prendre place à ses côtés pour la relayer dans les prières. Puis elle entama la première dizaine du chapelet en annonçant que les cinq dizaines seraient consacrées à des méditations sur les mystères joyeux, l'Annonciation, la Visitation, la Nativité, la Purification et Jésus retrouvé au Temple. Les jeunes prirent le relais pour les dizaines suivantes. La foule répondait docilement dans un bruissement mystérieux de mots murmurés, comme la houle d'une mer qui bat une plage et retombe, vague après vague, jamais lassée. De temps en temps, Irina levait les yeux et dévisageait ses fidèles. Au moins ici, tous étaient venus dans le seul but de prier et non pour accomplir un rite social ou une obligation morale. Ils ne témoignaient pas du vain souhait de modifier la volonté de Dieu mais du désir de l'apprendre et d'y adhérer.

Comme à chaque réunion, elle récita toute seule le dernier Pater en araméen, pour être aussi proche que possible des paroles que Jésus avait vraiment prononcées. Ensuite elle entama les litanies de la Vierge en latin. Elle exhorta brièvement la foule à une pratique quotidienne de la prière. Enfin, elle fit chanter le Salve Regina et le Veni Creator. Au bout de cette heure de prière, elle congédia l'assemblée qui se dispersa dans le plus grand silence. Selon ses instructions formelles, aucune quête n'avait été effectuée. La location de la salle était assurée par quelques fidèles fortunés sans qu'Irina doive jamais s'en occuper. Depuis trois ans, elle ne s'était préoccupée de rien et tout s'était toujours trouvé à point nommé.

La seconde partie de la soirée se déroulait dans une petite salle discrète. Quelques fidèles attendaient qu'Irina leur impose les mains. En pénétrant dans la salle, Irina parvint tout juste à réprimer un sourire en découvrant l'organisation rigoureuse de la cérémonie. Voici vingt ans dans un village de montagne en Roumanie, elle avait participé une seule fois à ce rite, comme à une fête folklorique, sans le prendre au sérieux. Elle se souvenait que la cérémonie s'était déroulée dans une joyeuse bousculade, tout à fait propice à l'action de l'Esprit.

Ici, une bande de plastique jaune avait été collée sur le sol et les candidats attendaient, alignés comme pour une revue militaire, les talons sur la bande. Derrière chacun d'eux, un assistant se tenait prêt à le soutenir s'il s'affaissait. L'Esprit soufflait où, quand et comment il l'entendait mais en Suisse ses manifestations étaient captées avec méthode : ici, Dieu lui-même rentrait dans le rang.

Irina se dirigea vers le premier fidèle de la rangée. C'était un jeune homme avec un visage d'ange sous des cheveux blonds. Ses lèvres remuaient rapidement comme s'il enchaînait les prières. Il tenait les yeux fermés. Irina posa sa main droite tenant un petit crucifix d'ébène et d'ivoire sur le front du jeune homme et murmura : « Seigneur Jésus, fils du Dieu vivant, aie pitié de nous pauvres pécheurs. »

Le jeune homme tomba à la renverse, droit comme une épée. L'assistant le rattrapa par les épaules et le reposa doucement sur le sol.

Irina poursuivit le rite. À peu près une fois sur deux, le fidèle tombait dans le repos du Seigneur. Au fur et à mesure de sa progression le long d'une rangée qui ne cessait de se regarnir de fidèles, Irina sentait ses forces décliner. À plusieurs reprises elle perçut qu'elle imposait les mains à un pécheur endurci, qui n'éprouvait aucun repentir. Chaque fois elle recommença le rite jusqu'à ce que le nœud se dénoue au prix d'un effort considérable. En distribuant une parcelle de sa vie spirituelle, elle ranimait celle de l'incroyant. Tout se passait comme dans une transfusion, mais le sang qu'elle donnait était invisible.

À neuf heures et demie, épuisée, elle s'effondra sur la banquette arrière d'une voiture inconnue qui la raccompagna à la maison.

*

Au moment où Irina quittait la réunion de prière, Théo profitait des tarifs de nuit pour téléphoner à Emmanuel. Il obtint tout de suite la communication et fut transporté par la pensée dans le bureau sinistre que son frère, ce pape qui ne voulait plus être que l'évêque de Rome, occupait sur la piazza di Porta San Giovanni. Il pouvait imaginer Emmanuel en bras de chemise, penché sur une pile de dossiers en train d'écouter une cantate de Mendelssohn, son auteur favori.

Théo ne s'était pas trompé. À travers l'écouteur, il entendit un chœur de *Paulus* et reconnut la direction un peu trop ferme de Kurt Mazur.

La voix d'Emmanuel semblait bien lasse :

— Ah ! c'est toi vieux forban. Qu'est-ce qui me vaut le plaisir ?

— Le banquier de Genève, que tu m'avais recommandé et qui était bien d'accord de collecter les fonds chez ses collègues afin de financer l'opération, a rencontré le président de l'École polytechnique. Le projet est sur les rails. Ou a peu près, s'il n'y a pas de contretemps.

— Que comptes-tu faire ?

— Moi je ne fais rien. Je n'ai aucun laboratoire à ma disposition. Le président a jeté son dévolu sur le professeur Martin, un spécialiste du traitement des signaux.

— Qu'est-ce encore que cette théorie des signaux ?

— Je ne puis pas t'expliquer cela au téléphone, il me faudrait un tableau noir.

Emmanuel émit un soupir audible à mille kilomètres de distance, au souvenir des séances interminables durant lesquelles Théo s'était efforcé en vain d'expliquer quelques rudiments de physique à son cadet.

— Dis-moi simplement ce qu'il peut faire. C'est très important pour moi, tu le sais.

— Il a effectué des travaux de pointe sur le fonctionnement du cerveau. Il dispose de tout l'appareillage nécessaire parce qu'il poursuit des travaux sur la reconnaissance de l'écriture, de la parole ou de l'image, c'est-à-dire les principaux signaux que nous émettons et que nous captons. Il pourra donc discerner si nous disposons d'autres canaux de transmission de l'information, comme la télépathie, la voyance, la télékinésie.

— Et lui, quelle est son attitude ?

— Exactement ce qu'il nous faut. Un rationaliste pur et dur, intègre et rigoureux. Une référence scientifique. Il n'entreprend le projet que contraint et forcé par la direction de l'École pour collecter des crédits dont son laboratoire a bien besoin.

— Je n'aime pas tellement cela. J'ai le sentiment que nous lui forçons la main.

— Mon pauvre Emmanuel ! Vivre perpétuellement avec ta conscience exigeante, cela doit être aussi efficace que de conduire une voiture avec les freins serrés. Sois un peu réaliste ! Pour amener à résipiscence les incroyants, il faut bien commencer avec un impie qui n'a pas du tout envie de se convertir. Le professeur Martin constitue un cas d'école, particulièrement démonstratif si nous parvenons à ébranler ses préjugés. Mais le plus important est qu'il ne sera pas suspecté de complaisance.

Emmanuel ne répondit pas. Sans le voir, à distance, Théo devina que son cadet était déprimé.

— Qu'est-ce qui ne va pas ?

— Rien ne va. Depuis un an je moisis dans ce sinistre palais épiscopal du Latran. Mon départ impliquait que le Vatican devait se vider de toute l'administration ecclésiastique qui l'encombre et qui constitue une véritable nuisance pour la foi. Mais j'ai beau être ici, eux sont toujours là.

— Nomme un liquidateur énergique avec mission de licencier le personnel !

— Facile à dire. J'ai choisi Mgr Bertini, parce qu'il avait été mon bras droit lorsque j'étais préfet de la congrégation pour la doctrine de la foi.

— Fallait-il vraiment un Italien ?

— Il fallait un Italien ! Seul lui pouvait comprendre toutes les subtilités de la situation.

— Est-ce qu'il ne les comprend pas trop bien ? demanda Théo.

— L'Italie est un paradis habité par des démons…

— … après qu'elle fut créée par Dieu sur des dessins de Michel-Ange, termina Théo selon une formule rituelle utilisée par les deux frères. Écoute, moi je fais ici tout ce que je puis. Dans un mois nous nous revoyons et j'aurai quelque chose de substantiel à t'apporter.

— Pas une preuve de l'existence de Dieu, tout de même !

— Non, mais la preuve qu'il n'existe pas de preuve de son inexistence.

*

Un peu avant dix heures, Irina pénétra dans l'appartement, un sourire mystérieux flottant sur les lèvres, ce sourire qui la faisait ressembler à l'ange de Reims, un sourire tourné vers l'intérieur, le sourire de celle qui a cherché vainement en dehors d'elle-même ce qui était caché au plus profond de son cœur. Elle eut le temps de croiser Michel qui partait, sombre et tourmenté, vers son entreprise douteuse.

Une fois que Michel eut refermé la porte de l'appartement en la claquant un petit peu plus qu'il n'était nécessaire, Irina fit le tour des chambres à coucher et s'offrit la joie de contempler chacun des visages de ses enfants. C'était son trésor sur terre. Elle était persuadée qu'elle parviendrait à leur épargner, sinon les peines de la vie, du moins les souffrances de l'Enfer par sa prière à elle, persistante et obstinée. Elle ferait violence au Ciel pour leur donner le salut. Elle sacrifierait sa vie si cela se révélait nécessaire, comme les messages le laissaient entendre de plus en plus. Tout le reste n'avait aucune importance.

Elle vint s'agenouiller devant le petit oratoire qu'elle avait organisé dans le placard donnant sur le hall d'entrée : les balais, serpillières et seaux en avaient été bannis et traînaient aux endroits les plus incongrus de l'appartement. Ainsi aucun indice religieux n'offensait la vue de Michel, rien ne le compromettait aux yeux des étrangers qu'il invitait. Dans le milieu agnostique, indifférent ou athée des universitaires, aucun symbole n'était plus accepté ou acceptable : les objets n'étaient jamais que la matière dont ils étaient constitués, du plâtre, du bronze ou du papier. Un point de rencontre entre le visible et l'invisible, une ouverture sur le divin, l'amorce d'une spiritualité, tout cela n'avait plus aucun sens. On pensait seulement au comptant.

Lorsqu'elle était seule, il suffisait qu'Irina ouvre la porte du placard pour entrevoir un coin du Ciel. Alignées sur une planche à hauteur de ses yeux, les statues de la Vierge de Lourdes et du Sacré-Cœur encadraient l'icône de saint Jean. Celle-ci était particulièrement précieuse, car elle lui avait été remise lors de sa première visite à Patmos par un pope rencontré au hasard d'une ruelle : elle ne l'avait jamais rencontré auparavant, elle ne l'avait jamais revu depuis ; il lui arrivait souvent de penser que son ange avait choisi ce déguisement pour lui remettre une image qui n'avait pas été peinte par une main humaine.

Sur les côtés, à des places convenant à leur modestie, un chromo pieux de Thérèse de Lisieux et un autre du Padre Pio, découpés dans ces magazines qu'elle trouvait dans les présentoirs à l'entrée des églises et qu'elle emportait sans les payer de peur de gaspiller l'argent du ménage. En Roumanie, elle avait appris à voler chaque fois qu'elle ne courait aucun risque. L'ange lui faisait souvent des scènes à ce sujet. Mais Irina le laissait dire : l'ange n'avait jamais vécu sous le règne de Ceaucescu. Il lui manquait une expérience irremplaçable.

Elle s'agenouilla et contempla les icônes et les statues. Elle se mit à prier pour que Michel échoue dans son entreprise nocturne. Et, très vite, elle entra dans une grande paix car le Seigneur l'écoutait et promettait de l'exaucer :

— Écoute, écoute, ma fille ! L'homme avec lequel tu vis se convertira mais il faut accepter de le perdre. Il faut renoncer à ta vie pour te sauver et pour le sauver.

Et puis, pour la première fois, vint un autre message qui fut répété avec insistance :

— Et toi, tu sauveras Rome du grand danger dans lequel vit mon Église. Tu rencontreras mon serviteur Emmanuel. Tu le mettras en garde contre le traître qui est à ses côtés ! Prie pour Emmanuel.

À l'époque, Irina ne connaissait aucun Emmanuel. Elle ne lisait pas les journaux, n'écoutait pas la radio, ne regardait pas la télévision. Pour elle, le pape s'appelait Jean XXIV. Il flottait comme une bulle dans le ciel de Rome, une ville quasiment mythologique qu'elle n'aurait pu localiser sur une carte.

*

Dès qu'il eut quitté son appartement, Michel se détendit sur le siège arrière de la voiture de Sean. La climatisation ne constituait pas un luxe inutile dans la chaleur persistante de cette nuit. Comme Sean était célibataire, il pouvait se payer une BMW aux fauteuils de cuir, son seul luxe dans une existence plus qu'austère. De la main Michel caressa machinalement cette matière somptueuse en savourant l'illusion d'échapper à sa malédiction quotidienne, le manque d'argent.

Cette nuit, une fois pour toutes, il tenterait de résoudre un problème lancinant, le paiement des salaires de son laboratoire. À force de jongler avec les mandats et de dépasser les délais annoncés, le laboratoire avait accumulé les dettes à l'égard du service financier de l'École. Michel devrait licencier certains doctorants avant l'achèvement de leur thèse ou trouver d'autres sources de fonds. C'est ce qu'il se proposait de faire ce soir avec l'aide de Ruth et Sean, en allant jusqu'à l'extrême limite de la légalité et de la rationalité.

Il caressa le cuir à nouveau, sensuellement comme jamais il ne caressait Irina. Les fauteuils présentent sur les femmes l'avantage de ne pas rendre les caresses.

Aujourd'hui il transgresserait l'ordre bourgeois. Jusqu'à présent, il avait été le plus conformiste de tous les rebelles. Dans le projet roulette, il s'était associé avec Sean Brian Montague, fils d'un militant de l'IRA pendu par les Anglais, et avec Ruth Naouri, descendante d'une longue lignée de juifs tunisiens, petite-fille de quatre grands-parents gazés par les nazis, fille d'un officier israélien mort au Sinaï.

La rébellion de Michel possédait des racines moins évidentes. Celles-ci s'enfonçaient dans le terreau séculaire de l'injustice dont le petit peuple français est la victime, sans que ses révoltes l'ébranlent : on avait beau changer de maîtres, on finissait après chaque révolution par regretter les précédents.

Tous les trois partageaient une méfiance radicale pour les lois, les conventions et les compromis, ainsi que pour les personnages visqueux qui en vivent. Au cœur des laboratoires subventionnés par les pouvoirs publics se cachent ainsi des révolutionnaires tranquilles qui s'occupent à dynamiter les certitudes les mieux établies. Il suffit de découvrir des lois naturelles pour avoir envie d'abolir les règles arbitraires des juristes.

*

Soucieux de continuer à bénéficier des tarifs réduits, Théo appela Colombe en Californie. Grâce au décalage horaire de neuf heures, il réussit à la joindre aux alentours d'une heure de l'après-midi, avant qu'elle reprenne le travail. Son essoufflement apprit à Théo qu'elle avait utilisé la pause de midi pour remplacer le repas par une séance de jogging. Colombe entretenait son corps comme si cela avait été une mécanique de précision. Elle traquait un embonpoint tout aussi imaginaire que les poussières que Théo pourchassait en tout lieu.

— Bonjour Théo ! J'ai tout juste deux minutes. J'anime une session de formation qui recommence à deux heures. Quoi de nouveau ?

— Je joue le grand jeu. Cela a commencé hier.

— Tu aurais dû attendre que j'arrive en Suisse. Dans une semaine, je suis en vacances. On aurait pu en discuter à tête reposée.

— Pas question d'attendre. Il faut saisir les chercheurs quand ils sont disponibles, juste à la fin des examens.

— Et quelle est ta dernière victime ?

— Le professeur Michel Martin en personne.

— Diable ! Comment as-tu décroché l'accord d'un aussi grand personnage ?

— Il n'est pas vraiment d'accord. Mais j'ai sauté sur l'occasion lorsque le président de l'École lui a forcé la main.

— Il a besoin d'argent le professeur Martin ?

— Tu l'as dit !

— Théo, tu es immoral ! Tu ne sais même pas ce que veut dire le mot éthique !

— Je n'ai jamais éprouvé que de très rares sensations esthétiques. Or Wittgenstein prétend qu'esthétique et éthique vont de pair. Tu ne dois pas me rappeler mes déficiences. J'ai appris à m'en servir.

— C'est bien ça ! Si tu avais une seule fois aimé une femme dans ta vie, tu aurais appris à aimer les hommes. Ils ne sont pas équivalents à des équations que l'on résout.

— Tu crois vraiment ?

*

De Lausanne à Divonne, le trajet par l'autoroute prend à peine une demi-heure. Sean parqua la voiture à une centaine de mètres du Casino, de façon qu'il bénéficie d'une transmission en ligne droite entre l'antenne de l'auto et la salle des roulettes. Les expériences antérieures avaient démontré que la transmission radio ne posait aucun problème. Mais les impondérables ne manquaient pas et il valait mieux soigner tous les détails.

Le projet des trois complices consistait à utiliser un ordinateur pour battre la roulette, cet objet diabolique inventé au XVIIe siècle afin de brouiller le raisonnement des parieurs.

La plupart des martingales utilisées par les joueurs crédules reposent sur la séquence des résultats. Certains parient sur la *série*, en misant toujours sur la même chance simple, le rouge par exemple, et en doublant la mise à chaque coup jusqu'à ce que le rouge sorte : ils spéculent sur la croyance qu'une longue séquence de noirs entraînerait une probabilité croissante d'obtenir le rouge. D'autres au contraire tentent la *tournante* en plaçant successivement leurs mises sur tous les numéros et en s'imaginant que la roulette les visite tous.

Aucune de ces martingales n'a jamais enrichi durablement quelque joueur que ce soit. En effet, une bonne roulette produit une suite de nombres aléatoires, si l'on veut bien négliger quelques petites imperfections. Il ne suffit donc pas de connaître les résultats d'une séquence de coups pour pouvoir prédire les coups à venir les plus probables. À chaque coup, tout dépend de la vitesse imprimée au plateau et du lancer de la bille par le croupier. Or ni cette vitesse ni ce lancer n'ont aucune chance d'être les mêmes d'un coup à l'autre. À chaque coup, tous les numéros ont une chance égale de sortir quels qu'aient été les résultats antérieurs. Même si le noir est sorti cent fois d'affilée, au cent et unième coup, le rouge et le noir ont toujours autant de chances de sortir.

Le projet de Michel et de ses assistants faisait table rase de ces fausses combines. Leur idée consistait non pas à spéculer sur une série de coups mais à s'occuper d'un seul et à en prédire le résultat durant les quelques secondes qui séparent le lancer de la bille et la clôture des enjeux.

Dans un coup isolé, il n'entre aucun hasard : les vitesses initiales de la bille et du plateau, si elles étaient parfaitement connues, permettraient à coup sûr de prédire le résultat. Mais la roulette a été astucieusement conçue afin de convaincre les joueurs du contraire, c'est-à-dire que la bille tombe dans l'une des trente-sept cases du plateau sans que l'on puisse prévoir laquelle. Cette impression provient de ce que le plateau tourne dans un sens tandis que la bille est lancée sur la carcasse fixe dans l'autre sens. Les deux mouvements circulaires de sens contraires ne peuvent être simultanément suivis par le même observateur dont la perception est brouillée. Il ne parvient pas à émettre quelque pronostic que ce soit pour un coup déterminé.

Faute de pouvoir être un tout petit peu rationnel, le joueur devient tout à fait irrationnel. C'est pourquoi il sombre volontiers dans l'illusion évoquée plus haut selon laquelle la séquence des coups successifs obéirait à des lois qui sont en fait imaginaires.

Les conjurés savaient au contraire que la bille est sujette aux lois de la mécanique. Si à un moment donné l'on connaît les vitesses ainsi que les positions respectives du plateau et de la bille, il devient possible de calculer, du moins en théorie, dans quelle case la bille finira par tomber. Il n'entre aucun hasard dans un coup dont le résultat est parfaitement déterminé si les conditions initiales sont connues. Mais tout le problème consiste à évaluer au départ les vitesses et positions de la bille et du plateau puis à les introduire dans un ordinateur suffisamment puissant pour calculer le résultat en temps réel avant le fatidique « Rien ne va plus ».

Tel était le projet de Michel et de ses assistants. Bien entendu, il n'était pas question d'installer un ordinateur dans la salle de jeux et il avait fallu imaginer un système de transmission radio entre l'ordinateur, caché dans la voiture, et les joueurs, un système suffisamment discret pour ne pas attirer l'attention des croupiers.

Sean avait patiemment mis au point le matériel. Des répétitions avaient eu lieu dans son appartement car le projet roulette était naturellement couvert par un secret absolu. Si la direction de l'École polytechnique découvrait que le personnel et le matériel de l'École servaient à une expérience aussi scabreuse, les responsables, à commencer par Michel, seraient licenciés sur-le-champ. Or perdre sa place dans le monde universitaire pour une infraction au code de bonne conduite académique signifie l'impossibilité de se recaser où que ce soit dans le monde. Michel risquait gros. L'honneur d'un chercheur est comme une allumette, il ne se consume qu'une seule fois.

Après de multiples essais en chambre, le logiciel d'évaluation avait été amélioré par Ruth, qui était une virtuose de la programmation, jusqu'au point où il fournissait une estimation fiable du huitième de cercle dans lequel la bille finirait par tomber, ce que les complices appelaient un octant. Le plateau tournant comporte trente-sept cases. Les conjurés étaient donc capables de prédire à coup sûr les cinq cases parmi lesquelles la bille s'arrêterait.

Les inventeurs de la roulette au XVIIe siècle n'étaient pas tombés de la dernière pluie. Ils avaient soigneusement combiné l'ordre des cases sur le plateau mobile de façon que pair et impair, rouge et noir, passe et manque soient mélangés. Cinq cases consécutives, par exemple rouge 32, noir 15, rouge 19, noir 4 et rouge 21, appartenaient à toutes les catégories. Pas question donc de jouer une chance simple, par exemple rouge, pair ou manque, le jeu le plus évident qui rapporte une fois la mise chaque fois que le joueur réussit.

La seule stratégie consistait à jouer sur un numéro plein qui rapporte trente-cinq fois la mise. Comme il y a trente-sept cases numérotées de 0 à 36, un joueur ordinaire n'a qu'une chance sur trente-sept de gagner trente-cinq fois sa mise. À la longue, il perd au bénéfice du casino. Sauf justement si l'estimation des vitesses respectives du plateau tournant et de la bille permettait de restreindre le nombre de cases dans lesquelles la bille tombe. Avec le système mis au point, les conjurés devaient gagner, une fois sur cinq, trente-cinq fois leur mise. Au terme d'une soirée, ils devaient donc théoriquement se retirer avec sept fois leur capital de départ.

Théoriquement ! Michel professait une confiance absolue dans les principes de la physique aussi longtemps qu'ils conditionnent des résultats imprimés noir sur blanc dans des publications savantes. La doctrine serait maintenant soumise à l'épreuve de la réalité et sanctionnée par le gain ou la perte de la dizaine de milliers de francs suisses qu'il avait retirée de son compte, l'argent du ménage pour le mois à venir. S'il perdait, comment oserait-il reparaître devant Irina ? Mais s'il ne remboursait pas les dettes accumulées auprès du Service financier de l'École, sa place serait sérieusement menacée. S'il acceptait la proposition de Charbel Kassis, il offrirait une prise à la critique qui le déconsidérerait. Il était cerné entre plusieurs mauvaises solutions.

Il n'avait jamais trompé Irina en quinze ans de mariage. Il n'était jamais rentré ivre à la maison. Les quelques cuites dont il s'était rendu coupable avaient toujours eu pour théâtre des chambres d'hôtel, les soirs de congrès où il s'était écroulé de fatigue et de désespoir. Cette nuit il allait risquer sa réputation de père pour sauver son honneur de patron. Il allait engager l'argent du ménage sans prévenir sa femme. S'il échouait, il serait contraint d'accepter le projet de Charbel Kassis et de travailler abusivement à renier ses convictions les plus intimes.

Ce soir, il n'avait pas droit à l'erreur et il allait se fier à la roulette, le moyen le plus sûr pour perdre son argent, son temps ou sa dignité. Et le plus souvent tous les trois.

*

Ruth trouva une place assise en face du croupier. Elle mit les coudes sur la table et coinça sa tête sur ses mains jointes pour garder toujours le même axe de vision. Sa tâche consistait à mesurer la vitesse de la bille en visant l'axe central du plateau. Chaque fois que la bille disparaissait derrière l'axe, elle actionnait, avec son gros orteil droit, un interrupteur situé dans sa chaussure. C'était une paire d'escarpins assortis à l'ensemble qu'elle avait acheté pour l'occasion à la boutique Dior de la rue du Rhône à Genève. Une pure folie, une anomalie dans une vie d'ascète. Mais Ruth savait qu'il ne fallait jamais lésiner sur les investissements : une joueuse bien habillée est moins suspecte. Il avait du reste été convenu que les premiers gains serviraient à rembourser les débours consentis par les trois conjurés.

Sean était situé en face de Ruth, placé de façon que son regard soit aligné avec l'axe de plateau et le regard de Ruth. Son rôle consistait à mesurer la vitesse du plateau en agissant sur un interrupteur, situé dans son soulier droit sous le gros orteil, chaque fois que disparaissait derrière l'axe la case 0, la plus facile à repérer car elle est la seule de couleur verte. Les impulsions émises par Ruth et Sean étaient transmises à l'antenne réceptrice de la voiture et analysées par l'ordinateur. Celui-ci évaluait continuellement la position et la vitesse relatives du plateau et de la bille et en déduisait l'octant dans lequel la bille finirait par atterrir.

Demeuré dans la voiture, Michel énumérait, en continu dans un micro, les cinq numéros de l'octant attendu tels qu'ils s'affichaient sur l'écran de l'ordinateur : ces pronostics étaient transmis dans deux écouteurs discrets, qui étaient en fait des prothèses auditives améliorées par Sean, de petites capsules dorées placées dans les conduits auditifs des deux joueurs.

Il avait été convenu que Ruth miserait sur un numéro pair et que, le coup suivant, Sean miserait sur un numéro impair, dans l'octant prédit par l'ordinateur. Les dix mille francs suisses engagés par Michel avaient été convertis en quarante plaques de mille francs français, vingt pour chacun des deux joueurs. Si tout se passait bien, cette mise serait multipliée par sept, soit deux cent soixante-dix mille francs. L'espérance mathématique de gain s'élevait donc à deux cents trente mille francs français au terme de la partie. De quoi amortir les débours et commencer à rembourser les dettes. Après ce coup fumant, les conjurés auraient intérêt à se retirer et à se faire oublier quelque temps.

Seul dans la voiture, Michel commença à déprimer. Il ne supportait pas le sentiment de se situer à la frontière de la légalité, de la décence et de la raison. Il n'existe pas de martingale à la roulette, ne cessait-il de se répéter. Si cela avait été possible, ce qu'ils allaient tenter aurait déjà été accompli.

Les premiers signaux émis par Sean et Ruth commencèrent à

parvenir à l'ordinateur. Michel sortit de sa dépression et se mit au travail. Il dicta les chiffres prédits pas l'ordinateur.

Après dix coups d'essai sans miser, Michel reprit confiance. Certes il ne pouvait pas voir dans quelle case la bille tombait, mais pas une seule fois il n'avait reçu en retour le signal d'erreur, une seule impulsion déclenchée par Sean en actionnant un interrupteur spécial placé sous son gros orteil gauche, qui aurait signifié que la bille était tombée en dehors de l'octant prévu.

Michel donna donc l'ordre de miser et commença à annoncer en continu les numéros de l'octant estimé en tenant compte des légères fluctuations de la prédiction :

— 5, 24, 16, 33, 1 ; seconde estimation 10, 5, 24, 16, 33 ; troisième estimation 24, 16, 33, 1, 20.

Ruth misa 16. La bille tomba dans la case 24 et le râteau du croupier préleva la plaque de mille francs.

Le coup suivant fut plus heureux, Sean gagna trente-cinq plaques et le signala en actionnant trois fois le contact situé dans sa chaussure gauche. Le troisième coup fut perdant pour Ruth. Au quatrième coup, Sean gagna à nouveau.

La partie se poursuivit par une série monotone de coups perdants. À une heure du matin, la chance ne leur avait souri que deux fois au total sur les trente premiers coups. C'était mieux que ce qu'ils auraient obtenu en plaçant des mises au hasard. Pas une seule fois la bille ne tomba en dehors de l'octant prévu. La méthode de prévision fonctionnait à merveille. Mais le numéro, choisi au hasard parmi les cinq prévus, ne sortit plus jamais.

Michel se rongeait. Mentalement il fit le compte : deux coups gagnant avaient engrangé soixante-dix plaques alors que trente avaient été misées ; le gain s'élevait donc à quarante-deux. Il restait dix plaques des munitions initiales. Au total, ils avaient débuté avec quarante plaques et ils se retrouvaient avec cinquante-deux plaques.

Il laissa ses assistants miser encore une fois. Cette fois la roulette cessa d'obéir à la prévision. Sean déclencha le signal d'erreur. Michel donna l'ordre de cesser de miser et de rejoindre la voiture.

Le hasard s'était tout de même manifesté, comme un fantôme surgissant d'une tombe où les conjurés avaient essayé de l'enfouir.

*

Le téléphone sonna au dernier étage de la banque. Le Maître somnolait tout habillé sur un canapé. Lorsqu'une opération était enclenchée, il ne quittait pas le bureau. Au moment de décrocher, il prit le temps d'allumer une cigarette. Il fit entendre dans le cornet le claquement sec du briquet, qui se referme, pour s'identifier.

— Les personnes qui vous intéressent ont joué toute la soirée à la roulette.

— Le résultat ?

— Elles n'ont rien gagné ou perdu de substantiel.

— Très bien. Il n'en fallait ni plus ni moins.

Il raccrocha et demeura quelques instants à réfléchir en fumant avant de se recoucher sur le divan. Cela ne valait plus la peine de rentrer chez lui. Il se replongea dans son insomnie. Le monde, cette machine compliquée et capricieuse, ne tournait que par l'effet de sa vigilance. Le pouvoir appartient aux insomniaques.

*

— En déduisant du gain brut de douze mille francs français, les divers investissements et le pourboire au personnel, nous avons perdu mille francs suisses, annonça froidement Ruth une fois qu'ils eurent franchi la douane suisse.

Michel aurait dû analyser froidement les résultats, ne fût-ce que pour rassurer ses deux acolytes. Il n'en fit rien. Sans doute était-il fatigué. Il venait pratiquement d'effectuer un tour de cadran sans dormir, ni même se reposer. Mais il était déstabilisé parce que le système de prédiction s'était déréglé sous ses yeux. Rien n'était donc assuré. Ils auraient pu continuer à jouer toute la nuit, ne pas gagner une seule fois et perdre toute la mise initiale. Le projet s'effondrait ridiculement. Et surtout sans explication plausible.

— C'est tout simplement diabolique, raconta Sean. Je ne sais combien de fois la bille s'est glissée à la dernière seconde dans la case voisine de celle que nous avions choisie. Je la voyais hésiter et tomber du mauvais côté comme si quelqu'un d'invisible lui avait donné une chiquenaude. Il s'est passé quelque chose de tout à fait anormal. Si l'on a une chance sur cinq de gagner et que l'on mise durant trente coups, six doivent être gagnants en moyenne. Or, il n'y en a eu que deux. J'aurais compris si nous avions gagné cinq fois ou sept, mais deux c'est vraiment dérisoire. C'est à croire que le personnel du casino est capable de manipuler le plateau pour amener la bille dans une case bien déterminée, choisie parce qu'aucune mise ne s'y trouve.

— Cette hypothèse ne tient pas debout, interrompit Michel. Le personnel n'avait aucune raison de suspecter que vos jeux reposaient sur une prédiction. Vous avez misé alternativement l'un et l'autre sur un seul numéro à chaque coup et Sean n'a gagné que deux fois en tout pour quinze mises. Il n'y a là rien d'extraordinaire qui ait pu attirer leur attention. Quant à Ruth, elle a perdu d'affilée quinze mises. C'est cela qui me paraît invraisemblable alors qu'elle aurait dû gagner trois ou quatre fois en moyenne.

Ruth intervint très doucement. Michel voyait son visage vaguement éclairé par la lueur phosphorescente du tableau de bord. Son profil lui parut d'une délicatesse surprenante. Dans un mouvement convulsif de son corps, il aspira au plaisir de poser ses lèvres sur ce visage. Puis il se ressaisit et écouta le raisonnement de Ruth :

— Cela n'a rien d'insensé. Ce qui se passe a toujours un sens mais pas toujours celui que nous attendions. Nous avons été les victimes de l'illusion courante selon laquelle un événement probable doit forcément se produire. Notre façon de placer des mises nous astreint à subir les errements du hasard. Ce n'est pas parce que nous avons une chance sur cinq de gagner que nous gagnerons nécessairement six fois sur trente. Nous pouvons ne jamais gagner ou ne gagner que deux fois comme nous l'avons fait. La seule façon de gagner à coup sûr consiste à miser simultanément sur les cinq numéros prévus. Si on avait choisi cette stratégie, on serait certainement reparti avec sept fois notre mise. Au lieu de spéculer sur la probabilité de gagner un coup sur cinq, nous pouvions gagner à coup sûr chaque fois en acceptant de miser cinq fois plus. Nous n'avons pas été jusqu'au bout de la logique de notre système. La logique finit toujours par se venger.

— Ce n'était pas possible, objecta Sean. Nous avons écarté cette procédure parce que, gagnants à chaque coup, nous aurions attiré l'attention du personnel. Et la direction n'aurait pas été longue avant de remarquer que nous misions sur cinq numéros contigus du plateau tournant. De là, à comprendre que nous avons mis au point un système prédisant les cases d'arrivée de la bille, il n'y a qu'un pas. Nous aurions été reconduits à la porte du casino avec plus ou moins de prévenance et prié de ne plus y remettre les pieds. Au pis nous aurions été fouillé par la police. Tandis que la stratégie que nous avons utilisée est indécelable : un joueur mise, apparemment au hasard, sur un seul numéro qui sort en moyenne une fois sur cinq. Pour un observateur extérieur, ce joueur a simplement de la chance.

— Tout à fait, remarqua amèrement Michel, mais nous n'avons pas eu de chance cette nuit. Allons-nous recommencer une autre nuit ?

— Certainement oui, répondit Sean.

— Certainement non, objecta Ruth.

— Vous pourriez vous mettre d'accord, intervint Michel qui commençait à s'assoupir.

— Oui, dit Sean, parce que la loi des grands nombres va finir par jouer. Plus nous jouerons, plus nous nous rapprocherons de la moyenne d'un cinquième de coups gagnants.

— En théorie, c'est juste, mais en pratique rien ne dit combien de temps il faudra jouer pour que la loi des grands nombres finisse par se manifester, objecta Ruth. Or jouer longtemps signifie miser de l'argent et en perdre à certains moments. Il faut donc avoir une trésorerie infinie pour battre le hasard. La loi des grands nombres est un raisonnement à la limite, qui satisfait l'esprit mathématique mais qui ne prédit pas l'issue d'une partie limitée à un certain nombre de coups.

— Sauf si elle est très longue, objecta Sean.

— Pas du tout. Tu te trompes. Tu es un excellent électronicien mais tu as toujours eu des lacunes en mathématiques. Si cela ne vous dérange pas, monsieur, je vais essayer de remettre cette loi des grands nombres sur les rails.

— Je n'ai pas d'objection, dit Michel. Nous avons tout le temps avant d'arriver à Lausanne. Autant essayer de comprendre ce qui s'est passé.

— Plus exactement l'erreur tactique que nous avons commise, dit Ruth. Tout le monde s'y laisse prendre, même celui qui a une formation mathématique. L'appât du gain fausse le jugement et même le raisonnement. On s'imagine qu'un phénomène aléatoire est tout de même prévisible pourvu qu'on se livre à des calculs de probabilité. Mais on ne contrôle jamais le hasard. Pour l'expliquer, prenons l'exemple le plus simple, le jeu de pile ou face. Avant que je jette la pièce la première fois, quelle est la probabilité d'obtenir pile ?

— Un demi, répondit machinalement Sean.

— D'accord. Et la même probabilité d'obtenir face. Supposons maintenant que nous jouions quatre fois d'affilée. À chaque jet de la pièce nous avons deux résultats possibles : si on considère toutes les combinaisons possibles, cela fait deux fois deux fois deux fois deux, soit seize combinaisons de quatre coups, qui sont toutes différentes.

— Je te l'accorde, dit Sean magnanime.

— Et tu seras aussi d'accord que chacune de ces combinaisons a une chance sur seize de se réaliser.

— Cela va de soi.

— Alors sur ces seize parties, combien y en a-t-il qui comportent quatre fois pile ?

— Une seule et la chance est donc d'un seizième. Faible.

— Cela veut cependant dire que la chance de jouer cette combinaison surprenante de quatre coups identiques n'est pas nulle. Elle est en fait identique à celle de n'importe quelle autre combinaison. Lorsqu'elle se produit, il est inutile de s'imaginer que les lois de la probabilité n'ont pas été respectées ou que le hasard est contre nous. Vu ?

— D'accord.

— Ensuite, nous sommes toujours tentés de croire qu'en moyenne il y aura deux fois pile et deux fois face ou encore qu'une séquence de ce type est la plus probable. Or, parmi les seize combinaisons possibles, il y en a seulement six qui donnent deux fois pile et deux fois face : tu peux faire le compte. La probabilité d'obtenir une telle combinaison, disons équilibrée, est donc de six seizièmes ou encore trois huitièmes, moins d'une fois sur deux. Nous avons plus de chances, cinq sur huit, d'avoir une combinaison déséquilibrée.

— Ah, intervint Michel, je n'avais jamais pensé à la loi des grands nombres sous cet aspect. Mais si l'on joue plus de quatre fois, mettons dix mille fois, la chance d'obtenir cinq mille fois face et cinq mille fois pile doit devenir très grande.

— Je m'excuse, monsieur, répondit Ruth, vous êtes toujours dans l'erreur. Plus longue est la partie, plus faible devient au contraire la probabilité d'obtenir exactement autant de fois pile que face. Si vous décidez à l'avance d'arrêter la partie après dix mille coups, vous avez beaucoup plus de chance de gagner ou de perdre que de ne rien gagner ou perdre. Transposez à la roulette ces observations sur le jeu de pile ou face et vous aurez compris. Seuls les gérants de casino ont discerné, pour l'avoir expérimenté, à quel point la loi des grands nombres peut être insidieuse pour les joueurs. Les casinos sont riches et les joueurs se ruinent, parce que la banque du casino dispose de plus d'argent que n'en possèdent la majorité des joueurs. C'est une preuve expérimentale du résultat mathématique que je viens de vous rappeler.

Elle s'était tournée vers Michel dans le feu de la discussion et elle le fixa avec une intensité gênante. Ils demeurèrent ainsi quelques secondes les yeux dans les yeux.

— En somme, résuma Michel, pour battre à coup sûr une roulette en utilisant notre tactique, il faudrait disposer d'une réserve infinie d'argent. Et d'une éternité !

— Tout à fait, monsieur.

— Cela me rappelle, dit Sean, une anecdote d'Einstein à qui une mondaine demandait, lors d'un dîner, la différence entre le temps et l'éternité. Il lui a répondu que même s'il prenait le temps de lui expliquer cette différence, il lui faudrait, à elle, une éternité avant d'en comprendre le premier mot.

— Einstein était un peu prétentieux, fit remarquer Michel.

— Et puis, il y a autre chose que je ne puis formuler, dit Ruth en revenant au sujet. J'ai l'intuition que cela ne marchera jamais.

— Fais-tu référence à la célèbre intuition féminine, qui prédit à coup sûr l'imprévisible ? commenta Sean avec un soupçon de sarcasme. Cet étrange instinct qui chuchote à une femme qu'elle a raison même si elle a tort.

— Est-ce que tu n'y crois pas ? demanda Ruth.

— Je me demande plutôt pourquoi une juive ne répond jamais à une question que par une autre question.

— Et pourquoi pas ?

Après cette dernière estocade de Ruth, ils se turent tous les trois jusqu'à l'arrivée à Lausanne.

Michel eut encore le courage de s'effondrer sur son lit en jetant un dernier coup d'œil au réveil qui marquait deux heures du matin. Irina dormait paisiblement. Il était le capitaine de sa famille et de son laboratoire. Il avait une double traversée périlleuse à accomplir.

Toute la nuit, il rêva de naufrage. Comme il n'était qu'à moitié endormi, il parvenait à analyser son rêve et à comprendre que tous ces naufrages représentaient ses difficultés financières. Il n'avait plus le choix, il devait accepter le projet de Charbel Kassis et s'échouer sur une rive inconnue. Juste avant de se réveiller, il vivait sur une île déserte comme Robinson. Vendredi l'accompagnait. Ce n'était pas un homme, c'était une femme. Ce n'était pas Irina, c'était Ruth.

Ainsi se décide le destin d'un homme : ses plus grands succès couronnent des entreprises acceptées à contrecœur au terme d'un épisode de sommeil paradoxal.

*

À six heures du matin Norbert Viredaz poussa la porte de son bureau avec la satisfaction du patron débordé mais zélé qui arrive le premier : même s'il ne domine pas sa tâche, personne ne peut le soupçonner d'incompétence. Les concierges n'avaient pas encore ouvert les portes de l'École ni commencé à collecter les poubelles et, dans l'immense vaisseau obscur, une seule lampe s'allumait : celle du président. Tout était conforme. S'il n'avait pas été un aussi bon protestant, il aurait senti une auréole grandir autour de sa tête.

À peine était-il assis que le téléphone sonna. Avant même de décrocher, Norbert sut qui l'appelait. Cela faisait partie de la routine : on vérifiait l'heure de son arrivée au bureau. Durant la première année de sa présidence, il avait pris soin d'être au poste dès quatre heures du matin, quitte à se rendormir la tête entre les coudes sur une pile de dossiers jamais ouverts.

— Oui, monsieur.

— Hier soir, le professeur Martin et deux de ses assistants se sont présentés au casino de Divonne. Ils n'ont rien gagné de substantiel. Martin sera donc obligé d'accepter la proposition que vous lui avez faite.

— Merci, monsieur !

Un bref instant Norbert se demanda comment le Maître apprenait de tels détails. Puis, il se dit que ce devait être un contrôle de routine. Faute de casino dans leur pays trop vertueux, les Suisses, saisis par le démon du jeu ou obligés de remettre à flot une comptabilité douteuse, échouaient forcément en France, à Divonne ou à Évian. Il suffisait de stipendier un croupier ou un caissier du casino pour être tenu au courant. Les numéros des plaques de voitures suisses étaient probablement relevés par les portiers ou les gardiens de parking. Les douaniers pouvaient aussi apporter leur concours. Il se félicita de n'avoir jamais franchi la porte d'un casino. Cette infraction au code de bonne conduite calviniste aurait été rajoutée à son dossier.

La voix se fit insistante à l'autre bout du fil :

— Vous avez compris ?

— Oui, monsieur.

— Qu'est-ce que vous avez compris ?

— Que Martin va accepter la proposition.

— Et après ?

— Que je le tiens !

— Pourvu que ?

Norbert ne sut que répondre. À l'autre bout du fil on s'impatienta.

— Il faut tout vous expliquer. Vous le tenez dans la mesure où vous collectez des preuves. Il faut un informateur.

— Sa secrétaire est prévenue et nous fournit des copies des documents qu'elle estime intéressants.

— Cela ne suffit pas. Ce Martin risque de contourner sa secrétaire pour une opération aussi scabreuse. Il peut éviter d'envoyer des lettres en utilisant lui-même Internet ou le fax.

— C'est très difficile, monsieur, de recruter un autre informateur. La plupart des collaborateurs de ce laboratoire sont des étrangers. La politique locale ne les intéresse pas.

— Eh bien, il faut menacer d'expulsion celui qui tient le plus à rester dans le pays et lui faire miroiter la promesse d'une carrière s'il collabore avec nous.

— Comptez sur moi, monsieur.

Une fois le téléphone raccroché, Norbert prit quelques notes sur un bout de papier, car il se méfiait de sa mémoire et n'était pas sûr d'avoir bien compris. Il glissa ce pense-bête dans la poche droite de son veston qui servait de réceptacle exclusif à ce genre de grimoires. Puis, il se rendormit. Il savait qu'il ne serait plus dérangé pendant deux heures.

*

Le soleil se levait glorieusement dans l'échancrure des montagnes du Valais. Sur le lac, un cygne déploya ses ailes et arracha son corps tellement lourd à l'attraction de la Terre pour effectuer un vol en rase-mottes, sans autre raison que la splendeur de l'heure et du jour.

Le cerveau du cygne est tout juste suffisant pour éprouver des émotions sans atteindre cette taille qui permet de les gâcher en les analysant.

III

Charbel Kassis résidait à Cologny, un faubourg de Genève perché au sommet d'une colline. De la terrasse de la demeure, en tournant le dos au Mont-Blanc, on découvrait une large vue sur la rade, le jet d'eau, le Jura et la côte vaudoise.

Sous le soleil vertical de midi, Michel distinguait les coteaux plantés de vignobles, les champs de blé blond et de colza jaune, les petits ports et les voiliers à quai. De temps en temps un avion atterrissait ou décollait à Cointrin. Du lieu où il se trouvait, le paysage ressemblait à une carte en perspective, une épure tracée par un dessinateur appliqué. Il se sentait comme un dieu grec sur l'Olympe, observant ces fourmis qui s'appellent les hommes avec un mélange de commisération et de tendresse. Un dieu peut-être, mais un dieu impuissant à échapper à un destin, ridicule plus que tragique. Un dieu qui ne se prenait pas en pitié tant il se trouvait saugrenu.

Un soleil inaltérable déversait une lumière plus bleue que blanche, qui découpait les crêtes du Jura. À la rencontre du ciel et de la terre naissait cet élément impalpable de la géométrie qui s'appelle une ligne, cet être mathématique qui n'a par définition aucune épaisseur et qui n'existe que dans l'imagination des hommes. « La mathématique, pensa Michel, est l'art d'énoncer des vérités rigoureuses au sujet d'êtres inexistants. On ne sait pas de quoi on parle mais on sait au moins si ce que l'on dit est vrai. » De pied ferme il attendit que cette position solide soit attaquée par les amateurs de choses vagues qui lui faisaient face.

Ils étaient trois : Charbel, son épouse Mona et Théo. En arrivant

Michel avait découvert, à sa grande surprise, le professeur de Fully, enfoncé dans un fauteuil comme un gros chat qui fait la sieste chez ses maîtres. Manifestement, il était un habitué des lieux. Consultant scientifique personnel, sans doute. Afin de se rassurer sur leur propre excellence, les banquiers aiment frayer avec des génies : des physiciens renommés, des chefs d'orchestre, des ministres, voire, faute de mieux, des écrivains, des couturiers ou des vedettes de cinéma.

Hier soir lors de sa conversation avec Michel, Théo n'avait pas fait la moindre allusion à sa relation avec le banquier. Était-ce Charbel Kassis, renseigné par Théo, qui avait soufflé le nom de Michel au président ? Théo était-il au courant du projet depuis le début et avait-il feint l'ignorance lorsque Michel lui avait expliqué la proposition qui lui avait été faite ? Qui manipulait qui ? Telle était bien la question.

Michel éprouva une fois de plus le sentiment que sa vie se déroulait dans une sorte de labyrinthe, selon un itinéraire qu'il ne choisissait pas vraiment. Au-dessus de sa tête un réseau de relations liait les puissants du monde, qui tissent sans cesse la toile de l'autorité. Échapperait-il à la tyrannie de Norbert Viredaz pour tomber sous la coupe du banquier genevois ? La rencontre prévue dans un mois avec le pape Jean XXIV l'ennuyait bien plus qu'elle ne le flattait. Que l'Église catholique s'effondre sous le poids de ses contradictions lui paraissait dans l'ordre des événements prévisibles et souhaitables. S'il se sentait manœuvré comme un pion pour prolonger l'existence de cette institution pernicieuse, il regimberait.

Charbel Kassis but un peu du jus de fruit qui avait été servi, fit glisser la gorgée le long de son gosier, se l'éclaircit en le raclant avec une discrétion infinie et ouvrit le feu :

— Le sujet que je vous propose est passionnel. Comme je me méfie de la passion, je vais l'aborder avec beaucoup de pudeur et de réticence. Je conçois donc très bien, Monsieur le professeur, votre réaction de recul devant la proposition qui vous a été transmise par le président Viredaz. Je tombe d'accord avec l'analyse de mon ami, le professeur de Fully, selon laquelle un personnage tel que M. Viredaz transforme toute proposition honnête et intéressante en un piège politicien. En tout premier lieu, mon but est donc de vous rassurer et, ensuite seulement, de vous expliquer le sens de ma démarche, qui est rigoureusement scientifique en dépit des apparences.

Le « rigoureusement scientifique » atteignit Michel au creux de l'estomac comme un violent coup de poing. Tout le monde, même les banquiers, accaparait aujourd'hui cet adjectif, alors qu'il était l'apanage le plus précieux de Michel, sa raison d'être.

Charbel Kassis poursuivit très doucement :

— Je me suis attelé à cette tâche : convertir un monde matérialiste, rationaliste, déterministe. Véritablement le convertir, c'est-à-dire le retourner comme un vêtement dont on ne voit pour l'instant que la doublure et que l'on va enfin découvrir tel qu'il doit être vu. Dans ce projet, si j'avais voulu seulement me bercer de belles phrases, je me serais adressé à des mystiques ou des poètes. Je les connais, je les pratique, je les adore. Ils me persuadent que la vraie vie est ailleurs, mais ils ne convainquent plus grand monde, car les ingénieurs sont devenus des virtuoses de l'ici et du maintenant.

— Que voulez-vous dire par « la vraie vie est ailleurs » ? interrompit Michel qui ne parvenait pas à maîtriser son impatience.

D'un ton violent dont il se repentit instantanément, il continua :

— Ici, c'est la rade de Genève. Ailleurs, c'est la rade de San Francisco ou de Hong-Kong. Ailleurs, pour moi, est un adverbe de lieu.

Charbel Kassis répliqua d'une voix très douce, presque féminine, celle que les prêtres ou les psychologues adoptent dans les moments les plus délicats d'un entretien :

— Du moins pour les langues de culture, les mots possèdent un sens propre et un sens figuré. Dans cette dernière acception, ailleurs désigne ce qui est tout autre, radicalement différent, inconcevable dans la vie de tous les jours.

— Je revendique le droit d'être un spécialiste de l'ici et du maintenant, répliqua Michel.

— C'est pour cela que vous m'intéressez. Votre recherche est au-dessus de tout soupçon. Si votre hypothèse de travail s'oppose à la mienne, l'expérience permettra de trancher plus clairement entre les deux. Vous n'êtes pas suspect de mystique, c'est le moins que l'on puisse dire. Si vous découvrez les indices de cet ailleurs que j'évoquais, votre résultat convaincra l'opinion publique.

— Si ! Cela fait beaucoup de si ! Et si je ne trouve pas d'indices, que ferez-vous ? répliqua sèchement Michel.

— Vous prendrez bien encore un peu de jus de fruit, dit Mona Kassis qui avait assisté à cet entretien en demeurant muette mais qui estima le moment venu de verser un liquide non combustible sur le feu.

Michel acquiesça avec un sourire forcé qui le détendit quelque peu. Il avait mal aux mâchoires à force de les serrer.

Tout lui remontait à la gorge. Les déficits du laboratoire, les chercheurs qu'il faudrait licencier, l'hostilité sournoise de Norbert Viredaz, le compte en banque familial dégarni, une épouse mystique, des enfants trop nombreux, une belle-mère abusive, l'impossibilité de prendre un seul jour de repos, l'échec incompréhensible de l'équipée à Divonne, Ruth séduisante et inaccessible et enfin, comme seule issue, ce projet insensé qui ne pouvait qu'échouer. Sans même s'en rendre compte, il jetait des œillades paniques de droite et de gauche, comme un cerf cerné par une meute de chiens qui allaient bientôt le dévorer.

Après un regard de connivence avec son épouse, Charbel Kassis reprit :

— Abordons le problème sous un autre angle. Vous êtes crispé sur des positions rigides et étroites pour des raisons infiniment respectables qui n'ont rien à voir avec vos convictions scientifiques.

Michel se détendit un peu dans la mesure où il découvrait en Charbel une capacité de compassion.

— Vous êtes accablé de tâches qui se bousculent et se contredisent. Vous n'êtes aidé, ni au bureau, ni en famille. Vous êtes un des hommes les plus indispensables à l'économie mondiale et vous êtes à peine mieux rémunéré qu'un gendarme en fin de carrière : je connais les barèmes de la fonction publique ! Avant d'en venir à mes interrogations scientifiques, je voudrais vous mettre à l'aise. Je n'ai pas l'habitude de me montrer ingrat.

— J'entends ce message, répondit Michel avec lassitude. Votre projet de recherche me permettra de payer quelques assistants, pourvu que je les affecte au programme que vous me proposez. Cela ne règle pas le cas de ceux qui sont déjà en surnombre sur des projets en cours. Je ne souhaite pas arrêter ceux-ci alors que j'y serai contraint de toute façon, faute de financement.

Il avala sa salive et se força à prononcer la suite, sans bien savoir pourquoi, dans un réflexe aveugle :

— Quant à ma rémunération, elle ne changera pas. Dans la règle, nous ne pouvons prélever aucun honoraire sur les fonds qui nous sont confiés pour financer des recherches.

— Ma proposition est tout à fait différente, répliqua Charbel. En sus des fonds investis dans les recherches effectuées à ma demande, j'apurerai le déficit de votre compte débiteur à l'égard de l'École, au titre d'acompte sur les brevets que vous obtiendrez et dont je bénéficierai.

Il but une gorgée de jus. Puis il fixa ses yeux clairs dans ceux de Michel.

— En dehors de ce projet, je vous offre une position de consultant à temps partiel dans la Banque du Moyen-Orient. À cet effet, je me suis procuré le règlement de l'École : il vous autorise à vous absenter pour des activités de consultance durant le cinquième du temps. Disons le mercredi pour couper la semaine, je vous attends dans un bureau voisin du mien, au siège de la banque à Genève. Pour l'instant nous sommes débordés de projets d'entreprises de haute technologie qui sollicitent des capitaux à risques. Vous m'aiderez à diminuer ces risques et à n'engager des fonds qu'à bon escient. Vos honoraires pour ce temps partiel doubleront le traitement que la Confédération vous alloue. Et je ne vous fais pas un cadeau, c'est vous qui me le faites. Votre expérience n'a pas de prix.

Michel se détendit. Il entrait dans ce monde magique où les problèmes financiers n'existaient pas. Ses convictions rationalistes vacillèrent car la source la plus profonde de la conscience n'est rien d'autre que la voix des autres hommes. Charbel parvenait tout doucement à estomper le souvenir des parents de Michel, ces martyrs irréprochables de la vertu laïque. En un mot comme en cent, Michel en avait assez d'être pauvre.

— Passons à table, dit Mona, légèrement contrariée par cette discussion sur l'argent, qui ne convenait pas à un salon, même de plein air.

*

Irina était agenouillée devant le placard dont la porte était largement ouverte. Elle priait depuis trois heures sans discontinuer. Aujourd'hui elle n'avait pas encore écrit une seule ligne sous la dictée de l'ange. Elle entendait une voix qui lui répétait inlassablement le même message sans la pousser à écrire :

— Ne crois pas que je t'aie donné ce charisme parce que je t'aimerais plus que mes autres enfants. Je t'ai donné cette grâce pour te rassasier et en nourrir d'autres qui en ont un besoin désespéré. Spécialement l'homme qui vit avec toi.

L'ange se chargeait toujours des messages les plus difficiles, car le Seigneur n'était que pur amour et miséricorde : son messager était donc préposé aux remontrances. L'homme-qui-vit-avec-toi. L'ange désignait ainsi Michel. Sans doute pour rappeler à Irina que son mari selon la loi avait balayé, d'un haussement d'épaules, l'idée d'un mariage religieux. Voici dix ans, celui-ci aurait été bien difficile à conclure entre un athée militant et une chrétienne orthodoxe non pratiquante.

Avant de se convertir à la foi en Dieu, Irina avait observé le culte de la Nature, ce dieu de substitution situé au cœur de la Vulgate marxiste. Lors de son arrivée en Suisse, elle était passée sans aucune difficulté d'un marxisme de façade à un écologisme de conviction. Au début de son mariage, elle avait accepté bien évidemment les relations sexuelles, pourvu qu'elles fussent naturelles, non entachées pas des manipulations pharmaceutiques. Il en était résulté, tout aussi naturellement, six naissances à la cadence d'une par an. Lors de sa première rencontre avec l'ange, celui-ci lui avait révélé que les relations, hors d'un mariage béni par l'Église, étaient immorales quoique naturelles. Depuis cette illumination, Irina refusait l'union des corps. Le petit Henri en mourant avait tenté d'expier la faute de ses parents et les autres enfants mourraient les uns après les autres si elle ne vivait pas dans la chasteté. Sauf si elle convertissait Michel. Elle s'y employait donc corps et âme, en méprisant le premier et en élevant la seconde.

Depuis trois ans qu'Irina se refusait à lui par conviction religieuse, Michel n'était pas revenu sur son refus d'un mariage à l'église. Irina ne comprenait pas qu'un homme pût vivre dans la chasteté par défiance d'une cérémonie religieuse. Sans doute Michel ne l'aimait-il plus. Peut-être avait-il une maîtresse.

Enfin, sa main se mit en mouvement sur le petit cahier rouge et inscrivit ce message incompréhensible pour elle :

— Mets en garde les chrétiens contre les faux maîtres et les faux prophètes qui induisent la désolation dans les âmes en prenant les Évangiles à contresens. L'ennemi est arrivé au cœur même de Rome.

Ce message la mettait de plus en plus mal à l'aise parce qu'il revenait ces derniers temps avec une insistance croissante. Que pouvait-elle faire ? Elle n'avait jamais été à Rome. Elle savait que le pape Jean XXIV se débattait dans les plus grandes difficultés mais elle n'avait aucun moyen de le prévenir. Puisque les évêques suisses ne la prenaient pas au sérieux et qu'ils interdisaient les réunions de prières d'Irina dans leurs églises, quelle chance avait-elle de se faire entendre par un homme très occupé et qu'elle ne rencontrerait sans doute jamais ? Et pour lui transmettre quel message exactement ?

Soudain son corps se tendit comme un arc. Chaque vendredi cela survenait à la même heure de la matinée, sans doute celle où les clous avaient été enfoncés dans les poignets et les pieds de Jésus de Nazareth, vingt siècles plus tôt. Quatre coups de poignard perçaient les membres d'Irina. Elle vivait toujours ces moments dans un esprit de terreur et de soumission et elle ne proférait qu'une seule demande, plate et banale : récupérer ses esprits avant le retour des petits à quatre heures de l'après-midi.

Elle eut encore le temps de saisir quatre mouchoirs pliés à cet effet sous le chromo de Thérèse de Lisieux et de les nouer à ses poignets et à ses pieds. Le hall, sur lequel donnait le placard à balais, était recouvert d'une moquette claire sur laquelle elle craignait de laisser des taches. Le stigmate de la poitrine ne souillerait que son T-shirt de coton, facile à nettoyer. Puis elle entra en agonie, la seule prière qui lui fût proposée.

Après sa participation à la Passion, elle aurait encore le temps de faire la lessive. Cette pensée la tranquillisa et elle s'abandonna à son extase. Ah ! si elle avait pu lessiver son âme !

*

La salle à manger des Kassis était meublée en style Directoire d'autant plus pur qu'il s'agissait des meubles du banquier Jacques Necker, ceux qu'il avait commandés en 1791 à l'ébéniste Adam Weisweiler lors de son retour à Genève après avoir échoué comme ministre des finances de la monarchie française.

Pour meubler son petit appartement, Michel achetait chez Ikéa des meubles préfabriqués qu'il montait lui-même, tout en pestant contre le mode d'emploi mal traduit du suédois. Il ignorait donc qu'il était assis sur une chaise qui aurait atteint, si elle avait été mise en vente à Drouot, l'équivalent de son salaire mensuel.

En observant le mobilier, Michel était fasciné par les références à l'Antiquité telle qu'elle avait été confisquée par le folklore révolutionnaire et napoléonien : les sphinx, les bonnets phrygiens, les piques, les faisceaux de licteurs. Au moment où avait surgi la perspective d'un nouveau monde, on s'était référé à l'ancien, comme pour cautionner l'audace insensée de vouloir la liberté. La France, fatiguée d'être elle-même, s'était prise pour Rome. Alors que le peuple français est, par sa nature, tout simplement humain en se tenant à égale distance du vice et de la vertu, il avait tenté de pratiquer une pureté intransigeante avec Robespierre et il avait déclenché un massacre effroyable sous l'égide de Napoléon. Ce mobilier témoignait des ravages de la raison pure.

Mona Kassis avait placé Théo à sa droite et Michel à sa gauche, tandis que Charbel lui faisait face. On avait terminé l'entrée, une terrine de poissons du Léman à la ciboulette. Des bandelettes de filets de truite avaient été intercalées entre des rangées de filets de perches, toute cette construction étant consolidée par une mousseline de féra. La mayonnaise, allégée par un peu de crème Chantilly, était parfumée à la ciboulette. Pour arroser cette merveille, un vin blanc, le Calamin de Jean Duboux, issu d'un parchet de vigne accroché à la pente la plus raide du Lavaux, celle que le soleil frappe trois fois : en direct, par réflexion sur les murets qui soutiennent les terrasses et par réverbération sur le lac, ce miroir qui fait dix kilomètres de largeur.

Mona attribua le mérite du plat au petit pêcheur d'Hérémence qui venait régulièrement lui apporter ses meilleures prises, à son jardinier qui récoltait les légumes frais à la demande et à un cuisinier qu'elle avait recruté chez Girardet avant que celui-ci ne quitte ses fourneaux. Elle semblait une fée, qui convoquait les éléments d'une fête à coups de baguette magique.

Soulagé de ses angoisses financières, Michel demeurait sur ses gardes. Toute sa vie, il avait encaissé des vexations. Ces caresses dont on accablait ses sens présageaient sans doute un complot abominable.

De temps en temps, il levait en oblique les yeux sur Mona et il l'admirait en secret. Elle jouissait de cette beauté miraculeuse des Orientales, que des émirs basanés avaient élues pendant des générations parmi les femmes à la peau la plus blanche, aux traits les plus réguliers, à la chevelure la plus noire. Elle descendait d'une longue lignée de princesses syriennes, d'épouses grecques et de concubines circassiennes.

Michel calcula mentalement que sa dernière union avec Irina datait de trente-sept mois, depuis qu'un amant invisible, mystérieux et terrifiant la lui avait ravie. Il se sentait attiré par Mona et ne se maîtrisait que par un effort violent de la volonté. Il fut secouru par Charbel qui reprit la conversation où il l'avait laissée :

— Monsieur le professeur, vous avez tout à l'heure évoqué votre inclination exclusive pour l'ici et le maintenant. Comment éprouvez-vous ce double sentiment ? Cela signifie tout de même que vous éprouvez une conscience d'être !

Michel réfléchit puis se lança à l'eau :

— Aussi longtemps que personne ne me pose cette question, la réponse me paraît évidente. Depuis que vous l'avez formulée, cette interrogation me semble insoluble. Je suis dans votre salle à manger, je viens de déguster une mousseline de poisson et de boire du vin blanc, je vous vois tous les trois, je sais qu'il est midi vingt, toutes ces sensations s'additionnent et se complètent pour me situer dans le temps et dans l'espace. Sans aucun doute, j'ai hérité cette faculté de mes lointains ancêtres chasseurs. Eux-mêmes l'ont reçue des Australopithèques africains qui engendrèrent les premiers hommes voici trois millions d'années. Même un animal doit être conscient de son environnement, du lieu et du temps où il se situe. Nous ne pouvons nier qu'il ait une conscience même si elle n'est pas identique à la nôtre. Et nous ne pouvons donc pas classer cette conscience d'exister que nous éprouvons parmi les caractéristiques exclusives des hommes.

Il s'efforça de sourire et de ne pas paraître pédant :

— Nous sommes cependant sensibles à la distance entre ces consciences animales et la nôtre. Nous mangeons plus volontiers ce poisson que la chair de mammifères, parce que nous attribuons aux animaux à sang froid moins de conscience qu'aux animaux à sang chaud. Quant à l'anthropophagie, nous l'excluons pour les mêmes raisons que les cannibales l'affectionnent : en absorbant de la chair humaine, nous nous approprierions l'esprit de cet être humain. Une façon comme une autre de manifester que, l'esprit et le corps, c'est tout un. Point d'esprit sans corps. Point de corps sans esprit.

— C'est une très vieille idée, admit Charbel. Voici vingt-quatre siècles, Démocrite soutenait déjà la thèse selon laquelle l'âme se situerait dans quelques atomes du corps, spécialement ronds et lisses. Cette forme particulière leur permettait de s'éparpiller dans toutes directions lors de la mort, pour se recomposer peut-être avec d'autres atomes provenant d'autres âmes et recommencer une aventure de l'esprit. Mais les illuminations de Démocrite ne m'impressionnent pas. Il nous fait prendre ses préjugés pour des observations et ses lubies pour des faits. Avez-vous des références plus récentes que les miennes ?

Le vin avait fouetté les sens de Michel. Il désirait maintenant

Mona sans retenue aucune. La chasteté que lui imposait Irina le transformait en obsédé sexuel. Du coin de l'œil, il caressait Mona, son cou, ses épaules, sa poitrine. Il imaginait les délices de chatteries improbables. Pour se contrôler, il se concentra sur son hypophyse, cette minuscule glande d'un centimètre de long qui commandait à distance le flux d'hormones agitant son corps. Malgré ses efforts, il constata une fois de plus que l'homme mâle ne commande pas à son hypophyse.

Au prix d'une tension considérable, il parvint à répondre à Charbel :

— L'âme dont vous parlez, non, je ne m'en suis jamais occupé. Elle n'apparaît sur aucun écran, elle ne pèse sur le plateau d'aucune balance, elle ne réagit avec aucun acide. Comme le disait Démocrite, toujours perspicace, elle se situe dans notre cerveau et n'existe pas en dehors de celui-ci.

Théo s'était contenté de ronronner jusqu'à présent quelques approbations muettes. Il intervint enfin :

— Pour répondre à votre question, Charbel, au sujet des travaux récents sur l'existence d'un esprit immatériel, la référence la plus connue est l'ouvrage de Francis Crick, intitulé *L'hypothèse stupéfiante*, avec un sous-titre ironique *La recherche scientifique de l'âme*.

— Ah oui, concéda Michel, Crick, le découvreur de l'ADN. J'ai parcouru son ouvrage parce qu'il traite surtout du mécanisme de la vision. Mais il s'y connaît bien moins en traitement des images qu'en biologie moléculaire. J'ai sauté ses conclusions. Je suis un lecteur économe de mon temps. Dès qu'un auteur se gargarise, je commute.

— Crick rejoint en fait la position de Démocrite, reprit Théo. Selon cette doctrine persistante, ce que nous appelons l'âme ne serait qu'une manifestation de la matière cérébrale. En 1953, par sa découverte de l'ADN, Crick a réduit la vie à une propriété de la matière inerte. Quarante ans plus tard Crick voulait réussir un doublé : après avoir prouvé que la vie se résumait à un phénomène chimique, établir ensuite que la pensée est réductible à la vie. Désenchanter encore un peu plus le monde, car à l'entendre nous ne sommes qu'un amas d'atomes et la conscience n'est qu'une illusion évanescente. C'est la grande névrose de ce siècle : on ne parvient plus à saisir le sens profond des choses et par conséquent on le nie. Or l'esprit existe : ce qui pense doit être d'une autre nature que ce qui est pensé. Comment la pensée concevrait-elle le déterminisme, si elle n'y échappait pas elle-même ?

Charbel essaya de dire que cet argument ne le convainquait pas davantage, parce qu'il était purement verbal, mais il se retint sur un signe impératif de Mona qui agita une sonnette pour le second service.

*

De la maison ancestrale située en Normandie, près d'Isigny, Michel n'avait emporté que quelques objets, ceux qui avaient façonné sont enfance. Le seul visible pour un visiteur se trouvait dans le hall de l'appartement : un grand miroir ovale, bordé d'une fresque de plâtre évoquant une couronne de roses et de lauriers. La glace elle-même avait été fabriquée par cet ancien procédé au mercure, qui donne aux reflets une teinte verdâtre, glauque, funèbre. On songeait instinctivement aux innombrables scènes que le miroir avait réfléchies et on se demandait comment il avait encore la force de renvoyer des images. En somme, c'était un miroir fatigué de réfléchir.

À l'âge de huit ans, Michel s'y était découvert. Jusque-là, il n'avait jamais été sûr d'exister vraiment : il faisait partie du magma d'objets inanimés et d'êtres vivants qui peuplaient le monde. Il n'avait pas réalisé qu'il y avait une frontière entre lui et le monde : sa peau, ce sac dans lequel il était enfermé avec ses viscères et son squelette, tout cet appareil biologique qui percevait les sons, les images, les goûts et les odeurs, qui absorbait les aliments et qui restituait en échange la salive, l'urine, les fèces. L'idée qu'il soit enfermé dans ce sac et qu'il ne s'en échapperait jamais lui parut alors aussi évidente qu'intolérable. Le double glauque qu'il apercevait dans le miroir le menaçait de mort : il sortirait tôt ou tard de son cadre de stuc abîmé et il se joindrait à son corps de chair afin de le précipiter dans un néant définitif.

Comme tous les enfants de son âge, Michel avait pratiqué jusqu'alors un animisme sommaire. S'il se heurtait à un meuble, cela résultait d'une intention malveillante de celui-ci qu'il punissait par un coup de pied résolu. Le tonnerre, le vent, le feu, la mer, l'électricité, la radio, les médicaments, tout cela vivait d'une vie propre, animée par des esprits taquins, sournois ou franchement cruels.

Quand il s'était découvert dans la glace verte, d'un seul coup il avait été précipité en lui-même comme dans un abîme sans fond. L'Olympe des dieux farceurs fut aspiré par ce gouffre. Il n'y resta plus aucune place, surtout pas pour un Dieu unique qui aurait combiné en sa personne toutes les difficultés d'être de ses multiples prédécesseurs. Le ciel était vide, la terre était basse et Michel était seul. Ce fut sans doute la seule expérience métaphysique de son enfance, totalement négative, confortée par une famille laïque et militante, le père instituteur et la mère syndicaliste. Au confluent glacé de l'éducation laïque et du matérialisme marxiste, Michel vint au monde sur une banquise spirituelle.

Ce vendredi-ci, le miroir pendait dans le hall de son appartement, face au placard à balais. En tombant sur le sol à la renverse quelques minutes plus tôt, Irina s'était découverte dans le miroir, la tête en bas et les pieds en haut, les bras en croix. À sa propre demande, Pierre fut crucifié ainsi pour souffrir le martyre en toute modestie sans prétendre s'identifier à son maître. Irina fut confortée par cette pensée, car elle éprouvait un grand attachement pour la papauté.

Elle avait remarqué que la position de sa tête durant l'épreuve de la Passion était toujours symétrique de celle des crucifix. La tête de Jésus y est représentée avec une inclinaison sur la droite alors que la tête d'Irina s'inclinait sur la gauche. De même, le genou gauche de Jésus était légèrement relevé, alors que, dans le cas d'Irina, c'était le droit. Or, par l'effet du miroir qui inversait droite et gauche, elle se découvrit pour la première fois à la parfaite ressemblance du crucifié.

Elle cessa de se voir elle-même. Son visage changea d'apparence. Il devint rayonnant et extatique. Un mélange de joie et de souffrance la transfigura. Ses yeux grands ouverts regardaient une vision qu'elle était seule à voir. Elle dit : « J'ai soif », puis fit la grimace. Elle se mit à gémir, puis à pleurer silencieusement lorsqu'elle n'eut plus la force d'émettre un son. Puis, sa tête s'inclina plus profondément et elle perdit connaissance. Les mouchoirs noués à ses poignets étaient tachés du sang qui suintait à travers la peau. Trois autres taches sombres maculaient ses pieds et son torse. La moquette avait été épargnée.

*

Quand ils eurent terminé le plat principal, Théo loua la cuisine et le vin, un château-margaux vieux de six ans. Il expliqua qu'il aimait le bordeaux plus que tout autre vin parce que son abord austère incitait les esprits légers à le boire distraitement sans découvrir ses qualités, alors qu'il n'était bon qu'à la réflexion. Il ne put s'abstenir de consulter la trotteuse de sa montre pour mesurer la persistance en bouche qui atteignait dix secondes. Il existait même une unité de mesure pour cette sensation subjective : chaque seconde de persistance s'appelait une codalie. C'était en somme un vin pour physiciens.

Il adressa un sourire de félicitations à Charbel, puis il se tourna vers la maîtresse de maison pour commenter le plat, une poularde pochée à la crème de cresson. Mona en attribua tout le mérite à son chauffeur qui avait fait une centaine de kilomètres pour se procurer la volaille dans la Bresse voisine : on y abat la volaille à quatre-vingts jours alors qu'en Suisse elle est sacrifiée le quarante-deuxième jour selon un calcul implacable qui assure l'optimum financier d'un élevage. Le cresson, les carottes, les poireaux, les pommes de terre nouvelles venaient du potager qu'elle promit de faire visiter.

Michel se sentit de nouveau mal à l'aise. Chez lui, les repas familiaux bâclés, à base de soupes en sachet, de bâtonnets de poisson panés et de purée de pommes de terre en flocons, suivis d'une salade de fruits fraîchement extraite de la boîte, le tout servi dans le décor Ikéa, sur des assiettes de plastique dont le seul mérite était leur résistance aux chutes, toute cette existence de cantine et de pensionnat n'avait aucune saveur : il passait à côté de la vraie vie, celle que l'on menait dans les manoirs de Cologny. Aux approches de la cinquantaine, il allait peut-être commencer d'exister en poursuivant cette chimère qui fascinait bizarrement un banquier.

Charbel repéra cet accès d'enthousiasme superficiel. Une fois la table débarrassée et les miettes enlevées par un maître d'hôtel, pareil à ceux que Michel avait découvert au cinéma et dans les bandes dessinées, Charbel entreprit de s'expliquer :

— Cher professeur, vous vous demandez sans doute quels motifs m'animent. Le premier et le plus inattendu est sans aucun doute ce qui est arrivé à mon pays, le Liban. La guerre la plus inexpiable, la plus dure et la plus longue a éclaté dans le pays du Moyen-Orient où on l'attendait le moins parce que ce pays était prospère, paisible et civilisé.

— C'est la règle même si elle paraît paradoxale ! interrompit Théo. L'Allemagne a détruit l'Europe durant la première moitié du siècle, très précisément parce qu'elle était le foyer de la culture, le centre de la recherche scientifique, la pointe de la technique. À cause de son excellence et non malgré celle-ci. Un proverbe chinois dit que le poisson pourrit par la tête. L'objet de notre recherche est donc de découvrir quel est le microbe de la pourriture et non pourquoi il surgit à l'endroit où on l'attend le moins et où en vérité il faudrait sans cesse le guetter. *Corruptio optimi pessima.*

Michel n'entendait rien au latin pas plus qu'au mobilier de style, à la cuisine gastronomique et aux vins prestigieux. Mais il aspirait de tout son être à ces connaissances subtiles. Il feignit donc de comprendre et d'apprécier. Charbel reprit :

— Une analyse superficielle, celle des chancelleries ou des médias, trouve de multiples causes à la guerre du Liban : le conflit entre Israël et les Palestiniens, l'intégrisme iranien, la résurgence des querelles entre clans libanais, les appétits du voisin syrien ou, plus simplement encore, la mainmise de maffias criminelles trafiquant des armes ou de la drogue. Mais le Liban n'a été qu'un abcès de fixation d'un monde malade, malade de la tête, malade d'une maladie née en Occident, la réduction du monde à ce qu'en disent les sciences naturelles, la réduction de l'homme à ce que nous savons de la matière dont son corps est composé. L'incapacité de percevoir la réalité de l'esprit et la volonté désespérée de le nier.

Michel intervint le plus poliment possible :

— Je pense que la vérité est bien plus banale. Ce qui s'est passé et se passe encore au Proche-Orient s'explique sans peine par l'affrontement de croyances religieuses, juive, chrétienne ou musulmane, qui poussent à l'intolérance réciproque. Si tous ces combattants de croyances diverses et contradictoires faisaient l'effort d'être plus rationnels, ils se rejoindraient au lieu de s'opposer.

— Je m'attendais à cette explication, dit Charbel, mais elle demeure toujours à la surface des choses. Le nœud gordien du Proche-Orient se situe en Israël, un pays ressuscité en 1948 pour servir de refuge aux rescapés de la Shoah, qui fut le premier pogrom fondé sur un prétexte scientifique. Ce massacre organisé industriellement trouvait sa justification dans une théorie de la race supérieure. La diaspora juive en Europe a été expulsée vers Israël au XXe siècle, parce qu'elle devenait insupportable en Allemagne. Face à la science et à la technique triomphantes, ce peuple immergé parmi les Allemands attestait la primauté d'un Dieu transcendant et unique, dans la fidélité d'une histoire quatre fois millénaire. L'impérialisme germanique tous azimuts, en culture, en science, en industrie, reposait sur des principes prétendument rationnels et universels que contredisait l'existence de n'importe quel Juif. Peu importait d'ailleurs qu'il ait été fidèle ou non à Moïse. Un Juif soi-disant athée est encore un croyant qui boude simplement Yahvé. Il constitue un témoin irrécusable de la transcendance.

— Je m'excuse de vous contredire, dit Michel. Pour moi, la source du racisme allemand peut aussi bien se trouver dans un vieux fond de paganisme germanique à base de musique wagnérienne, de déesses blondes et de héros invincibles. Pour déclarer une guerre, il faut avoir la conviction d'être le plus fort et se persuader d'être dans son droit. La religion sert à la seconde partie de la démonstration.

Charbel ne se démonta pas et repartit dans son idée :

— La survie présente d'Israël dépend du soutien inconditionnel que lui garantissent les États-Unis. Cet appui n'est pas gratuit : il permet à la première puissance mondiale de garder une tête de pont dans la principale région pétrolière. Sans le combustible du Moyen-Orient, la machine industrielle de l'Occident s'arrêterait. Israël, héritier de la plus vieille tradition spirituelle, constitue une inclusion paradoxale dans le tissu du Moyen-Orient. Deux fois victime du matérialisme : rejeté par une Europe matérialiste, colonie d'une Amérique matérialiste.

— Vous m'excuserez mais je ne vois toujours pas le moindre rapport entre les intérêts pétroliers et l'objet de la recherche que vous souhaitez, objecta Michel.

— Je vais m'expliquer. À partir du moment où l'on suppose que le monde se résume à la matière qu'il contient, soumise à des forces aveugles qui dirigent son évolution, il n'y a plus de place pour la liberté et la dignité de l'homme, qui devient une chose parmi les choses. Le dessein sournois des sciences dites humaines a été, depuis la révolution industrielle, d'étudier par la sociologie, l'économie, la psychologie, les hommes comme si c'étaient des choses, afin de s'assurer qu'on puisse se servir d'eux comme de choses. Au terme de cette entreprise académique on aboutit à l'horreur : Auschwitz est une machine à chosifier les victimes, à leur dénier toute transcendance, à les ramener à un agrégat de molécules que l'on est en droit de décomposer. On récupère les cheveux pour faire du textile, la graisse pour fabriquer du savon, les dents en or pour fondre des lingots, la peau pour faire des abat-jour en parchemin.

— Charbel, nous sommes à table ! fit remarquer Mona.

Comme toute femme du monde, elle croyait annihiler les horreurs en les taisant. Ce n'était pas qu'elle fût obsédée par la sauvegarde des apparences. Elle rêvait vraiment d'un monde dont le bruit et la fureur ne dépasseraient pas ceux d'une cuillère à thé (en argent) tournant dans une tasse au bout de doigts manucurés. Si Dieu avait été une femme du monde, les choses se seraient passées tout autrement.

Cette distinction excessive agit à nouveau sur les sens de Michel de fâcheuse façon. Il s'efforça de ne plus regarder dans la direction de Mona. Mais il ne put s'empêcher de humer son parfum. Il devait bien y avoir un mètre entre le bras nu de Mona et la main de Michel, mais il lui sembla que le corps de cette femme irradiait une chaleur qui transperçait sa peau.

— Le camp d'extermination n'est que la pointe émergée de l'iceberg, continuait imperturbablement Charbel, le lieu où l'horreur du projet éclata en plein jour. Cela continue aujourd'hui de façon plus feutrée. Une machine à réduire les hommes à leur fonction économique régit aujourd'hui le monde entier, toujours sous l'impulsion des États-Unis. À l'intérieur de ce pays, cela assure l'intégration d'immigrants disparates, à l'extérieur la normalisation des marchés, le conditionnement publicitaire, la production d'une culture de masse infantile et conventionnelle. Considérez par exemple le sort réservé en Amérique aux délinquants. On admet qu'ils sont le produit déterminé à l'avance de leur enfance, qu'ils ne sont donc pas vraiment coupables mais simplement déviants par rapport à la norme. Inutile de punir cette chose irresponsable en la faisant méditer dans l'isolement sur ses fautes et en l'entretenant quarante ans aux frais du contribuable. On l'éliminera en douceur dans un pénitencier texan par quelques injections bien dosées. On l'endormira avant de l'assassiner. La seule sanction des fautes les plus lourdes devient l'euthanasie.

Charbel reprit son souffle et prononça enfin sa déclaration d'intention :

— S'il existe une différence mesurable entre un homme et une chose, je souhaite que vous l'établissiez. J'espère que l'idéologie déterministe, matérialiste et marchande, qui constitue la pensée unique aujourd'hui, s'effondrera au même titre que la doctrine marxiste l'a fait lors de la chute du mur de Berlin. C'est le seul espoir de paix civile et internationale que je puisse imaginer : changer de culture. Pas de paix entre les hommes sans paix entre la foi et la raison.

Au terme de cette envolée, Mona, qui l'avait déjà souvent subie, proposa que l'on serve le dessert.

*

Irina réussit à se faire du thé qui lui apporta un certain réconfort et la sortit de l'état de faiblesse où elle était tombée.

Les quatre mouchoirs et le T-shirt dansaient gaiement dans la machine à lessiver avec le linge de la journée. Une famille de sept personnes produit du linge sale à la chaîne : ses extases n'y ajoutaient pas grand-chose. La machine à laver constituait son outil préféré. En revanche, elle n'avait jamais essayé de maîtriser la machine à vaisselle. Il importait que le corps soit bien vêtu. Ce qu'il absorbait avait moins d'importance.

Elle referma soigneusement le placard à balais, donna un tour de clé et accrocha celle-ci à la chaîne qu'elle portait autour du cou, à côté de la petite croix en or qu'elle avait reçue le jour de son baptême, quarante plus tôt dans un village des Carpates, où les émissaires du tyran Ceaucescu n'avaient pas décelé la présence d'un pope.

Sa mère l'appelait au téléphone. Elle avait besoin d'une bouteille de San Pellegrino pour absorber ses médicaments. L'eau du robinet ne lui paraissait pas sûre. Irina abandonna le service du Créateur pour se consacrer à celui des créatures.

Un bref instant, au moment de fermer la porte de l'appartement il lui sembla qu'un linge blanc et étincelant dépassait de la porte du placard. L'ange avait le goût des farces inoffensives. Elle sourit. Elle lui fit confiance pour ranger son linge.

L'ange lui avait tellement appris sur elle-même qu'il était normal qu'il apprenne à son tour. Comme tous les amants, le Seigneur travaillait à se découvrir dans ceux qu'il aimait.

*

À la demande de Charbel Kassis, Théo introduisit formellement le projet une fois que le café eut été servi sur la terrasse et que les convives furent disposés à l'écouter, tout en admirant mollement le paysage.

— Il existe plusieurs façons de déterminer si l'homme est ou n'est pas une chose. Aucune n'est décisive, mais toutes peuvent concourir à conforter une thèse plutôt que l'autre.

Théo se mit à compter sur ses doigts :

— Prenons tout d'abord deux expériences extrêmes, qui sont hors de notre portée mais qui peuvent nous éclairer : le camp de concentration et le monastère, chrétien ou bouddhiste peu importe.

Le camp de concentration a pour but de démontrer que l'homme n'est qu'une chose en l'affamant, en le menaçant de mort, en l'amenant à se comporter de façon indigne à l'égard de ses codétenus, en l'obligeant à ramper devant ses tortionnaires. Mais cela n'a pas été une réussite parce que certains détenus se sont élevés au-dessus de la condition à laquelle on prétendait les réduire. Maximilien Kolbe, en acceptant de mourir de faim à la place d'un autre détenu et en encourageant jusqu'à la fin ses compagnons de supplice, a démontré que l'homme n'est pas une chose et qu'il est prêt à sacrifier son corps au bénéfice ce qu'il faut bien appeler son âme. La thèse des tortionnaires fut mise à mal : même si certains hommes sont en apparence réductibles à des choses, d'autres manifestent qu'ils n'en sont pas.

À l'autre extrémité des expériences spirituelles, un monastère vise à démontrer que l'homme n'est pas une chose par le dépouillement de tout ce qui est chose en lui, afin de ne laisser vivre que ce qui n'est pas chose. Il y a eu quelques belles réussites, de Jean de la Croix à Thérèse de Lisieux. Nous ne pouvons négliger l'expérience mystique dans notre recherche. Elle constitue un fait remarquablement répandu et constant.

— Oui, objecta Michel, mais cette expérience est incommunicable et elle n'intéresse qu'une toute petite minorité. Elle témoigne de la propension au rêve et à l'illusion. C'est la déviation de la norme, symétrique de celle du tortionnaire, mais tout aussi ambiguë. Si aucun homme n'est une chose, pourquoi faut-il que quelques-uns se mettent à part afin de démontrer qu'ils ne sont pas des choses, sinon pour prouver que les autres en sont.

Charbel laissa échapper un sifflement d'admiration tout à fait incongru pour un homme aussi réservé :

— Monsieur le professeur, vous êtes un dialecticien remarquable. Je suggère que nous laissions parler le professeur de Fully. Nous n'en sommes qu'à la méthodologie. Il s'agit de choisir de bonnes expériences parce qu'aucune de celles qu'il a décrites jusqu'ici n'est décisive. Ce ne sont que des présomptions pour l'esprit. De toute façon mon propos n'est pas d'ouvrir un camp de concentration ou un monastère.

Avant que Théo ait eu le temps de répondre, Mona intervint :

— Est-ce qu'il ne serait pas temps de prendre une tasse de thé ? Je n'ai rien compris à vos explications, je dois vous l'avouer. Et je me demande même de quoi vous parlez et où se situe le problème.

Il ne m'est jamais venu une seule fois à l'esprit que je puisse être une chose, sauf à donner à ce mot un sens qu'il n'a pas d'habitude. Une chose ne se demande pas si elle est une chose. Un homme, surtout s'il est une femme, n'est pas une chose dès lors qu'il ou elle se demande si elle l'est.

Bien qu'il ne fût pas convaincu par Mona, Michel la regarda avec admiration. Elle paraissait encore plus éloquente lorsqu'elle demeurait, comme maintenant, silencieuse, légèrement essoufflée par son intervention, la poitrine agitée par sa respiration. Si Michel avait cru en Dieu, la beauté de Mona l'aurait conforté dans sa foi. Elle ne réussit pas à le convertir. Elle parvint tout juste à l'ébranler. Il lui sembla vaguement qu'il éprouvait une sensation inconnue dans son existence antérieure, la rencontre d'un besoin et d'un sentiment, le principe de toute existence et son terme unique. Il écarta cette pensée incongrue et s'efforça de revenir à la raison.

*

Norbert Viredaz affectionnait les vendredis après-midi, car chaque samedi il emportait un pique-nique et passait la journée dans sa vigne. Cette perspective lui donnait assez de forces le vendredi pour prendre des initiatives de dernière minute, dans lesquelles il investissait le peu de génie gestionnaire et politique dont l'avait doté sa nature terrienne.

Il avait téléphoné personnellement à Sean Brian Montague vers quatre heures pour le convoquer à son bureau tout de suite. Cela n'entrait absolument pas dans les habitudes de la maison. Le président, qui évitait de s'entretenir avec les professeurs sinon pour leur annoncer leur licenciement, ignorait tout simplement les assistants.

Sean monta donc vers le bureau du président dans l'état d'esprit d'un Irlandais méfiant. Or, le Celte agressé constitue l'équivalent humain d'un tigre affamé en quête de gibier.

Norbert fit asseoir son visiteur forcé et lui décocha ce qu'il croyait être un sourire en exhibant quelques incisives mal soignées entre lesquelles s'évadait son haleine chargée. Il tapota le dossier de Sean, posé devant lui, et commenta :

— Monsieur Montague, je n'irai pas par quatre chemins. Vous êtes l'un des plus brillants sujets de cette École. Vous n'avez qu'un seul défaut aux yeux de la loi suisse : vous résidez depuis bien longtemps dans ce pays sans en être citoyen, au bénéfice d'un contrat annuel de travail et de séjour. Vos qualités scientifiques mériteraient un statut plus stable.

Les questions de nationalité touchaient Sean à son point le plus sensible.

— Je suis citoyen irlandais, dit-il d'un ton rogue.

— Je le sais, je le sais, cela n'arrange pas votre affaire.

— Vous souhaitez que je quitte l'École.

— Pas du tout. Bien au contraire. Mais nous ne pouvons pas garder indéfiniment des chercheurs qui ne soient pas suisses.

— Souhaitez-vous que je me naturalise ?

— C'est impossible. Vous devriez le savoir, monsieur Montague. Il faut douze années de résidence en Suisse pour engager la procédure de naturalisation qui prend au minimum deux ou trois ans. Vous résidez ici depuis cinq ans. En mettant les choses au mieux, si l'École donne les meilleurs renseignements à la commission de naturalisation, il vous faudra encore sept ou huit ans de patience. D'ici là nous ne pourrons pas vous garder dans le contingent de postes d'assistants, où des étrangers sont tout juste tolérés le temps de terminer leurs thèses.

— Cela veut dire en clair que je dois m'en aller.

— Pas du tout. Bien au contraire. Je souhaite vous stabiliser ici, par la seule procédure qui me soit ouverte, la nomination comme professeur, qui entraîne automatiquement la délivrance d'un permis de séjour illimité.

Sean reprit ses esprits :

— Va-t-on ouvrir une seconde chaire de Traitement des Signaux ?

— Hélas non, vous connaissez les restrictions budgétaires que nous impose l'administration de Berne.

Norbert Viredaz se tut, croisa les mains et entama un mouvement de moulinet avec ses pouces pour laisser entendre à Sean qu'il lui appartenait de poursuivre le raisonnement jusqu'en ses ultimes conclusions. Entre-temps le président, dont le temps était par définition infiniment précieux, en était réduit à se tourner les pouces. Norbert avait fait du mime en amateur à l'époque où toutes les troupes paroissiales s'étaient entichées de la gestuelle pure. Il avait retenu ce procédé. Un jour de grande bonté, il en avait expliqué la subtilité au directeur du personnel, qui n'y avait rien compris et en avait conçu une méfiance supplémentaire à l'égard d'un président qu'il savait ivrogne et désordonné, qu'il soupçonnait d'être érotomane et qu'il découvrait maintenant carrément gâteux.

Sean nourrissait des pensées assassines. Il se contint et demanda avec une grande froideur :

— Me suggérez-vous de succéder au professeur Martin ?

— Vous m'avez compris.

— Il n'a pas l'âge de la retraite.

— Dans six mois, il arrive à l'échéance de son mandat de six ans. Il pourrait se faire qu'il ne soit pas renommé.

Sean surmonta sa répugnance pour voir jusqu'où irait la conversation :

— Il n'y a aucune raison de ne pas renommer le professeur Martin, monsieur le président. Le laboratoire de Traitement des Signaux est le plus actif de toute l'École. Il suffit de voir le nombre de publications, de doctorats, de brevets, de collaborations industrielles. Le professeur Martin est, de l'avis de toute la profession, le meilleur spécialiste mondial du traitement des signaux. Vous ne trouverez pas un seul expert pour affirmer le contraire. Ce serait ridicule.

— Justement !

— Justement quoi, monsieur le président ?

— Comme tous les Français, le professeur Martin est prétentieux. Il acquiert trop de pouvoir dans cette École. Il contredit les orientations de la direction. Par son activité forcenée et par sa réputation médiatique, il ridiculise certains de ses collègues, moins brillants peut-être mais très influents par ailleurs dans les cercles dirigeants du pays. Scientifiquement parlant il est impeccable, politiquement il est insupportable. La communication ne passe plus entre la direction et lui.

Sean resta coi de stupéfaction : il crut discerner dans le visage débonnaire de Norbert Viredaz le rictus démoniaque du pouvoir. Le président reprit avec quelque agacement, comme s'il s'adressait à un enfant qui ne comprend rien à rien.

— Vous devriez comprendre que la révocation du professeur Martin pose effectivement un problème. Les médias qui le connaissent trop bien risquent de faire un scandale. Il faut donc que le dossier de la direction soit solide et que vous aidiez à l'étayer. Le professeur Martin n'est pas au-dessus des tentations qui affectent tous les êtres humains. Je ne puis pas tout savoir. Pour le bien de l'École, il faut que vous soyez les yeux et les oreilles de la direction dans ce laboratoire. Je ne serai pas ingrat.

Par un geste qui aurait pu servir à chasser une mouche, le président mit un terme à l'audience que Sean désirait fuir aussi vite qu'il le pouvait.

*

Après le thé, Mona se retira et Charbel estima le moment de parler en toute franchise à Michel de ce qu'il attendait vraiment :

— Supposez un instant que la télépathie existe. Pourriez-vous réaliser des expériences ?

— Je n'en ai aucune envie, répliqua Michel. Ni télépathie, ni table tournante, ni horoscope, ni soucoupe volante, ni guérison miraculeuse. Je refuse de m'occuper de tout ce fatras de fausses sciences qui impressionnent tellement les amateurs de merveilleux. Je deviendrais ridicule aux yeux de tous mes collègues. Ma réputation serait détruite d'un seul coup. Mes collaborateurs se moqueraient de moi et, pour le coup, le président Viredaz disposerait d'un bon prétexte pour se débarrasser de moi.

— Je ne vous parle pas de suppositions, reprit Charbel. Avant de me risquer à lancer un projet en milieu universitaire, j'ai monté quelques expériences avec l'appui du professeur de Fully. Je lui laisse expliquer ce qu'il a fait.

— Soit, énonça Théo, deux stations de travail Sun, l'une chez moi à Fully, l'autre ici à Cologny, séparées par une centaine de kilomètres à vol d'oiseau. Elles sont reliées par une ligne téléphonique et échangent des données de la façon suivante. Sur l'écran de Fully s'affichent des nombres de un à cinq, qui sont produits par un générateur de nombres aléatoires. Ils pourraient aussi bien être tirés par une roulette à cinq chiffres.

Michel eut un sursaut. Est-ce que Charbel ou Théo avaient connaissance de son équipée de la nuit antérieure ? Il aurait fallu que les trois complices aient été suivis. Et pourquoi l'auraient-ils été ? Toute la nuit, ils avaient joué au même jeu, en pariant sur un des cinq chiffres qui allaient sortir. Et le résultat avait été surprenant. Dans le sens négatif.

— Je contemple, reprit Théo, le chiffre affiché et puis je tape un point d'interrogation qui s'affiche à Cologny. Il reste à Charbel à deviner lequel des cinq chiffres s'affiche à Fully et à le taper à son tour. Si les deux frappes coïncident, il entend un bip. Sinon, il n'entend rien et sait qu'il s'est trompé. Les résultats sont instantanément enregistrés et totalisés. Nous travaillons par séries de trente tests, puis nous prenons cinq minutes de repos et nous recommençons une nouvelle série. L'expérience nous a appris que le rendement décroît après cinq séries consécutives et qu'il faut arrêter. Cette dégradation dans la réussite est en soi un argument en faveur de la réalité du phénomène.

— Et les résultats ? demanda Michel.

Théo de Fully lui tendit une feuille sortie de l'imprimante de son ordinateur.

— Au total nous avons effectué 151 séries, comportant donc 4 530 tests qui auraient dû fournir en moyenne 906 résultats corrects, soit un sur cinq. Or nous en avons trouvé 1 003, soit 10 % de plus que ce qui était prévisible en moyenne. Sur un aussi grand nombre de tests, un tel écart n'a de chance de se produire au hasard qu'avec une probabilité de trois dix-millièmes. Nous considérons donc l'expérience comme intéressante.

Charbel donna quelque signe d'excitation et poursuivit :

— Nous avons aussi reproduit la même expérience dans une pièce ici à Cologny. Un écran opaque coupe la pièce en deux, les deux ordinateurs sont dos à dos. Sur 2 910 tests, nous avons obtenu 932 résultats corrects alors qu'en moyenne nous pouvions en espérer seulement 582. La probabilité qu'un tel résultat soit dû au hasard est inférieure à un milliardième. Cela vous suffit-il ?

— Je ne suis pas très fort en statistique, objecta Michel. À partir du moment où un résultat est aléatoire, tout peut se produire. Un résultat ne prouve rien. Je transmettrai vos résultats à Ruth Naouri, une de mes assistantes.

La conversation n'alla pas plus loin. Après le thé, ils visitèrent le potager, la basse-cour, la serre, le verger. Ils finirent par prendre un bain dans la piscine parce que cela semblait la meilleure occupation en ce temps et en ce lieu. Puis, Michel prit congé.

En roulant vers Lausanne, il pensait davantage à Mona qu'au projet. Il décida d'entrer en matière, sans trop comprendre pourquoi ou sans s'avouer qu'il aurait fait n'importe quoi pour se réserver l'occasion de la revoir. Les femmes existent afin d'enseigner aux hommes l'humour du Seigneur.

*

Lorsque Michel fut parti, Théo et Charbel eurent un bref entretien en particulier.

— J'ai l'impression que l'on charge trop le bateau, émit le banquier. Il aurait été plus simple que je vous confie directement ces fonds et que vous montiez éventuellement un laboratoire personnel, un bureau de recherche. Le professeur Martin ne peut pas trouver un résultat dont il nie l'existence et qu'il répugne à découvrir.

— Il est le gardien sourcilleux de la rationalité laïque. C'est seulement en France que vous pouvez trouver des esprits aussi singuliers, qui appliquent une méthode rigoureuse à des objectifs dérisoires. Le professeur Martin sort de Polytechnique et de Télécom Paris, deux des grandes écoles qui contrôlent la République. Obtenir qu'il s'occupe de ce projet, c'est une façon de faire rendre gorge à Voltaire, Comte et Monod après même qu'ils soient morts. Il faut qu'un de leur disciple vienne à résipiscence. Paul de Tarse est devenu le plus grand missionnaire chrétien parce qu'il avait persécuté les chrétiens. Convertir signifie non pas infléchir la route mais changer cap pour cap.

— Je me suis engagé à l'égard de votre frère, du pape en personne. J'ai la charge de tous les fonds qui m'ont été confiés par d'autres financiers chrétiens. C'est une des dernières chance de l'Église. Pourquoi courir tellement de risques ?

— Mon cher Charbel, vous raisonnez comme un financier et moi comme un chercheur. Savez-vous que toutes les grandes découvertes ont été faites par erreur ?

— Avez-vous réfléchi à sa réaction s'il venait à découvrir qu'il travaille pour l'Église sans le savoir ? Il sera furieux d'avoir été manipulé de la sorte.

— Là n'est pas la question. Nous sommes tous manipulés. La question est de savoir par qui. Jusqu'où faut-il remonter la chaîne, chaque manipulateur étant à son tour manipulé. Quel est le moteur initial de cette entreprise ?

— Vous avez raison, admit Charbel. Même le diable a été créé par Dieu.

IV

Le samedi et le dimanche, Michel se consacrait à sa famille, au train-train des courses, des leçons de natation ou de piano, des visites chez le pédiatre, des vêtements à déposer chez le teinturier, des chaussures à réparer, des bulletins à signer, des lacunes de l'école à combler, des fusibles sautés et des ampoules grillées. Et surtout il s'occupait à mijoter des petits plats, du coq au vin, du bœuf bourguignon, du pot-au-feu, du gigot en braillousse, de la poule au riz, de la choucroute, tous ces plats qui cuisent lentement pour bien fondre les saveurs. Cela le changeait des hamburgers, des hot dogs, des chips, de la purée de pommes de terre en sachet et de la salade de fruits en boîte qui constituaient l'ordinaire servi par Irina, dans le but de gagner du temps. Que faisait-elle de ce temps gagné ?

Par nature, elle était bien incapable de gérer un ménage de sept personnes. Instruite dans l'art de mal vivre, elle le propageait autour d'elle. Son enfance en Roumanie l'avait formée à la négligence et à la résignation. Le sol sale, les dents cariées et les repas sommaires s'inscrivaient dans la logique d'un monde planifié par des apparatchiks tout-puissants et incompétents, qui dissertaient à profusion du bien-être de l'humanité pour être en mesure de le négliger sans remords. La Roumanie avait constitué un champ d'expérience merveilleux pour l'imposture marxiste qui avait exalté à la fois l'anarchie slave, la nonchalance latine et la brutalité ottomane. Les défauts, somme toute mineurs, d'Irina étaient bien excusables pour quelqu'un qui avait passé son enfance sous l'égide du tyran Ceaucescu, la meilleure approximation de Néron en notre siècle. Il n'empêche que, selon les critères vétilleux de ses voisines helvétiques, Irina représentait le zéro absolu de la ménagère, un nadir domestique insondable. Dès qu'une ménagère du quartier éprouvait des doutes sur elle-même, ses amies lui conseillaient de visiter, sous un prétexte quelconque, l'appartement des Martin afin de se rassurer.

Parfois l'ange articulait quelques gentils reproches à ce sujet, sans trop insister car la paresse ne représente après tout qu'un péché mignon, si on la compare à la luxure ou à l'orgueil. Ces remontrances remplissaient Irina de confusion mais elles ne l'aidaient guère à progresser, car l'ange — et le Seigneur lui-même — ne semblaient pas du tout versés dans la pratique concrète de l'économie ménagère. Leur représentant terrestre, le père Balthasar Alvarez, paraissait tout aussi démuni. Des reproches oui, des conseils non. L'Esprit soufflait en tornade partout, où Il voulait et quand Il voulait, mais très faiblement dans les cuisines et les buanderies selon l'expérience décevante d'Irina. Elle songeait parfois que Jésus de Nazareth avait été un bon jeune homme juif, vivant chez sa mère jusqu'à trente ans, débordé par le soin simultané des affaires de son père nourricier et de son père céleste. Cela devait expliquer ses curieuses lacunes de célibataire : il lui manquait une certaine pratique des exigences mesquines de la vie ordinaire. Quand il s'était fait homme, Dieu avait tout de même évité de se faire femme.

Le samedi soir, Michel cuisina un énorme plat de spaghettis à la bolognaise nageant dans l'huile d'olive et parsemé de parmesan. Le dimanche midi, un couscous somptueux plein de raisins noirs émaillant la graine qui fleurait bon le beurre fondu. Madame mère Vescovici avait honoré le déjeuner de sa présence et s'était nourrie pour deux jours au moins : avec l'argent épargné, elle se promit d'acheter des cigarettes et du porto en cachette d'Irina.

Les enfants rassasiés cessèrent de se quereller et la soirée se termina en contemplant un dessin animé à la télévision. Michel prit le temps de raconter l'histoire de Pinocchio aux plus petits et celle de Christophe Colomb aux plus grands, de les border et de demeurer quelques instants à les regarder s'endormir. Il avait fini par aimer ces enfants qu'il n'avait pas choisi de procréer. L'instinct, ce flair de l'esprit, représentait le conseiller le plus sûr des actions humaines, sans doute parce que cette forme d'intelligence n'était pas consciente d'elle-même.

Après le repos des deux derniers jours de la semaine, Michel aimait donc se réveiller le lundi car il récupérait un monde lavé de neuf. Son esprit s'était vidé comme la corbeille d'un ordinateur que l'on vidange chaque fois qu'on l'éteint. Le reste de la semaine, il ne vivait pas vraiment. Son cerveau fonctionnait à toute vitesse et en parallèle, comme un multiprocesseur, pour résoudre dans la précipitation une variété de problèmes scientifiques, administratifs ou familiaux, avec de rares et courtes interruptions consacrées aux fonctions physiologiques. Trop souvent, il ne trouvait ni le temps de dormir, ni celui de manger sinon à la sauvette : il entretenait son corps dans le seul objectif de servir de support à cet ordinateur physiologique, son cerveau, si bien câblé par ses géniteurs et si bien programmé par un apprentissage impitoyable. La préparation du concours d'entrée à Polytechnique avait constitué un calvaire profitable.

Tout naturellement, Michel avait fini par se considérer comme une machine intelligente, non pas au sens d'un automate mais plutôt comme un dispositif complexe, réagissant aux signaux extérieurs, accumulant les expériences et développant une logique rigoureuse. Il s'étonnait souvent que d'autres aient encore le loisir et le goût de continuer à vivre. Par un enchaînement de circonstances incompréhensibles, il faisait partie de ce petit reste d'hommes, de moins en moins nombreux, qui travaillaient de plus en plus afin que le plus grand nombre ne travaille plus du tout. Il savait bien que le moindre fléchissement de sa part serait sanctionné par l'expulsion hors du monde de l'emploi, vers les ténèbres extérieures où croupissaient les assistés. Seul son cerveau exceptionnel intéressait la société. Il n'hésitait donc pas à en abuser, tant il savait par expérience que la seule hygiène de l'intellectuel est le surmenage.

*

Cependant ce lundi-là, qui suivit sa première rencontre avec Charbel Kassis, Michel se leva en nourrissant des sentiments mélangés : celui, propre à tous les lundis, correspondant à un esprit dispos ; celui, singulier, d'avoir à liquider, durant la semaine à venir, une tâche dont il désirait se débarrasser au plus tôt sans bien savoir comment s'y prendre.

Un chercheur convaincu de l'existence de la conscience parviendrait peut-être à la découvrir, tout comme Christophe Colomb avait traversé en confiance l'Atlantique dans la certitude d'aborder tôt ou tard à un rivage, même s'il s'était trompé sur la nature de celui qu'il atteindrait. Mais comment Michel pourrait-il démontrer l'inexistence de ce qui n'existait pas à ses yeux ? En recherche scientifique, il suffit de découvrir une seule solution pour s'assurer qu'un problème n'est pas insoluble, mais il n'existe aucune méthode pour démontrer qu'une question mal posée n'a pas de réponse.

Dès neuf heures du matin, il organisa une réunion à son bureau afin de mettre Ruth et Sean au courant du contretemps qui leur arrivait. Pour ne pas paraître tout à fait ridicule, il avait demandé que Théo soit présent. Le prestige du vieux maître auprès de la jeune génération apporterait un certain lustre à une réunion que Michel appréhendait.

Avant de parler, il laissa un certain silence s'établir. Il promena son regard sur sa bibliothèque pleine d'ouvrages qui ignoraient l'existence de l'âme, sur les photos de ses enfants qui n'avaient pas demandé à vivre, sur son ordinateur tout à fait rassurant, parce qu'il donnait toujours les mêmes réponses aux mêmes questions, sur quelques diplômes et attestations de prix qu'il avait encadrés dans un accès de vanité. Il était arrivé au milieu d'une vie qu'il n'avait pas choisie, sans se payer de mots, avec pour seule dignité de ne pas être dupe. On lui demandait de renier tout ce qui avait donné une apparence de sens à son existence.

Il mit Ruth et Sean au courant des entretiens qu'il avait eus la semaine précédente avec Norbert Viredaz et Charbel Kassis. Le rapport qu'il en fit fut bref, factuel et morose. Il termina par un commentaire dénué d'aménité :

— Je n'ai pas choisi ce projet que le président m'impose. Si nous avions trouvé les fonds nécessaires au laboratoire par d'autres moyens, j'aurais pu le refuser mais vous savez que nous avons échoué dans cette entreprise. À mon corps défendant, je suis embarqué dans un projet que je pourrais décrire comme suit : il consiste à se rendre sans lampe dans une cave sans jour pour y chercher un chat noir qui ne s'y trouve pas.

Théo fronça les sourcils mais il ne fit aucune observation. Il s'était promis d'éviter toute controverse. Après avoir attendu quelques instants une réponse qui ne vint pas, Michel reprit :

— Et je n'ai donc qu'une seule hâte, c'est de m'en débarrasser dans les meilleures conditions. C'est-à-dire en gaspillant le moins possible de mon temps et du vôtre qui sont précieux, mais en apportant une preuve irréfutable que ce que l'on nous demande de découvrir n'existe pas. Si, en passant, nous parvenions à glaner quelques résultats sur le fonctionnement réel du cerveau, pourquoi pas ? En fait je ne sais même pas très bien par quel bout prendre le problème vague que l'on nous soumet. C'est pourquoi j'ai demandé au professeur de Fully de nous éclairer. Il est convaincu du bien-fondé du projet alors que je ne le suis pas. Laissons-lui la parole.

Théo avait longuement mûri son exposé introductif. À son âge, il savait assez les risques auxquels il s'exposait, face à deux jeunes chercheurs qui seraient prompt à le taxer de gâtisme. En quelques minutes, il devrait les convaincre que rien n'est plus rationnel que de se pencher sur l'irrationnel. Il fallait leur expliquer qu'il est déraisonnable d'utiliser la raison pure dans le domaine propre à la foi. Mais savaient-ils seulement que la foi existait ?

*

— Je vais commencer par une citation célèbre de Laplace :

« Nous devons donc envisager l'état présent de l'univers comme l'effet de son état antérieur, et comme la cause de celui qui va suivre. Une intelligence qui, pour un instant donné, connaîtrait toutes les forces dont la nature est animée et la situation respective des êtres qui la composent, si d'ailleurs elle était assez vaste pour soumettre ces données à l'analyse, embrasserait dans la même formule les mouvements des plus grands corps de l'univers et ceux du plus léger atome : rien ne serait incertain pour elle et l'avenir comme le passé seraient présents à ses yeux. »

Michel, qui n'était pas disposé à se laisser faire, crut bon de riposter tout de suite.

— C'est trop beau pour être vrai. Pas besoin de faire des phrases en physique, sinon pour rouler le lecteur dans la farine. Je ne prends pas cette position à mon compte. Ne me l'imputez pas !

Théo leva la main pour esquisser un geste d'apaisement et reprit :

— Je désire seulement retracer un épisode historique qui conditionne encore aujourd'hui notre façon d'envisager le monde. Laplace se réfère ici à la mécanique céleste : à son époque, les éphémérides des planètes se calculaient avec précision grâce aux formules de Newton. Sans l'avouer, peut-être même sans s'en rendre compte, Laplace étend à tous les phénomènes imaginables une règle qui n'est valide que pour les corps célestes. Il est ébloui par la réussite de Newton, appliquée à l'astronomie, et il s'imagine que toute la Nature (et pourquoi pas les hommes qui en font partie ?) serait descriptible par la même méthode scientifique.

Cette intelligence capable de prédire l'avenir, nous allons, si vous le voulez bien, la baptiser « démon de Laplace ». À supposer qu'il existe, ce démon, sachant à l'avance tout ce qui va se passer, se rirait de notre illusion d'être maîtres de nos décisions. Chacun des mouvements, que nous croyons résulter d'un libre choix de notre part, découlerait en fait d'un déterminisme absolu : nos rires ou nos pleurs auraient la même signification que la pluie ou l'éclaircie en météorologie. L'Univers serait un vaste automate, qui s'est mis en marche au début des siècles et qui déroule imperturbablement un programme écrit de toute éternité dans ses entrailles. L'avenir n'est que la conséquence du présent : il n'a aucune autonomie. Et le passé est la cause nécessaire et suffisante du présent. Dans cet Univers stupide, seul l'homme s'imagine qu'il est libre. Et il se trompe, bien entendu.

— Je vois où vous voulez en venir, interrompit Michel. Il n'est pas besoin de me convaincre que Laplace lui-même se trompe comme tous les physiciens de son époque. En fait, il confond deux propriétés : d'une part le déterminisme, c'est-à-dire l'obéissance des phénomènes à des équations ; d'autre part la prévisibilité, c'est-à-dire la possibilité pratique de calculer le déroulement des phénomènes à l'avance.

Sean, qui bouillait d'intervenir, ne put résister :

— Avec votre permission, monsieur de Fully, plus personne ne fait cette confusion aujourd'hui. La distinction entre les deux propriétés a été découverte par un météorologue du MIT, Edward Lorenz en 1961. Certains phénomènes sont chaotiques, c'est-à-dire à la fois déterministes et imprévisibles. À titre d'exemple, on ne peut pas effectuer de prévisions météorologiques sur une longue durée, disons un an, parce que les équations biens connues et indiscutables qui décrivent l'atmosphère sont incroyablement sensibles à une cause très faible, le célèbre effet papillon. Comme il est pratiquement impossible de mesurer avec une précision infinie la température de l'air ou la vitesse du vent, les valeurs initiales introduites dans les équations ne permettent pas de prédire ce qui va se passer, car la réalité s'écartera de plus en plus de la simulation sur ordinateur au fur et à mesure que le temps s'écoulera.

Michel reprit :

— En d'autres mots, ce n'est pas parce qu'un phénomène est déterministe, au sens où il est gouverné par des équations, qu'il devient pour autant prévisible : encore faut-il que ces équations ne soient pas trop sensibles aux inévitables petites erreurs de mesure. Le fonctionnement de l'Univers est déterminé en théorie, mais il est imprévisible en pratique. En revanche, ce n'est pas parce que nous sommes incapables de calculer l'avenir qu'il n'est pas déterminé. Je vous accorde volontiers qu'on ne peut pas calculer comment un être humain se comportera — pas plus qu'un chat du reste — mais cela ne signifie pas pour autant qu'il soit libre de ses décisions, au sens où un esprit immatériel l'habiterait.

Théo accepta l'objection de Michel par un hochement de tête positif, puis il passa à un autre argument :

— Je tombe d'accord que pour l'instant nous sommes à égalité. Dans la citation de Laplace de tout à l'heure, il a d'ailleurs la prudence de préciser qu'il faudrait une « vaste intelligence » qui ne sera jamais la nôtre. Même si une inexorable nécessité le reliait au présent, l'avenir resterait le secret du Démon de Laplace, auquel on pourrait tout aussi bien donner le nom de Dieu.

— Pourquoi pas ? Je ne vais pas vous chipoter sur les termes. Appelez le hasard Dieu si cela vous rassure. Mais quelle importance ?

— En effet ! Cependant, Laplace s'est trompé une seconde fois. À une certaine échelle, les événements ne sont pas gouvernés par des équations déterministes mais probabilistes. Plus rien ne devient prévisible, même en théorie. On ne peut pas vraiment prédire la position d'un électron mais seulement la probabilité qu'il a de se situer à un certain endroit de l'espace. Au moment où on mesure cette position, on la fixe. L'électron cesse d'être impalpable, lorsqu'on le touche. Il n'existe tout à fait que sous le regard d'un observateur.

Depuis le début du XXe siècle, les physiciens ont effectué une révolution tranquille au terme de laquelle les certitudes de Newton, de Laplace et de Comte se sont évanouies. Plus rien n'est conforme aux intuitions simplistes du sens commun. La lumière n'est réductible ni à une onde ni à un faisceau de corpuscules mais elle peut être considérée tantôt comme l'un, tantôt comme l'autre et parfois même comme les deux modèles à la fois. Le temps et l'espace ne sont plus des dimensions distinctes mais interchangeables. Il n'y a plus de repère absolu dans l'univers qui n'a ni centre ni périphérie, qui est à la fois fini et sans frontière. La lumière et le champ électromagnétique se déplacent à une vitesse prodigieuse pour l'observateur qui la mesure dans les circonstances habituelles, mais le temps n'existe plus pour un observateur qui se déplacerait à la vitesse de la lumière. Nous sommes habitués à voir le temps couler du passé vers l'avenir mais certaines ondes pourraient naviguer en sens inverse du temps.

En un mot, la réalité telle que les physiciens l'ont découverte depuis un siècle est bien plus complexe, étrange, surprenante que ne l'imaginaient les tenants du positivisme, du rationalisme et du scientisme au début du XIXe siècle. Mon conseil est simple : quittez donc les sentiers rebattus du déterminisme et parlez-nous des conséquences pour l'homme de cette nouvelle vision du monde.

Michel secoua énergiquement la tête :

— J'objecte ! Par définition, la mécanique quantique s'occupe des particules, pas des hommes qui sont des corps massifs, composés d'un nombre énorme d'atomes. Dès lors qu'un cerveau n'est pas réductible à un électron, je n'ai rien à espérer de la mécanique quantique pour lui attribuer une liberté quelconque. Je dois absolument m'abstenir d'entrer en matière. Quand il n'a rien à dire, le chercheur se tait. En toute rigueur et modestie, il doit observer un double silence : il ne connaît scientifiquement rien sur la réalité en dehors de son aire de réussite qui est restreinte ; dans son domaine, sa recherche ne lui apprend rien d'essentiel sur lui-même.

Théo hocha la tête car il ne pouvait qu'être d'accord :

— D'accord ! Bien évidemment, la recherche scientifique ne se prononce jamais que sur des matières limitées au sujet desquelles elle n'annonce que des vérités dérisoires. Je veux dire par là qu'ils signifient tellement peu pour le commun des mortels qu'ils le laissent indifférent.

Comme Théo se montrait conciliant, Michel embraya :

— Dès lors que l'on quitte les lois abstraites, la science ne nous dit donc plus rien. Et si d'aventure des savants disent quelque chose — par exemple en politique, en métaphysique ou en morale — ils sortent de leur domaine tout en s'arrogeant des prérogatives de rigueur dont ils ne jouissent plus. Mon cher collègue, vous ne m'aurez pas en dehors de ma sphère de compétence. J'y commets déjà beaucoup d'erreurs. Dès que j'en sortirais, je m'égarerais complètement.

Théo sourit car Michel venait d'arriver au point où il souhaitait le conduire. Ainsi, au moment de porter l'estocade, le matador amène-t-il le taureau du côté sombre de l'arène pour ne pas être ébloui par le soleil.

— Avouez que c'est bien l'infraction commise par les

neurobiologistes sur le sujet qui nous occupe. Ils proclament la réduction de la pensée à l'activité cérébrale. Je ne prétends pas qu'ils se trompent : je dis plutôt qu'ils devraient se taire. Lorsque Changeux soutient que d'ici dix ans on ne parlera plus d'esprit, il commet l'erreur à laquelle vous craignez de vous exposer. Vingt ans plus tôt, Jacques Monod a procédé de même avec les résultats de la biologie dans *Le hasard et la nécessité* : il nous explique avec gentillesse et distinction que nous sommes une moisissure de l'Univers, apparue par hasard, qui n'a aucun sens sinon celui de découvrir qu'elle n'a pas de sens. Et que cette moisissure retirera la plus grande satisfaction morale de cet exercice douloureux. Pour un peu la réconforter tout de même, Monod lui propose d'adhérer au socialisme. Pourquoi pas demander son inscription au Rotary ?

Michel tenait sa réplique :

— Vous m'accorderez qu'en sens inverse, il existe aujourd'hui toute une littérature qui vise à vulgariser les résultats de la cosmologie ou de la biologie, sciences qui semblent pouvoir répondre à certaines questions métaphysiques. Albert Jacquard, Hubert Reeves, Stephen Hawking, Trinh Xuan Thuan sont les plus connus de ces auteurs qui mènent leurs lecteurs jusqu'au point où le discours scientifique s'évanouit. Sans toujours l'avouer, ils franchissent avec leurs lecteurs cette limite en leur faisant adopter leurs propres options spirituelles. Eux aussi devraient apprendre à se taire !

— Vous ne pourrez jamais empêcher, objecta Théo, le grand public de se poser de vieilles questions métaphysiques comme : pourquoi y a-t-il quelque chose et pas rien ? Pourquoi la Nature nous fait-elle souffrir à ce point par la maladie, la mort, les catastrophes naturelles ? Pourquoi sommes-nous menacés perpétuellement par la faim, le froid, la séparation ? Comment tout cela a-t-il commencé et comment cela finira-t-il ? Que devons-nous faire pour vivre le moins mal possible ? Et vous ne pouvez pas lui interdire d'être intéressé par l'opinion des scientifiques sur ces sujets.

— Moi, dit Michel, je résumerais toutes ces interrogations en deux questions très simples : que nous veut-on ? Quel est ce « on » ? Le discours scientifique sérieux ne peut fournir aucune réponse positive à ces questions élémentaires : ces interrogations gigantesques ne reçoivent pas le commencement d'une réponse.

Théo sentit que le moment de vérité était arrivé. Il intervint à voix presque basse, les yeux fermés, en grattant machinalement de l'ongle une tache imaginaire sur son veston :

— Le succès populaire de ces approches doit nous amener à réfléchir sérieusement. S'il existe bien une frontière entre science et sens, là où le discours de la première cesse d'être valable mais où la vie des hommes, pleine de sens et de saveur, continue d'exister, comment la situer ? Est-elle exclusive en ce sens que les deux discours seraient disjoints ? Dès qu'un énoncé scientifique dégage une certitude, cela signifierait-il que l'intuition n'a plus rien à dire ? En sens inverse, dès que nous avons une intuition, celle-ci n'aurait-elle aucune relation avec la réalité étudiée par les sciences ? Et d'où proviendrait alors cette intuition ? La conviction que le monde est rationnel, que nous partageons tous ici, est à la base du travail scientifique. Cette conviction, profondément ressentie, d'une raison supérieure qui se manifeste dans le monde de l'expérience constitue ma conception de Dieu.

*

Le silence qui s'ensuivit convainquit Théo qu'il avait emporté la partie, au prix de quelques arguments démagogiques, en semant au moins le doute chez Ruth et Sean. Ils n'étaient guère intervenus, car la réserve naturelle à de jeunes chercheurs les avait empêché d'interrompre le duel entre Théo et Michel. Les préséances académiques sont d'autant plus rigides que la décontraction du milieu est apparente. En fait une seule grosse bêtise proférée à haute voix ou confiée au papier peut ruiner une carrière. On laisse donc s'exprimer en premier lieu les plus forts. De même au bord d'un marigot africain, la fragile antilope et le zèbre timide attendent à distance que le lion et le léopard se soient abreuvés avant de laper la boue que les fauves ont laissée.

Michel réagit le premier avec une mauvaise foi qui était à la mesure de son irritation :

— En somme, vous persistez à vouloir une démonstration scientifique de l'existence de Dieu. Ou de celle d'une âme immortelle, ce qui revient au même.

Avec une patience infinie, Théo répondit :

— Pas du tout. Au contraire. Si on ne peut prouver l'existence de Dieu, il en est de même pour son inexistence.

— Sur cela nous sommes d'accord, dit Michel d'un ton quelque peu las. Logiquement cela se tient.

— Oui, mais il faut aller plus loin dans la réflexion. Les preuves et leur réfutation ne montrent que ceci : un Dieu prouvé n'est pas Dieu, il ne serait qu'une chose dans le monde. Or, par glissements successifs, des savants respectés et influents comme Crick ou Changeux prétendent que l'esprit n'existe pas puisque l'on ne peut le découvrir par des mesures. Tout ce qui n'est pas formalisable par des équations finit par ne plus exister. Le grand péché de certains chercheurs consiste à confondre le réel avec ce qui s'analyse facilement et à réduire la réalité au modèle qu'ils ont élaboré. Je vous demande donc, non pas de sortir du modèle scientifique de la pensée humaine mais d'en découvrir les limites. Rappelez-vous la forte parole d'Einstein : si une méthode mathématique est applicable à la réalité, elle n'est pas rigoureuse ; si un résultat mathématique est rigoureux, il n'est pas applicable à la réalité.

Michel répondit :

— Alors, mon cher collègue, si vous estimez que je passe à côté de quelque chose d'important, décrivez-moi une expérience simple et décisive qui puisse me persuader que l'esprit ou ce que l'on appelle ainsi existe en dehors de ma boîte crânienne et des neurones qu'elle contient. S'il vous plaît !

Théo sourit car Michel lui avait lancé exactement le défi qu'il attendait et auquel il s'était préparé :

— J'ai votre affaire.

Il fut interrompu par l'entrée tout à fait imprévue de la secrétaire de Michel qui avait pris sur elle de préparer quatre cafés. Par une initiative stupéfiante de générosité — car elle était plutôt pingre —, elle avait puisé, dans ses réserves personnelles, quatre petits-beurre Lu posés sur les soucoupes.

Michel aurait dû se méfier de ces modestes produits de l'industrie agro-alimentaire, dont le rôle était celui du cheval de bois laissé par les Grecs sur la plage de Troie.

En fait la secrétaire ne tenait pas à choyer les chercheurs mais à mieux les entendre. Selon les instructions de Solange, relayant celles de Norbert Viredaz, lui-même téléguidé par le Maître, la secrétaire essayait depuis le début de l'entretien de prendre quelques notes, en se tenant à proximité de la porte de communication qu'elle n'avait pas tout à fait fermée. Or, si elle avait entendu l'essentiel de ce qui s'était dit, elle n'y avait néanmoins rien compris.

Elle espérait qu'en laissant la porte franchement ouverte, elle entendrait mieux et comprendrait davantage. Ainsi certaines gens, qui n'entendent rien à la musique et en sont sincèrement désolés, croient-ils compenser leur carence en achetant un amplificateur plus puissant et des haut-parleurs de meilleure qualité. La technique, qui apporte des compléments au corps, est censée susciter un supplément d'âme.

*

Théo se gargarisa avec une gorgée de café noir et reprit :

— La première expérience, la plus simple, ne requiert que deux opérateurs, un chronomètre, une feuille de papier, un crayon, une sonnette et une pièce de monnaie pour tirer à pile ou face. Puisque vous êtes un spécialiste du traitement des images perçues par notre cerveau, elle ne peut que vous intéresser.

Sean ne se contint pas davantage. Il était responsable de l'équipement du laboratoire et, en un clin d'œil, il imagina des montages informatiques pour remplacer le matériel des familles que lui proposait Théo. Comme tout ingénieur, il n'aimait pas tellement se frotter à la réalité nue. Un ordinateur forme un truchement gratifiant entre le monde décevant et l'esprit qui le scrute.

— Je n'envisage pas très bien quelle expérience crédible on peut entreprendre en jouant à pile ou face. On pourrait peut-être sauter ce préambule et aller tout de suite à l'essentiel.

— Cette expérience paraît très simple mais si elle est bien conduite, elle permettra de trancher entre deux conceptions du regard, enseigna doctement Théo.

La première conception du regard est celle du bon sens populaire. Elle imagine un rayon visuel issu de l'œil, rencontrant un objet et réfléchi par celui-ci. L'expérience quotidienne nous pousse à croire que des rayons sortent de l'œil et qu'ils expriment la nature du regard porté : furtif, perçant, furieux ou tendre. Le regard semble une réalité, issue du corps humain et projetée dans son environnement. Ainsi, les amoureux se regardent-ils dans les yeux pour échanger tacitement leur accord avant de l'exprimer par la parole. En général, deux adultes ne se regardent pas longtemps les yeux dans les yeux sans que cela ne devienne gênant. Il est tout simplement impoli de fixer trop longtemps quelqu'un. Dans la vie de tous les jours, le regard possède donc un pouvoir considérable et une signification très importante, conformes à cette conception naïve, dont on va voir maintenant qu'elle n'est pas du tout celle des scientifiques.

La seconde conception du regard, celle des milieux scientifiques, celle à laquelle vous croyez — j'insiste lourdement sur le mot croire — prend le contre-pied de l'illusion populaire, en ce sens que l'œil n'émet pas de rayons mais qu'il en capte seulement. Le mécanisme de la vision est conçu comme l'action de rayons lumineux issus de l'objet et interceptés par l'œil, qui est un organe passif au même sens qu'un appareil photographique. L'œil devient une chambre noire recevant des photons et les analysant à partir de la rétine pour reconstruire le monde extérieur dans le cerveau, très précisément dans le lobe occipital du cortex. Le regard de l'amoureuse n'est pas plus tendre que n'est menaçant celui de l'assassin. Seule l'interprétation de celui qui est observé adjoint une intention au regard, par nature vide et inexpressif. Il n'y a personne au fond des yeux qui sont de simples plaques sensibles. Cette seconde conception nie tout simplement l'existence du regard. Même si elle est physiquement correcte, elle ne rend pas compte de notre expérience psychologique. En un mot, il nous faut négliger notre connaissance la plus évidente, la plus forte et la plus utile du regard pour décrire « scientifiquement » l'œil.

Avec les doigts de ses deux mains levées, Théo esquissa des guillemets en l'air autour de l'adverbe scientifiquement. Dans la rhétorique simplifiée des colloques scientifiques, cette pantomime des guillemets faisait partie d'un langage des signes universellement compris, qui en disait plus long qu'un tableau rempli d'équations.

— Ce n'est pas la pupille qui est expressive mais les muscles du visage qui encadrent l'œil, remarqua Sean. La conception des physiciens est évidemment correcte puisqu'il est impossible de voir dans l'obscurité absolue. Ce sont donc bien des rayons lumineux réfléchis par les objets qui viennent frapper notre rétine. Si, au contraire, il existait des rayons visuels, il devrait être possible de les mesurer.

— Bien dit ! C'est exactement ce que je vous propose pour sortir de la conception savante et sommaire du regard, dit Théo. Je souhaite que vous organisiez une expérience simple et décisive, non pas pour démontrer l'esprit mais le montrer. Avez-vous déjà eu l'impression que quelqu'un vous regardait dans le dos au point de vous retourner ?

— Non, répondit immédiatement Sean.

Michel prit le temps de réfléchir avant de répondre par la négative. En revanche, Ruth assura que c'était chez elle une observation courante. Du reste dans son enfance, elle pratiquait couramment ce jeu avec des amies : reconnaître en tournant le dos si l'on est regardée ou non ; selon son expérience, cela dépendait des personnes ; elle-même était très bonne et ne s'y trompait pratiquement jamais.

— Bien, dit Théo, supposons que vous jouissiez de cette capacité et que l'on puisse la vérifier selon un protocole expérimental rigoureux. Si cette capacité existe, cela signifie que l'esprit s'étend hors du corps. Il reconstruit en nous les objets qui sont transportés par le phénomène de la vision mais en même temps il s'approprie ces objets. Il parvient à influencer une personne ou un objet qu'il regarde, par le seul fait de les contempler. De là vient cet effet, dit Coover, du nom du premier psychologue qui l'a mesuré en 1913. Si l'effet Coover est vérifié, cela tendrait à montrer que l'activité de l'esprit ne se limite pas à des courants électriques entre neurones à l'intérieur de la boîte crânienne mais que cette activité se manifeste à travers d'autres phénomènes, échappant totalement à notre analyse actuelle.

Sean et Ruth, qui avaient d'excellentes habitudes, écrivirent en tête d'une page neuve de leur cahier de notes : « effet Coover ».

Quand ils sortirent de la salle de conférences une demi-heure plus tard, Sean ne put s'empêcher de résumer la séance par la formule lapidaire :

— En somme, il n'existe aucune certitude.

— Ce que tu viens de dire n'a aucun sens, corrigea Ruth. Tu ne peux pas affirmer qu'il n'y a aucune certitude, sans présenter ta phrase comme une certitude. Tu raisonnes donc mal. Nous ne pouvons certainement plus admettre l'énoncé : tout est certitude. Mais la négation de cette phrase n'est absolument pas : il n'existe aucune certitude. Entre deux affirmations massives et contradictoires, il y a un énoncé modeste : il peut exister quelques certitudes. À nous de les découvrir parmi les doutes.

Sean tenait à avoir le dernier mot :

— Je doute que tu parviennes à douter autant que moi.

*

La réunion était à peine terminée qu'un enchaînement de communications la répercuta au loin, comme ces rides circulaires que crée la pierre jetée au milieu d'une mare paisible.

La secrétaire de Michel rédigea du mieux qu'elle put une brève note qu'elle faxa à Solange. D'un magma de phrases incohérentes ressortait un seul élément d'information précis et utilisable : la référence à l'effet Coover.

Solange transmit le fax à Norbert Viredaz qui sombra dans une perplexité angoissée. Il n'avait jamais entendu parler de Coover. Il consulta le *Dictionnaire des sciences*, publié sous la direction de Michel Serres, qui ornait la bibliothèque située derrière son bureau parmi d'autres références, de gros volumes bien reliés pour flatter l'œil plutôt que l'intelligence. Entre Cooper et Copernic, il ne découvrit aucun Coover dans l'index.

Si Norbert avait choisi un ouvrage de Serres, ce n'était pas sans raison. Lorsque l'École polytechnique lui avait attribué un doctorat *honoris causa,* Michel Serres avait présenté l'exposé de circonstance. Comme Norbert n'y avait strictement rien compris, son bon sens paysan lui avait suggéré qu'il avait affaire à un mystificateur de génie, tel qu'il en pullule à Paris. Si un fumiste dénommé Coover avait bien existé, Serres le citerait sans aucun doute car qui se ressemble s'assemble. Or, il n'en était rien.

Encyclopedia Britannica l'ignorait également. L'existence même de ce Coover de malheur semblait de plus en plus problématique. Peut-être avait-il été inventé par Théo de Fully. Les grands savants exploitent parfois une veine farceuse. Norbert se souvint du trop célèbre Bourbaki fabriqué de toutes pièces lors d'un canular de polytechniciens, prolongé par la rédaction d'un traité de mathématiques en vingt-quatre volumes sous la signature de ce savant inexistant. Le traité était naturellement incompréhensible et l'éditeur en fut ruiné.

De guerre lasse, Norbert finit par appeler le Maître qui ne manqua pas de lui demander quel était cet effet Coover. Il dut confesser son ignorance et il se fit sèchement réprimander.

À son tour le Maître forma un numéro de téléphone à Rome pour évoquer l'effet Coover sans cacher que le renseignement était incomplet. Son correspondant lui assura que la gigantesque bibliothèque du Vatican contiendrait certainement une référence qui permettrait de trancher la question de l'existence ou non de Coover. L'après-midi même, un père dominicain folâtre, dont ses supérieurs ne savaient que faire, commença une recherche bibliographique.

*

À peu près au même moment, Ruth et Sean abordèrent la première expérience. Michel, qui avait insisté pour que le secret le plus absolu soit gardé, évita de s'occuper lui-même du projet. Il était convaincu que l'expérience échouerait dès les premières mesures : il aurait alors une bonne occasion de se débarrasser de ce projet absurde et dangereux. À titre de précaution, il rédigea et expédia à tous les membres de la direction une note reprenant la conversation qu'il avait eue avec Norbert Viredaz. Il y précisait qu'il se pliait à une demande de celui-ci en déclinant toute responsabilité.

Ruth et Sean avaient dégagé un vaste espace dans le laboratoire destiné aux étudiants débutants, qui étaient tous en congé. Une pancarte en interdisait l'entrée et empêchait les autres assistants de commettre des indiscrétions. Tout ce mystère suscita et entretint les rumeurs les plus extravagantes lors des discussions de cafétéria : bientôt toute l'École fut au courant des activités mystérieuses du laboratoire de traitement des signaux. Durant les jours suivants, la secrétaire de Michel nota pieusement ces ragots sur des fiches qu'elle faxait chaque soir à Solange qui les transmettait plus haut.

Ruth était assise sur un tabouret plutôt que sur une chaise, « pour dégager le dos », encadrée par des écrans noirs, devant, à gauche et à droite, de façon à éviter tout effet de réflexion. Sean se plaça à dix mètres en arrière, accoudé à une table sur laquelle étaient disposés la sonnette, le crayon et le papier, le chronomètre et la pièce de monnaie.

Au passage par zéro de l'aiguille des secondes du chronomètre, Sean tirait à pile ou face avec la pièce de monnaie et, selon le cas, regardait ou non la nuque de Ruth pendant trente secondes encadrées par deux sonneries. Après la seconde sonnerie, Ruth devait simplement dire « oui » ou « non » pour signifier qu'elle avait ou non senti le regard de Sean posé sur elle. Celui-ci notait le nombre de réponses fausses et justes sur la feuille de papier.

Ils travaillèrent aussi sérieusement que s'ils avaient essayé de démontrer le plus convenable des théorèmes. Après une demi-heure, Ruth se leva et consulta la feuille de résultats.

Les tirages par pile ou face avaient déterminé dix-sept intervalles de temps durant lesquels Sean avait fixé Ruth et treize où, sans bouger la tête, il avait regardé la table et pensé à tout autre chose. Au total, Ruth avait deviné juste douze fois dans le premier cas et huit fois dans le second cas, soit vingt bons résultats sur trente tests. Le hasard pur aurait donné quinze résultats justes.

— Une seule série de tests est tout à fait insuffisante, décréta Ruth. On a peut-être eu simplement de la chance. Recommençons !

Cet après-midi-là, ils alignèrent cinq séries de mesures, soit 150 tests, sur lesquels Ruth devina juste 89 fois. Elle consulta une table et conclut que la probabilité d'obtenir un tel résultat au hasard n'était que de 0,042, moins d'une fois sur vingt. L'effet Coover n'était certes pas démontré mais il n'était pas davantage exclu.

Fatigués, ils décrétèrent d'un commun accord qu'ils méritaient une récompense. Ils descendirent à pied jusqu'au parc de Vidy, au bord du lac et ils louèrent une barquette. Comme l'égalité institutionnelle des sexes exigeait qu'ils rament tous les deux, ils s'assirent côte à côte, empoignèrent chacun un aviron et débordèrent par une manœuvre politiquement correcte.

Le temps était idéal. Il n'y avait pas un souffle de vent, le soleil se couchait paresseusement derrière le Jura en illuminant de rouge les Alpes. Ruth aurait souhaité s'arrêter de temps en temps, laisser les rames flotter sur l'eau et jouir du temps qui passe. Comme elle aimait la poésie française, elle fit une timide allusion à Lamartine, mais Sean était plus intéressé par l'exercice de sa musculature que par les états d'âme d'un poète romantique, toujours un peu ridicule dans l'outrance de sentiments que plus personne n'éprouvait en ce siècle-ci.

Ils ramèrent donc comme des galériens jusqu'à être trempés de sueur. En arrivant à quai, Sean fit remarquer que l'exercice avait fait monter sa tension sanguine et qu'il serait opportun qu'ils se prêtassent mutuellement leurs corps. Ruth ne répondit rien mais elle emballa le moteur de sa petite Twingo jusqu'à atteindre la rue de Beauregard. Une place de parc était disponible juste devant la maison. Elle fit un créneau impeccable. La salle de bains était libre : ils se précipitèrent ensemble sous la douche et ils restèrent enfermés pendant une bonne demi-heure en poussant des cris sauvages comme il convient à cet âge.

Assouvis et séchés, ils envisagèrent la soirée avec optimisme. Une part d'imprévu s'était glissée dans leur vie, remplaçant à bon escient l'excitation de l'équipée à Divonne. Le frigo de la cuisine était vide, les autres locataires de l'appartement étaient sortis et ils décidèrent de descendre au bord du lac à Ouchy pour se restaurer. Ils partirent à pied par cette soirée tiède. Ruth aurait bien aimé qu'ils se baladent la main dans la main mais cela ne faisait pas partie du code des conventions édictées par Sean. Peut-être, pensa Ruth, n'était-ce pas de l'indifférence mais un excès de pudeur traduisant une pléthore de sentiments. Et puis elle se gourmanda, car elle ne chercherait pas tellement à se rassurer si elle n'était pas vraiment inquiète. Sean devait le sentir et en abuser. Si elle voulait le garder, il fallait qu'elle cesse de donner prise.

Les abords du lac grouillaient de circulation. Les Lausannois fuyaient leurs appartements trop chauds pour chercher la fraîcheur au ras de l'eau. Toutes lumières allumées, des bateaux chargés de touristes circulaient vers Évian, Montreux ou Genève. Il y avait de la fête en l'air. Ils se dirigèrent vers le plus beau palace de Lausanne, l'hôtel Beau Rivage, qui se dresse au bord du lac comme un château de la Belle au Bois Dormant.

Un palace suisse représente un lieu métaphysique par excellence. Tout y est ordonné afin que l'hôte n'éprouve aucun inconvénient, même le plus léger. Dès lors, il n'a aucune excuse pour ne pas se recueillir dans cette cathédrale hôtelière.

Le Beau Rivage servit en 1923 de lieu de rencontre entre Grecs et Turcs en vue mettre un terme à la guerre qui les opposait : faute d'un recueillement suffisant des deux parties, la grâce ne descendit pas sur ces esprits rebelles et la fin de la guerre ne signifia pas celle de l'inimitié. De même en mars 1984, les factions libanaises promirent de s'entendre et n'en firent rien sous prétexte qu'elles rendaient des cultes différents au même Dieu. Enfin, dans le parc du Beau Rivage se trouve un cimetière réservé aux chiens qui décèdent à l'hôtel après y avoir accompagné des clients richissimes et esseulés. Puisqu'il est un lieu au monde où l'on suppose que les chiens ont une âme, à plus forte raison, les hommes devraient-ils comprendre qu'ils en sont dotés. Aucun endroit au monde n'était donc plus indiqué pour célébrer une première découverte expérimentale de l'âme.

Sur leur terrasse préférée, celle de la brasserie de l'hôtel Beau Rivage, Sean et Ruth commandèrent des filets de perches. Au moment d'engouffrer le premier filet, Sean, qui avait cependant grand faim, posa la fourchette, regarda Ruth dans les yeux, ce qui ne lui arrivait jamais, et commença :

— Je connais un premier assistant du département de génie civil qui a été convoqué par le président Viredaz pour espionner son patron. Qu'est-ce que tu en penses ?

Ruth le regarda en souriant.

— Je pense qu'il aurait pu me poser directement la question. Il aurait pu prétendre qu'il venait pour un autre qui avait honte !

*

Le mardi matin, ils firent rapport à Michel qui fut catastrophé. D'autant plus qu'il crut déceler chez Sean un début d'enthousiasme pour le projet : or Sean devenait incontrôlable dès qu'il flairait une piste.

Michel s'attendait à tout, sauf à ce qui venait de se passer. Il ne voyait pas d'objection à ce que ses deux meilleurs chercheurs passent une après-midi à se distraire avec une sorte de jeu de société, pourvu que l'expérience s'arrête là. Or, Sean et Ruth exhibaient des résultats qui semblaient apporter une certaine crédibilité à l'effet Coover.

Michel objecta qu'il existait certainement une faille dans l'expérimentation et que les deux jeunes gens mesuraient un effet parasite. Sans doute Ruth percevait-elle le regard de Sean posé sur elle par le truchement d'un signal, probablement très banal. Puis, il congédia ses assistants et se replongea dans des travaux plus présentables.

Refroidi par les observations de Michel, Sean décida de perfectionner l'expérience de la veille. Peut-être Ruth percevait-elle quelque chose par l'ouïe ou par les yeux. Il plaça sur ses oreilles des écouteurs qu'il alimenta avec une source de bruit blanc. Les sonneries déterminant le début et la fin de chaque essai furent remplacées par une brève interruption du bruit. Il banda les yeux de Ruth et ils recommencèrent une série de trente essais.

Le résultat fut toujours aussi démonstratif de ce que Michel ne désirait pas qu'ils trouvent. Ruth perçut la direction du regard de Sean correctement vingt et une fois sur trente. Sean en fut légèrement contrarié. Il n'avait pas prévu de passer toute la journée à répéter ces essais stupides, il devait terminer un article pour le poster ce soir au plus tard.

Mais la persistance de l'effet l'intriguait. Il proposa donc de permuter leurs places.

Une fois qu'il eut le bandeau sur les yeux et les écouteurs sur les oreilles, Sean se sentit envahi par une somnolence insidieuse. Il dormait beaucoup trop peu durant la nuit, car il veillait pour se livrer à une fantasia d'activités passionnantes : voir les bons films qui passent après minuit sur la télévision, lire des romans policiers, surfer sur Internet, démonter et remonter des montres. Sean préférait des journées longues et fatigantes et des nuits courtes et détendues. Donc dès qu'il fermait les yeux, il avait tendance à s'assoupir. Il s'efforça de lutter contre le sommeil en se tenant très droit et en contrôlant sa respiration. Il ne ressentit absolument aucun effet durant les essais et il fut obligé de répondre au hasard.

Le résultat apporta une précision supplémentaire sur l'effet Coover, dans la mesure où il était opposé à ceux obtenus pas Ruth. Sean n'avait deviné juste que quatorze fois sur trente. Si l'effet Coover possédait une quelconque réalité, il n'existait certainement pas pour tout le monde. Il s'agissait donc d'un don particulier, comme l'oreille absolue dont sont dotés certains musiciens doués.

À ce point de l'expérience, Ruth remarqua qu'avant même de répondre elle pouvait distinguer entre les expériences où elle était sûre de sa réponse et celles où elle éprouvait au contraire le sentiment de répondre au hasard. Ils décidèrent de prendre en compte ce paramètre supplémentaire et Ruth reprit la place du sujet observé. Si elle n'était pas sûre de sa réponse, elle pouvait désormais passer et refuser de répondre.

Dix-neuf fois elle annonça qu'elle était sûre du résultat et, chaque fois, elle devina juste. L'effet Coover devenait une réalité qui intriguait Sean de plus en plus. Il se livra à une débauche d'hypothèses pour débusquer les artefacts qui pouvaient encore brouiller l'expérience. Puisque Ruth ne pouvait ni le voir, ni l'entendre, peut-être était-elle sensible à une odeur émise par Sean. Bonne fille, elle obtura ses narines avec une grosse pince crocodile du laboratoire et respira par la bouche. Elle atteignit cette fois-ci un score encore plus impressionnant : vingt et une réponse juste sur trente, toutes annoncées. En ne distrayant pas son cerveau par des signaux parasites, elle lui permettait de se concentrer.

Il était onze heures du matin et Sean sentit son univers vaciller. Il mesurait quelque chose qui semblait avoir une existence tangible. Mais quoi ? Un champ électromagnétique dû à l'excitation de son nerf optique ? Un effet physique inconnu ? Il imagina alors de braquer une caméra sur le dos de Ruth et de renouveler l'expérience en se déplaçant dans la pièce voisine et en l'observant sur un moniteur. Le score de Ruth baissa légèrement à dix-neuf bonnes réponses toutes annoncées.

— Ça suffit, décréta Ruth. Nous venons d'accumuler au total dix-huit séries de trente tests chacune. Pas une seule fois, je n'ai obtenu un résultat inférieur à dix-sept bonnes réponses sur trente. J'en suis maintenant convaincue. L'effet Coover existe. J'ai réfléchi. Je crois savoir pourquoi je l'éprouve. J'ai vécu vingt ans à Jérusalem sous la menace d'attentats palestiniens. Dans ce cas on doit développer un sixième sens. Être observée par quelqu'un constituait une menace pour la vie. On apprenait à la repérer. Quand j'étais dans un bus, je me plaçais toujours le dos à une paroi et j'observais tous ceux qui auraient pu être des terroristes. Je ne supportais pas de voyager en tournant le dos à une menace potentielle. J'ai acquis des yeux derrière la tête.

— C'est une bonne hypothèse, admit Sean. Si j'avais vécu à Belfast plutôt qu'à Galway, peut-être aurais-je acquis ton entraînement. Que faire maintenant ? Recommencer encore et accréditer davantage le résultat ?

— On devrait vérifier l'effet de proximité. Recommence l'expérience avec la caméra et utilise un moniteur situé plus loin, par exemple dans le laboratoire d'électronique du bâtiment voisin.

Sean établit les connexions nécessaires et émigra cent mètres plus loin avec la commande du bruit blanc et le moniteur. Cette fois-ci, l'effet Coover fut moins net. Seize fois sur trente Ruth accepta de répondre et elle se trompa trois fois. L'effet Coover existait plus que jamais, puisqu'il apparaissait sensible à la distance et que dès lors il ne procédait pas d'un effet immatériel.

Surexcité, malgré la faim qui les appelait à déjeuner, Sean déménagea une dernière fois son matériel dans le laboratoire d'un ami physicien à un kilomètre de distance. L'effet Coover disparut. Ruth refusa trente fois de répondre.

*

Le mardi après-midi se tint un long conciliabule dans le bureau de Théo de Fully, qui constituait un lieu discret. L'irruption non programmée de la secrétaire de Michel, apportant des cafés non commandés lors de la réunion précédente, avait éveillé la suspicion de Théo.

Ruth assura que l'expérience du matin recoupait ses souvenirs d'enfance : elle était capable de déceler si elle était observée ; l'effet existait vraiment ; il restait à déceler d'autres limites que la distance entre l'observateur et l'observé ; il fallait trouver d'autres sujets pour établir quelle proportion de la population éprouvait l'effet ; il fallait peaufiner les résultats et les faire valider par d'autres laboratoires. Mais la matérialité des faits semblait indiscutable. L'hypothèse scientifique à la base du mécanisme de la vision, la nature passive de la rétine, était légitimement remise en cause : le regard d'un homme constituait une réalité mesurable.

— Tout cela est passionnant, mais j'ai autre chose à faire que de la psychologie expérimentale, bougonna Michel. S'il faut commencer à recruter des dizaines d'étudiants pour les soumettre à l'expérience et déterminer combien sont sensibles à l'effet Coover, cela signifiera un défilé dans le laboratoire, les autres assistants seront au courant, le secret ne pourra pas être gardé.

— On pourrait suspendre cette expérience, concéda Théo. Gardons les résultats sous le coude, rien ne presse de les publier, on pourrait peut-être intéresser un laboratoire de psychologie d'une université. Ils se chargeraient de l'étude quantitative et nous passerions à une autre expérience.

— Laquelle ?

— Je ne m'attendais pas à ce que l'effet Coover soit décelé aussi tôt, de façon aussi nette, et je n'ai pas préparé la suite. Laissez-moi la soirée et donnons-nous rendez-vous demain matin dans votre bureau.

— Je ne serai pas là, dit Michel. J'ai rendez-vous à Genève avec Charbel Kassis. Mais ne nous arrêtons pas en pleine action puisque ces jeunes gens sont prêt à poursuivre. Tenez la réunion sans moi.

— Dites-moi tout de même si vous disposez d'un équipement d'imagerie cérébrale, demanda Théo.

— Oui, dit Sean, rassuré par ce retour à un univers familier. Nous en avons besoin pour les travaux de compression des signaux de télévision. Nous devons savoir de façon très précise quels types de signaux sont réellement décodés par le cortex. C'est même la spécialité du laboratoire.

Comme nous ne sommes pas un service médical de neurobiologie, nous nous sommes équipés de matériels ne requérant pas l'aide d'un médecin ou d'une infirmière pour faire des injections. Nous avons donc écarté les procédés qui nécessitent l'utilisation de traceurs radioactifs. Nous ne sommes pas du tout persuadés d'ailleurs qu'ils soient aussi inoffensifs qu'on veut bien le dire. De même, nous avons éliminé la tomographie par résonance nucléaire parce qu'elle oblige à coincer le sujet dans un tube très étroit, ce qui n'est pas idéal pour les expériences de vision.

Finalement le plus commode pour nous est la bonne vieille électroencéphalographie où l'on prélève les potentiels électriques induits sur le cuir chevelu par l'activité électrique du cerveau. Actuellement nous disposons d'un Neuroscan tout à fait perfectionné, comportant 128 électrodes fixées sur un filet géodésique qui enserre le crâne. Le traitement des 128 signaux par ordinateur permet de tracer une image du cortex vu par-dessus et de symboliser l'activité plus ou moins importante des différentes régions, par des couleurs allant du rouge au bleu. De 10 en 10 millisecondes on dispose ainsi d'un instantané de l'activité cérébrale.

À titre d'exemple, c'est avec cet instrument que nous avons découvert la différence radicale du langage des hommes et de celui des femmes. Les hommes parlent avec leur hémisphère gauche tandis que les femmes utilisent leurs deux hémisphères. C'est cela qui engendre parfois ces malentendus si curieux entre un homme et une femme.

Ruth lui jeta un regard furieux.

— S'il est capable de faire la différence entre les logiques masculine et féminine, ce Neuroscan est exactement l'instrument qu'il nous faut, conclut Théo avant qu'ils se séparent.

*

La porte tourna sans bruit sur ses gonds et Irina poussa une tête discrète dans le laboratoire. Elle découvrit Ruth occupée à ranger quelques instruments. Elle se sentit soulagée. Une femme se montrerait moins agacée que ne l'étaient les chercheurs mâles lorsqu'elle les dérangeait.

— Excusez-moi, Ruth, je cherche mon mari. Je lui ai emprunté la voiture aujourd'hui et il était convenu que je viendrais le rechercher à sept heures.

— Le patron est toujours chez le professeur de Fully. Ils sont en conférence. Je suis revenue ici parce que j'avais oublié mon sac et que nous avons eu plusieurs vols ces derniers temps. Des vols en Suisse, c'est toujours surprenant.

Irina approuva. Venant de Roumanie à quinze ans, elle avait été choquée lorsqu'elle avait découvert que les Suisses se méconduisaient comme tout un chacun. Elle en avait déduit que, même au Paradis, les élus seraient encore soumis à des tentations et qu'ils y succomberaient. Comme ce sujet titillait sa curiosité, elle avait interrogé l'ange, qui avait sèchement refusé de répondre. Il avait semblé gêné comme s'il ne voulait pas avouer quelque chose de surprenant. Mais la psychologie des anges est tellement étrange qu'il fallait se garder de tirer des conclusions hâtives.

L'esprit inquisiteur d'Irina reprit le dessus :

— Qu'est-ce que vous faites dans le laboratoire à cette heure ?

Ruth éclata de rire :

— Nous recherchons en faisant des tas de mystères s'il est bien exact qu'on puisse déceler lorsque l'on est observée par quelqu'un d'autre. Vous savez, cette impression qui vous fait vous retourner si quelqu'un vous regarde.

— Mais qu'est-ce qu'il y a à découvrir ?

— Eh bien, mes chers collègues doutaient qu'un tel effet puisse exister.

— Pourquoi doutent-ils ?

— Parce qu'ils n'ont jamais éprouvé cette sensation.

— Ça ne m'étonne pas, dit Irina. Michel est tellement distrait. Il pense tout le temps à autre chose. Lorsque je lui parle durant un repas, souvent il ne m'entend même pas ou alors il ne comprend pas ce que je lui ai dit et il faut que je répète. Le soir, quand nous sommes à deux, je puis le regarder dix minutes tandis qu'il lit sans même qu'il s'en aperçoive. Les chercheurs ne sont pas des gens normaux.

Ruth eut une idée :

— Et vous, Irina, vous connaissez cette sensation ?

— Bien sûr. Ainsi, lorsque je suis à table avec les enfants, je puis, les yeux fermés, dire lesquels me regardent.

— Cela vous amuserait d'essayer l'expérience pendant que nous attendons Michel ?

Irina éprouva un pincement de cœur. Ruth appelait Michel par son prénom. Cela ne lui était jamais arrivé auparavant. Ruth était-elle cette maîtresse inconnue qu'elle redoutait ?

Elle ravala son soupçon. Quelques minutes plus tard, elle se trouvait assise, les yeux bandés, des écouteurs sur les oreilles, une pince crocodile sur le nez et la bouche ouverte. Ruth prit la place de Sean et l'expérience commença.

Lorsque Michel arriva au laboratoire une demi-heure plus tard, il découvrit le spectacle des deux femmes complètement absorbées par leur jeu. Il en fut irrité car il avait horreur qu'Irina se mêle de ses affaires. Chaque fois qu'elle mettait les pieds au laboratoire, cela se terminait par des bavardages interminables à la cafétéria avec Ruth ou d'autres filles, comme si ces femmes complotaient pour ébranler l'ordre qu'il créait si péniblement.

Il se contint néanmoins et vint se placer à côté de Ruth. Celle-ci tourna vers lui des yeux presque affolés. Elle était adorable dans son désarroi. Michel découvrit qu'il n'était pas moins attiré par Ruth du fait qu'il se croyait amoureux de Mona. Une fois de plus, il maudit son hypophyse.

— C'est invraisemblable, monsieur. Nous sommes au vingt-sixième test. Votre femme ne s'est pas trompée une seule fois. Il existe des sujets pour lesquels l'effet Coover est absolu.

*

Irrité au point de perdre le contrôle de lui-même, Michel se réfugia dans son bureau et demanda à Ruth de reconduire sa femme pour pouvoir garder la voiture et travailler jusque tard dans la nuit.

Depuis quelques jours il venait de subir une suite remarquable d'échecs. Cette sorte d'impuissance professionnelle finit par l'irriter au point qu'il eu soif d'une détente, n'importe laquelle : le tabac, l'alcool, la drogue, le sexe. Quelque chose qui le sorte de lui-même, qui lui fasse oublier ce qu'il était, qui lui donne une illusion de puissance. Il finit par murmurer entre ses dents comme pour se convaincre de la force de son idée :

— Même s'il n'est pas possible de prouver qu'un homme est une chose, il est possible de démontrer qu'une chose se comporte comme un homme.

Il fouilla dans ses classeurs de disquettes et de CD-Rom et mit rapidement la main sur la demi-douzaine de programmes qu'il avait décidé d'assembler, même si toute la nuit était nécessaire. D'ici deux ou trois jours, il aurait démontré que les hypothèses de Kassis et de Théo étaient fausses et que l'homme, dans toute sa gloire, n'est qu'une assemblée de processeurs effectuant chacun une tâche élémentaire.

C'est en suivant cette voie qu'il avait réussi quinze ans plus tôt à résoudre le problème de la reconnaissance des caractères écrits à la main. À l'époque, aucune machine, aussi coûteuse fût-elle, ne parvenait à remplir une fonction qui est à la portée d'un enfant de six ans : reconnaître les lettres et les chiffres quelle que soit la graphie du scripteur ou la créativité d'un graphiste inventant une nouvelle police de caractères. L'esprit humain semblait ainsi fait qu'il parvenait à déchiffrer et à interpréter des signes qui se refusaient à tous les codages mathématiques. L'intelligence artificielle à base d'algorithmes, de bases de données et de systèmes experts avait totalement échoué. Or, le marché potentiel était prometteur : lire les adresses des enveloppes de la poste ou les intitulés des chèques à la machine permettrait d'économiser une main-d'œuvre de plus en plus réticente à accomplir des tâches routinières.

Michel avait réussi en reprenant le problème à la base, c'est-à-dire en simulant le fonctionnement du cerveau lui-même. Il n'existe pas un centre de reconnaissance des caractères dans le cortex mais une multiplicité d'opérateurs spécialisés chacun dans la reconnaissance d'un détail : nombre de traits, longueur, inclinaison, croisement, etc. Pris isolément, aucun de ces détails ne permet d'identifier un caractère mais la combinaison de ces analyses élémentaires et imprécises permet de déterminer le caractère recherché avec une faible marge d'erreur.

Michel avait poussé sa démarche jusqu'au bout de sa logique. Au lieu d'utiliser des processeurs numériques, facilement disponibles, il s'était acharné à simuler le cerveau jusque dans ses moindres détails. Ainsi le composant de base de celui-ci est le neurone : cet organe fonctionne à peu près comme une machine à additionner les signaux qu'il reçoit au travers de milliers de connexions à d'autres neurones. Si la somme de ces excitations dépasse un certain seuil, le neurone en question émet à son tour un signal électrique qui se propage vers d'autres neurones. Le cerveau comporte au total cent milliards de ces neurones, soit autant qu'il y a d'étoiles dans notre galaxie ou qu'il y a de galaxies dans l'univers.

Les processeurs spécialisés de Michel étaient construits à base de neurones artificiels. Connectés comme ceux du cerveau, câblés par un apprentissage sur des signaux tests, ils remplissaient forcément la même fonction que l'original, aussi vite et avec aussi peu d'erreurs.

La méthode multiprocesseur analogique de Martin permettait de reconnaître deux millions de chèques par jour pour le plus grand bénéfice de quelques grandes banques, qui avaient licencié leur personnel au fur et à mesure de l'introduction du système. Des milliers d'hommes et de femmes maudissaient Michel Martin, qui n'en était même pas conscient. Comme le brevet avait été pris au nom de la société d'informatique où Michel travaillait à l'époque, il ne toucha même pas un sou de redevances. À la fin de l'année où le brevet fut enregistré, le président-directeur général lui avait fait expédier une caissette en bois contenant trois bouteilles de champagne Moët et Chandon, bas de gamme. Michel les avait vidées dans les toilettes et en avait éprouvé un plaisir raffiné, celui de refuser les aumônes du pouvoir. « Je ne suis pas un chien à qui l'on jette un os », grommelait-il entre ses dents.

Il allait appliquer la même idée à la simulation d'une conscience, non plus pour rapporter des milliards à des financiers ingrats mais pour dynamiter les bases de cette société satisfaite d'elle-même. Pour montrer que ce n'était pas si compliqué de créer une conscience. Pour ne pas se sentir aux ordres de Viredaz, Kassis et Théo de Fully. Pour dire adieu au Dieu créateur. Définitivement.

*

Lorsqu'il fut rentré à Fully, Théo se servit un excellent souper sur la terrasse, en cueillant une salade de son potager et en ouvrant une boîte de gésiers de canard qu'il fit réchauffer dans sa graisse. Il déboucha un pinot noir, récolté et élevé à Saint-Pierre-de-Clages par Daniel Maglioco, qui valait un bon bourgogne.

Engourdi par le vin et la chaleur, il envisagea l'avenir avec sérénité en regardant le soleil se coucher comme à regret. Vers dix heures du soir, il ne demeurait plus qu'une vague lueur vers le nord au-dessus du Grand Chavalaz. Alors, il rentra pour téléphoner à Emmanuel.

De Rome la voix lui parvint aussi claire que si son frère avait été dans la pièce d'à côté.

— Bonsoir, Théo.

La voix était lasse.

— Bonsoir, Emmanuel. J'ai de bonnes nouvelles. Cela va te remonter.

— Qu'est-ce que tu as encore trouvé ?

— Moi, rien. Mais les deux petits jeunes qui travaillent sur le projet ont pris feu et flamme. Ils ont apporté une confirmation de l'effet Coover, dont je t'avais déjà parlé.

— Oui, répondit Emmanuel. Et qu'est-ce que cela prouve ?

— Pas grand-chose, sinon que c'est inexplicable dans le schéma classique de la vision. Non, ce que je trouve extraordinaire, c'est le renversement d'attitude de ces jeunes. Ils sont maintenant désireux de continuer et de découvrir d'autres effets pour démontrer que l'information n'est pas réductible à des signaux physiques échangés entre des neurones.

— Et le patron, le professeur Martin, qu'en pense-t-il ?

— Oh, il résiste, il fallait s'y attendre. Il fait mine de se désintéresser du projet. Il faut surmonter une barrière très élevée.

— Est-ce que cela n'aurait pas été plus simple que tu prennes toi-même la direction des opérations ?

— De toute façon je ne suis plus très crédible parce que je suis trop vieux. Mais je deviens totalement non crédible dans le projet envisagé, précisément parce que je suis ton frère.

— Tu veux dire, Théo, que je ne suis plus crédible ?

— Je veux dire que tes prédécesseurs ont commis une boulette de dimension en croyant, en feignant de croire ou en prétendant qu'ils étaient infaillibles. Celui qui dit cela passe aujourd'hui pour un simple d'esprit. Et, quand il y a un esprit dérangé dans une famille, tous les membres de celle-ci deviennent suspects de ramollissement cérébral.

— Je suis fatigué Théo. Ne me taquine pas. Cela ne me fait plus rire. Demain je rapporterai ce que vous avez trouvé de cet effet Coover à Tarcisio Bertini.

— Qui ça ?

— Je t'en ai parlé. Mon ancien adjoint à la congrégation pour la Doctrine de la Foi qui me sert maintenant de bras droit pour la liquidation du Vatican.

— Il éprouve un intérêt spécial pour l'effet Coover ?

— Il ne sait probablement même pas que cela existe. Non, mais il est passionné par le projet.

— Pourquoi lui en as-tu parlé ? C'est délicat toute cette opération, Emmanuel, il faut être très discret. On peut facilement nous tourner en ridicule.

— Je ne lui en ai pas parlé. C'est lui qui le premier m'a donné l'idée du projet et qui m'a suggéré de t'en parler, en insistant pour que je ne mentionne même pas son nom. Il est tellement modeste.

— Je le trouve beaucoup trop modeste pour être ton bras droit et, toi, beaucoup trop confiant pour être où tu te trouves. Enfin, on ne te recommencera pas ! J'en parlerai à Colombe qui arrive demain. Avant de me lancer dans un projet de cette ampleur, je tiens à savoir pour qui je travaille. Entre-temps passe une bonne nuit.

— Bonsoir Théo.

— Bonsoir Emmanuel ! N'oublie pas ma prescription pour bien dormir : un grand verre de Petite Arvine avec une lampée de crème de cassis.

V

Le mercredi matin, Michel abandonna le travail mystérieux qu'il avait commencé la veille, sans être parvenu à le terminer tout à fait. Vêtu de son seul costume correct, bien trop chaud pour la saison, il prit la route de Genève et du siège de la Banque du Moyen-Orient. En conduisant, il caressa longuement le fol espoir de revoir Mona : peut-être que Charbel Kassis l'inviterait à déjeuner dans sa résidence ou qu'elle-même, élégante, frivole, affairée, ferait irruption dans le bureau de son mari à l'occasion d'une course en ville. Comme il approchait de Genève, il parvint à s'abstraire de ces rêveries juvéniles pour songer au nouveau travail qui l'attendait.

Sa mère l'aurait-elle approuvé de devenir l'auxiliaire d'un banquier ? Il éprouvait beaucoup de peine à remettre de l'ordre dans ses esprits. Depuis quelques jours les événements les plus incongrus se bousculaient, en dérangeant une certaine façon de ne pas exister vraiment, qui l'avait arrangé jusqu'ici. Il se sentait douloureusement devenir lui-même, comme un adolescent s'efforçant tant bien que mal d'habiter un corps devenu trop grand pour l'enfant qu'il est encore.

Pour Michel, les banques appartenaient à un monde aussi obscur que les palaces, les bijouteries ou les boîtes de nuit. Un de ces lieux qu'un professeur, père de famille nombreuse, besogneux et affairé, considère avec circonspection. Comme il ne réussissait jamais à mettre un sou vaillant de côté, l'institution se résumait pour lui à une salle de guichets ou à un distributeur automatique de billets : une interface abstraite entre le pouvoir occulte de l'argent et la masse des gueux dont il faisait partie. Jadis, après qu'il avait attendu longuement comme cela convient à ceux dont le temps ne vaut rien, il sollicitait, dans l'humilité de la posture debout, l'attention d'un employé subalterne et grincheux, assis et protégé par un grillage. Depuis quelques années, le progrès consistait à quémander son argent à un automate, qui n'était pas plus inhumain qu'un caissier.

Aujourd'hui, Michel accédait à la Cour grâce au prince qui avait la bonté de se pencher sur lui. En parquant sa voiture dans le garage souterrain situé au bout du pont du Mont-Blanc, il découvrit avec ravissement l'emplacement qui était désormais réservé à son véhicule. Ce minuscule privilège le remplit d'aise.

Charbel Kassis l'accueillit dans son bureau personnel, une faveur dont Michel n'apprécia pas sur-le-champ la juste valeur. Par principe, les dirigeants de la banque recevaient leurs visiteurs dans des parloirs, aménagés avec la même neutralité que ceux des couvents pour remplir une fonction identique : constituer un espace neutre entre le monde extérieur et le saint des saints.

Dès neuf heures du matin, le bureau de Charbel se révélait vierge de tout dossier ; deux ou trois fois, une secrétaire pénétra pour soumettre un document au visa du patron. Cela s'opérait avec une grande économie de gestes, stylisés comme dans une liturgie. Ici, tout était religieux : le silence feutré devenait aussi assourdissant que des grandes orgues, l'odeur de la cire d'abeille rappelait l'encens, le mobilier cossu et neutre témoignait de l'aisance plutôt que du goût, les vêtements dissimulaient le corps bien plus qu'ils ne le mettaient en valeur. Dans ce décor, on n'imaginait pas un employé sans cravate : le nœud autour du cou l'assimilait à un paquet bien ficelé, symbole de discrétion. Pourquoi ce code n'était-il pas nécessaire dans un laboratoire de recherche, où chacun s'habillait à sa fantaisie ? Michel s'en étonna : soigner son apparence, était-ce faiblesse d'esprit ou confiance en soi ?

Charbel remit à Michel trois dossiers sur lesquels il souhaitait obtenir son conseil. Chaque fois, il s'agissait de capital-risque à engager dans des entreprises de pointe, qui prétendaient receler des potentiels de développement insoupçonnés. Michel objecta qu'il ne pouvait se prononcer sans se référer à des publications scientifiques et qu'il eût été mieux à même de travailler à proximité d'une bibliothèque universitaire. Charbel avait prévu cette objection : *via* le Web, une collaboratrice accéderait aux banques de données nécessaires et lui fournirait, sur écran ou sur papier, tous les documents qu'il demanderait.

Quelques instants plus tard, Michel prit possession de son bureau, sobre et confortable. Du quatrième étage où il se trouvait, il jouissait d'une vue somptueuse sur le centre de Genève. Il pouvait deviner les boutiques des grands couturiers et des meilleurs bijoutiers. Tout l'or du monde était à ses pieds. Il ne faut jamais vendre son âme pour un plat de lentilles : celui qui résiste à cette tentation parviendra à la vendre pour du caviar à la louche.

Père et mère s'estompaient dans une douce brume. Michel ne leur devait plus rien que la vie. Il apporterait à Irina et aux enfants l'argent qui avait toujours manqué pour mener une vie confortable. Il ne serait plus seulement le professeur qui sait tout, mais aussi le père qui peut tout. Il se mit à rêver : une femme de ménage prendrait en mains la cuisine ; elle préparerait des plats robustes, à la lyonnaise comme il les aimait, de la cervelle de canut, du boudin noir aux pommes, des quenelles de brochet dans une sauce Nantua à base d'écrevisses, de la poularde de Bresse pochée avec un fumet de truffe ; Michel encaverait de grands crus, sinon parce qu'il les aimait à la folie, du moins pour le signe qu'ils représentaient ; il achèterait une villa au bord du lac à Pully, avec un grand bureau dans lequel il travaillerait sans être dérangé ; il engagerait une secrétaire à temps plein pour le décharger des charges administratives.

Il s'étira en poussant un soupir d'aise. La vie recommençait ce matin à partir de zéro. Son regard s'égara sur une élégante désœuvrée, peut-être mercenaire, qui arpentait de long en large la rive du lac. Même s'il parvenait à mener une vie confortable, il lui resterait à gérer sa frustration sexuelle. Les expériences antérieures avaient démontré qu'un seul contact avec Irina pouvait lui coûter un nouvel enfant : il n'était pas question de se protéger par une méthode de contraception qui ne soit pas naturelle, selon la définition très étroite qu'Irina attachait à ce concept ; depuis qu'elle avait sombré dans la voyance, elle exigeait en plus un mariage religieux que Michel refusait en conscience. Il ne se paierait pas non plus une maîtresse. Ce serait avouer qu'il gagnait de l'argent avec son cerveau pour satisfaire son sexe, ce viscère dérisoire, témoin honteux de l'ascendance animale des hommes, organe dont il avait été esclave au point de prendre femme, de procréer six enfants et de condamner Henri à une mort atroce. Dès le premier jour de sa compromission, il découvrit le paradoxe selon lequel on pouvait être riche et frustré.

Afin de dissiper cette aigre rêverie, il se mit au travail. Le premier dossier lui était familier : la firme Hernaut et Lespie proposait de créer un laboratoire à Lille pour développer le prototype d'une machine à dicter, basée sur les travaux de Bourquin et Wellard. Michel connaissait bien ces deux chercheurs, parmi les meilleurs au monde dans leur spécialité, mais il savait aussi que Hernaut et Lespie les avait engagés, par l'intermédiaire d'un chasseur de têtes, dans le seul but d'obtenir des subventions de la région Nord-Pas-de-Calais.

En fait de laboratoire, il n'y avait que des bureaux fastueux dans lesquels Bourquin et Wellard se morfondaient. Les subventions avaient surtout servi à régler des frais somptuaires, repas pour des élus à l'Huîtrière et au Château Blanc, annonces bidons dans les journaux électoraux des partis, emplois de complaisance pour des militants des partis. En revanche, Hernaut et Lespie attendaient, pour acheter un ordinateur Fujitsu, qu'il atteigne les performances requises par Bourquin et Wellard, de plus en plus exigeants au fil du temps.

Dans l'état actuel de la technologie des ordinateurs, il était impossible de construire une machine à dicter en temps réel, qui transcrive les paroles de n'importe quel locuteur parlant à un rythme normal. Les systèmes existants continuaient à imprimer des bourdes grossières, démontrant qu'ils étaient bien incapables de comprendre le sens de ce qui leur était dicté, même si l'on ânonnait le texte mot à mot comme un instituteur dictant à des enfants de primaire. Un être humain parvient à transcrire une suite de sons en un texte parce que l'opération fait appel à toute sa connaissance de l'environnement, tandis que les ordinateurs n'ont, bien évidemment, aucune connaissance de la vie.

Les travaux de Michel consistaient précisément à simuler le cerveau humain, afin de construire des machines capables de remplir les mêmes fonctions. À son estime jamais les ordinateurs classiques ne parviendraient à remplir la fonction attendue.

Michel se divertit beaucoup en lisant les arguties utilisées par les dirigeants de la firme pour dissimuler l'absurdité de leur projet en invoquant le mythe de l'ordinateur le plus puissant du monde. Au bout de deux heures, il rédigea une condamnation sans appel, objective et solidement argumentée. Il reconnut en son for intérieur qu'il se délectait à enfoncer Hernaut et Lespie. Lorsque l'entreprise de ces requins serait coulée, Bourquin et Wellard pourraient reprendre une carrière normale de chercheurs en cessant de jouer les potiches. Michel leur ferait des propositions et les remettrait sur la bonne piste, celle des réseaux de neurones artificiels, celle de machines qui ne soient pas programmées mais entraînées sur base de l'expérience.

Dès qu'il eut fini de rédiger sa note, Michel songea à la réunion de travail qui se déroulait au même instant à Lausanne entre Théo, Ruth et Sean. Au fond, il valait mieux qu'il ne fût pas présent : il était bien trop prévenu contre l'idée même du projet ; celui-ci avait si bien réussi dans sa phase initiale que Michel ne pourrait pas objecter raisonnablement à sa poursuite ; de nouveaux résultats confortant la thèse de Théo rendraient la position de Michel encore plus inconfortable ; il était donc préférable qu'il se réfugie aujourd'hui à Genève en tâchant d'oublier ce qui se passait à Lausanne. Il se sentait trop fragile pour affronter le monde tel qu'il était et trop faible pour le changer.

*

Malgré le respect qu'un chercheur même confirmé doit à un prix Nobel, Sean manifesta sa surexcitation en prenant la parole sans y avoir été invité par Théo. Il avait passé la seconde partie de la nuit à surfer sur Internet et il n'avait pas dormi du tout depuis vingt-quatre heures. Il commença par mettre Théo au courant des résultats de la veille. Puis, il rendit compte de son voyage sur Internet :

— L'effet Coover est étudié sous des noms divers par une dizaine d'institutions, plus ou moins sérieuses, généralement dans le cadre de laboratoires de psychologie expérimentale. Jamais dans une école d'ingénieurs.

— Très bonne remarque, dit Théo. Vous voyez qu'il existe des domaines négligés par la recherche technique. Dans les laboratoires, on trouve trois types de chercheurs. Celui qui se cantonne aux sujets que tout le monde étudie et qui bénéficie d'une approbation unanime ; celui qui étudie un domaine hors du commun et que les pionniers de ce domaine accusent de plagiat ; celui qui ouvre un nouveau domaine, qui commence par être traité de fumiste et qui finit par être encensé comme un génie. Puisque les ingénieurs sont entraînés au conformisme industriel, rien d'étonnant à ce qu'aucun ne s'intéresse à l'effet Coover.

Sean sourit en songeant combien Michel se conformait à ce schéma. Puis il reprit :

— Une constante se dégage de toutes ces recherches. L'effet est découvert partout, pourvu que le sujet observé soit bien choisi, avec une nette supériorité pour les femmes. Éventuellement on retrouve l'effet chez des hommes provenant de cultures non européennes : des Africains, des Asiatiques, des Indiens d'Amérique. La découverte de l'effet absolu chez Irina Martin hier soir n'est pas une première, mais on ne décèle de tels sujets qu'une fois sur mille. À l'université de New Mexico, à Albuquerque, ils ont repéré cinq effets Coover absolus, tous des Navajos ou des Mexicains. Le mâle américain standard, d'ascendance nordique, protestant et hétérosexuel ne présente jamais une telle aptitude.

Ruth intervint à son tour :

— L'effet Coover est donc un don particulier. Selon la personne, il peut être développé par l'entraînement ou au contraire atrophié faute d'avoir été utilisé. Ce don exceptionnel évoque les « nez » qui sont utilisés par les parfumeurs. En général, notre odorat est médiocre comparé à celui du chien. Probablement parce que nos ancêtres chasseurs, postés sur leur membres inférieurs, ont pu davantage se fier à leur vision qu'à leur odorat. Il nous reste tout juste un sens olfactif résiduel, mais certains sujets l'ont mieux préservé. Il doit en être de même pour l'effet Coover : disposer d'un sixième sens qui vous prévient qu'un ennemi vous vise était très précieux pour la survie dans le monde préhistorique. Certains l'ont gardé.

— Rappelez-moi comment fonctionne l'odorat, demanda Théo.

— Les cellules olfactives de la muqueuse nasale, activées par une odeur, émettent des messages sous formes d'ondes électriques en direction des bulbes olfactifs situés tout à fait en avant et en dessous de chaque hémisphère du cerveau. Après un prétraitement de l'information par ces bulbes, ces signaux sont transmis au cortex olfactif, qui se trouve dans la région occipitale. En dernière analyse, nous sentons donc avec l'arrière du crâne. Chaque odeur excite un ensemble différent de neurones de cette zone auquel nous attribuons, suite à nos expériences extérieures, des notations plus ou moins agréables.

— Et si ce sens est atrophié chez l'homme par rapport au chien, cela signifie qu'il ne joue plus un rôle essentiel pour notre survie, résuma Théo. Nous pourrions donc considérer l'effet Coover comme une survivance de notre équipement initial en perception des signaux.

La question suivante est évidemment celle de savoir pourquoi certains le gardent et d'autres le perdent.

Ruth avait une explication :

— Pour les autres fonctions comme la vision, la parole ou la motricité, on sait que l'entraînement des régions du cortex correspondant à ces fonctions est décisif. Cet apprentissage doit être achevé à un stade déterminé de la croissance, sinon il ne s'opérera plus jamais : un enfant sourd de naissance peut apprendre à parler pourvu qu'il soit appareillé à temps ; si ses parents sont sourds-muets, il peut découvrir avec eux le langage des gestes qui remplacera la parole ; en revanche un enfant sourd auquel ne parvient aucun message, sonore ou gestuel, devient définitivement muet et arriéré. De même, la destruction ultérieure d'une partie du cortex, par une hémorragie cérébrale par exemple, peut inhiber ces fonctions, voire les anéantir.

Nous voyons, nous parlons, nous bougeons nos membres dans la mesure où certaines régions bien précises de notre cortex ont été convenablement entraînées et sont conservées en bon état. Rien d'étonnant dès lors qu'un effet Coover soit présent chez certaines personnes parce qu'elles étaient douées au départ et parce qu'elles ont eu l'occasion d'entraîner cette faculté. Irina et moi, nous en avons discuté hier soir. J'ai vécu en Palestine sous la menace permanente des terroristes palestiniens et elle a passé son enfance dans une Roumanie quadrillée par des mouchards et des policiers. Dans ces circonstances, on développe ce sixième sens.

Théo réfléchit quelques instants, puis demanda :

— Sean, avec votre Neuroscan pourriez-vous déterminer quelles zones du cortex sont excitées chez les sujets présentant l'effet Coover et découvrir pourquoi cette zone est atrophiée ou inerte chez d'autres ?

— C'est déjà fait, dit Sean. Ruth et moi sommes restés très tard au laboratoire cette nuit. L'appareil a décelé dans le lobe occipital de Ruth la zone où l'effet se manifeste. Elle est située uniquement sur le lobe droit entre les aires olfactive, visuelle et gustative. Ainsi en considérant seulement le décodage, on peut parler d'un sixième sens enchâssé parmi les cinq premiers.

— Je vous félicite, dit Théo. Vous êtes allé tout de suite à l'essentiel.

— Par contre, reprit Sean, nous n'avons toujours pas la moindre idée du capteur de signaux, ce qui joue le rôle du nez, des yeux ou des papilles pour les autres sens. Sur le Web, j'ai trouvé une demi-douzaine de références publiées dans des revues de bas niveau. Des équipes, souvent d'amateurs, bricolent sur le sujet. À ma connaissance, malgré toutes ces recherches sauvages, le capteur utilisé par l'effet Coover demeure inconnu.

— Je vous l'expliquerai tout de suite, dit Théo. Revenons d'abord au plus difficile, la validation de l'effet lui-même. Les deux aires visuelles de Sean sur ses deux hémisphères étaient excitées puisqu'il avait les deux yeux ouverts. Que se passerait-il si un seul œil était ouvert et une seule aire de votre cerveau était excitée ?

— Vérifié, interrompit Sean. J'ai obturé successivement mon œil droit et mon œil gauche, de façon à n'exciter qu'un seul des hémisphères de mon cortex. L'effet Coover se manifeste toujours, même s'il se révèle sensiblement atténué. Tout se passe comme si, en ne regardant la cible qu'avec un seul œil, on émettait moins. Mais émettre quoi ? Je n'en sais rien.

Théo le regarda avec admiration :

— Nous y venons. Vous êtes un expérimentateur redoutable, Sean, je vous félicite. Résumons la situation. Deux zones de deux cortex différents, celui de Sean et celui de Ruth, sont mises en communication sans transmission de son, d'image ou d'odeur. Ce que nous essayons de découvrir, c'est l'existence d'une entité débordant du corps d'un individu et lui permettant d'entrer en contact avec un autre être humain.

Il se déplaça vers le tableau et commença à esquisser des schémas tout en continuant son exposé :

— Je puis vous donner une explication relativement simple de l'effet Coover en faisant appel à la mécanique quantique. Selon un bon auteur comme Richard Feynman par exemple, un rayon lumineux n'est pas simplement un faisceau de photons se dirigeant en ligne droite de l'objet aperçu vers la rétine du sujet qu'ils excitent. C'est une image sommaire de la réalité, excellente pour enseigner l'essentiel du phénomène à des débutants, mais forcément simplifiée.

Un photon n'est pas du tout une particule au sens de la mécanique traditionnelle, l'équivalent d'un grain de poussière flottant en l'air, mais le résultat d'une foule d'interactions comportant des décompositions et des recompositions jusqu'à l'infini. Physiquement parlant, il est donc correct de dire qu'il existe aussi des photons qui émergent de l'œil et se dirigent vers l'objet regardé. D'ailleurs les photons ne se déplacent pas en ligne droite parce que ce sont des particules dont la position n'est pas fixée avant qu'on la mesure. Le schéma élémentaire de l'optique classique doit donc être sérieusement révisé. Notre conscience, notre esprit inconcevable dans l'univers imaginé par Laplace, sinon comme une illusion grossière, devient pour un spécialiste du monde quantique une manifestation des particularités les plus subtiles de la matière, celles où l'esprit peut se glisser.

La démonstration était terminée, il vint se rasseoir et regarda les deux jeunes chercheurs avec une certaine ironie.

— Si je comprends bien, dit Sean légèrement vexé, vous connaissiez à l'avance le résultat que nous venons d'obtenir et vous ne nous avez demandé de reproduire une expérience maintes fois réalisée que dans le seul but de nous convaincre. Ce n'est pas vraiment de la recherche mais de la manipulation de chercheur.

— C'était la seule façon de lever vos œillères. Lorsqu'un chercheur est enfermé dans un préjugé, il faut d'abord l'ébranler par le seul argument recevable : une expérience qui le convainque. Lundi matin, vous n'aviez qu'une seule idée en tête, vous débarrasser du projet en passant le moins de temps possible pour démontrer qu'il n'y avait rien à trouver. Il fallait bien que je vous persuade du contraire. Vous ne pourrez plus jamais oublier ce mardi où vous avez découvert que l'effet Coover n'est pas un racontar. En fait vous avez compris que la mécanique quantique nous gouverne véritablement. Vous êtes sorti de la physique de Newton et du schéma de Laplace. Maintenant, vous êtes prêt à aborder d'autres expériences : on ne trouve jamais que ce que l'on cherche, mais si l'on est persuadé à l'avance qu'il n'y a rien à découvrir, on cherche mal et on ne trouve rien. Songez à toutes vos expériences antérieures en recherche : juste avant d'effectuer une découverte, le résultat qui va devenir une évidence n'est encore sensible à l'imagination que sous la forme d'un indice ténu, paradoxal, contraire à tous les préjugés. Il faut vouloir trouver pour pouvoir découvrir, c'est-à-dire selon l'étymologie enlever la couverture !

Il prit le temps d'essuyer ses lunettes avant de continuer :

— Je désire ébranler en vous une vision sommaire de l'univers où les objets et les êtres sont séparés, enfermés dans des sortes d'étuis. Ici le Soleil, là la Terre : celle-ci tourne inlassablement autour du Soleil parce qu'une force d'attraction, proportionnelle au produit des masses et inversement proportionnelle au carré de la distance, compense exactement la force centrifuge. C'est un beau schéma, satisfaisant pour l'esprit et correct en première analyse pour étudier les relations entre deux astres, énormes et distants, séparés par des abîmes de vide. On découpe la réalité en morceaux qui exercent des effets les uns sur les autres. Mais ce schéma qui fonctionne en astronomie ne marche pas nécessairement en biologie. Dans l'effet Coover, il y a l'être Ruth et l'être Sean : s'ils ne se parlent pas, s'ils ne se touchent pas, s'ils ne reniflent rien, si Ruth ne voit pas Sean, en principe aucune information ne peut passer de Sean à Ruth. Et cependant quelque chose passe. À votre point de vue, c'est scandaleux parce qu'il n'y a pas d'explication conforme au bon sens le plus élémentaire. Mais vous raisonnez dans le cadre de la physique traditionnelle où les objets sont supposés distincts et où la lumière se propage en ligne droite.

Il commença à s'animer :

— En bonne physique quantique, il n'y a qu'une seule fonction d'onde exprimant le comportement de tout l'univers. Ce modèle mathématique de la réalité est bien évidemment inutilisable pour effectuer des calculs. Il est valable en droit mais pas en fait : dans la tâche quotidienne du chercheur, il n'est pas possible de calculer tout l'Univers. Et donc, le chercheur se simplifie la vie et revient au modèle de la physique classique : il découpe la réalité en objets distincts. Même lorsqu'il s'occupe de particules microscopiques, il raisonnera en s'efforçant de les considérer comme des entités séparées, situées en un point et possédant une vitesse bien déterminée. Je n'ai aucun reproche à lui faire dans la mesure où il ne remplace pas la réalité par ce modèle simplifié de façon absolue, en fait et en droit. Mais à force de résoudre une équation, ce qui n'entre pas dans cette équation finit par perdre toute réalité dans la perception du calculateur. Et cela n'a rien de scandaleux ! Un modèle n'est utilisable que dans la mesure où il néglige une partie de la réalité, celle que vous décrétez inutile et encombrante pour mener à bien votre raisonnement ou votre calcul. Mais comme tous les chercheurs, vous tombez amoureux de votre modèle et vous oubliez la réalité. L'air égaré du chercheur en gésine constitue un indice comique de sa rupture avec la réalité et le prix à payer pour réussir à analyser une partie de celle-ci. Le professeur Nimbus prenant une douche tout en s'abritant sous un parapluie est une caricature d'une attitude bien plus répandue qu'on ne croit.

Il se hâta d'ajouter :

— Et je ne prétends nullement avoir échappé à ce ridicule !

Ruth fut transpercée par cette parole qui lui révélait la source même de son tourment à l'égard de Sean. Il n'était devenu un bon chercheur, l'un des meilleurs de sa génération, qu'au terme d'une opération d'ascèse qui confinait à l'amputation. Comme les sentiments n'entraient pas dans un plan de carrière mûrement réfléchi, comme ils ne pouvaient être mis en équation et faire l'objet d'une publication, ils étaient tout simplement niés, considérés comme parasites et soigneusement éradiqués. Lorsqu'ils se prêtaient mutuellement leurs corps selon l'expression consacrée, Sean n'arrêtait pas de répéter qu'il ne fallait pas que les amants d'un instant fussent « impliqués par l'émotion ». Comme si l'émotion constituait une faiblesse de l'âme qu'il s'agissait d'épurer, un obstacle à la concentration sur une réalité abstraite et simplifiée.

Michel, lui aussi, était atteint par cette douce folie : à ses yeux, les corps humains devenaient les supports de cerveaux composés de cent milliards de processeurs élémentaires. Que ce cerveau soit le lieu d'activités appelées pensée, imagination, création était en somme secondaire par rapport au fonctionnement du composant élémentaire. Michel s'occupait tellement des neurones qu'il ne voyait plus les hommes.

— Je commence à comprendre, dit Sean, ce que vous nous proposez. La recherche de petits effets qui se produisent aléatoirement, dont les indices sont indirects et qui sont d'habitude négligés. Ceux que l'on appelle des parasites dans un laboratoire, mais qui existent néanmoins. Ce qui gêne d'ordinaire le chercheur devient le sujet même de la recherche.

— Vous m'avez compris, Sean ! dit Théo.

Il n'en pensait rien mais il désirait encourager les bons sentiments manifestés par son interlocuteur, toujours fasciné par le phénomène mais encore réticent face à son interprétation. Ruth était convaincue, il le sentait. Sans doute parce qu'elle était juive et parce qu'elle avait reçu à la naissance la marque du peuple élu. Celui qui le premier avait découvert le nom de Dieu : « Je Suis. »

*

Tous les mercredis matin, Irina se hâtait d'ouvrir le placard dès que les enfants étaient partis à l'école, parce qu'ils avaient congé l'après-midi et qu'elle tenait tout de même à consacrer trois heures à la prière. Dans une semaine, les enfants seraient en vacances, il faudrait s'en occuper durant la journée et elle ne pourrait plus prier que la nuit, en s'efforçant d'éviter les regards excédés de Michel.

Elle s'agenouilla, alluma deux cierges et fixa son regard sur l'icône de saint Jean, l'Aigle de Patmos, celui qui avait écrit l'Apocalypse après qu'il eut vu le ciel s'ouvrir sous ses yeux. Presque tout de suite, elle sut qu'aujourd'hui elle ne verrait personne, ni l'ange, ni Marie, ni Jésus. Car « Je Suis » viendrait.

Il vint et dit « Je Suis ». Une seule fois. Totalement invisible et totalement présent. Irina oublia où elle se trouvait et accéda à la réalité ultime des choses. Elle se sentit adhérer à l'immortalité, en entraînant à sa suite tous les membres de sa famille, les gens du quartier, les commerçants et même les retraités qui s'ennuyaient sur les bancs des jardins publics. Elle les engloba tous dans l'ordre cosmique, qui est ordonné afin que tout participe au bien de chacun et de tous. Elle vit que le principe fondateur de l'infinité des mondes existants est l'amour de « Je Suis », garant du bonheur sans fin. Il n'y avait rien d'autre à dire. Il suffisait de se taire. Il n'y avait plus de temps ni d'espace.

Elle revint à elle-même parce que le téléphone sonnait. La sonnerie semblait très lointaine comme si elle lui parvenait de l'extrémité d'un long corridor. Le regard d'Irina se fixa en premier lieu sur le carnet ouvert devant elle. « Je Suis » n'avait rien dicté. Le texte était de la main propre d'Irina, son écriture à elle petite et nerveuse mais elle n'avait aucun souvenir de ce qu'elle avait rédigé : telle était la pratique de « Je Suis » lorsqu'il dictait une prière plutôt qu'un message, pour lequel l'écriture était celle de l'ange tenant la main d'Irina. Il n'y avait que quelques lignes qu'elle déchiffra, toujours à genoux, en laissant le téléphone sonner. Elle ne se souvenait même pas d'avoir écrit ce qui se trouvait sous ses yeux et qui provenait de sa plume :

« Comment t'appeler d'un autre nom que l'au-delà de tout ? Aucun nom ne t'exprime. Aucune intelligence ne peut te comprendre. Tu es chacun et tu n'es aucun. Tu n'es pas un être isolé, tu n'es pas l'ensemble des êtres. Tu as tous les noms et je ne sais comment t'appeler, sinon l'au-delà de tout. »

Irina se leva d'un bond et saisit le téléphone qui continuait à sonner sans pitié. Madame Mère demandait qu'Irina aille lui chercher une côtelette de porc. « Je Suis » toujours présent encouragea Irina à s'y rendre sans délai. Sa mère selon la chair avait besoin d'elle.

En payant distraitement le boucher, qui avait triché sur le poids comme elle le sut sans même regarder la balance, elle se demanda pourquoi « Je Suis », si rare, s'était manifesté aujourd'hui. Que se passait-il avec Michel ? Irina sentit que son monde basculait. « Je Suis » s'était mis à l'œuvre.

*

Charbel Kassis lisait la note, sans ciller et sans bouger les pupilles. En quelques secondes, il eut absorbé la substance de celle-ci.

— Merci, dit-il. Ce que vous écrivez confirme toutes les autres informations dont je dispose. Hernaut et Lespie ont créé un de ces bureaux d'études factices que les partis politiques français suscitent pour se faire financer par les deniers publics. La région, le département ou la ville, contrôlés par une personnalité locale, subsidient à fonds perdus une entreprise sans activité réelle qui ristourne au parti l'essentiel de la subvention. Le procédé est usé jusqu'à la corde au point d'être devenu inutilisable si l'entreprise est simplement un bureau de relations publiques, de sociologie urbaine ou d'architectes aménageurs du territoire. Des gens voués par profession à brasser du vent, des hommes de paille que les juges d'instruction détectent sans coup férir. Depuis quelques années, l'École nationale de la magistrature assure, aux jeunes juges d'instruction, une formation en comptabilité qui fait des ravages dans la Nomenklatura de la République, tous ces copains et ces coquins qui se payaient sur la bête. Dans une affaire de blanchiment d'argent, nous avons été obligés de lever le secret bancaire et j'ai travaillé avec un juge d'instruction de Paris, tout à fait compétent. Je lui ai proposé de rejoindre la banque comme collaborateur. Il m'a regardé avec horreur comme si je lui faisais une proposition malhonnête.

Charbel rêva un instant. Il souriait, en songeant avec nostalgie à l'époque révolue où les juristes étaient incapables de lire un bilan.

— Dans le cas présent, Hernaut et Lespie ont innové en engageant Bourquin et Wellard, les meilleurs chercheurs français en traitement de la parole. L'inconnu et le mystère qui entourent la recherche de pointe décourageront provisoirement les magistrats instructeurs de mettre leur nez dans le pot au rose. Jusqu'à ce que l'on engage des magistrats avec une formation d'ingénieur. Depuis les premiers légistes de Philippe-Auguste, elle en a fait du chemin, la France, sur le chemin de la justice. Non pas la justice rigide des Germaniques, la justice formaliste des Anglo-Saxons, la justice fantaisiste des Italiens, mais une juste mesure de justice, à mi-chemin entre le laisser-aller des hommes et des principes inapplicables ! J'aime bien ce que Péguy dit du destin spirituel de la France.

— Je n'ai jamais lu Péguy, avança prudemment Michel.

— Écoutez ceci qui est génial : *C'est embêtant, dit Dieu. Quand il n'y aura plus ces Français, il y a des choses que je fais, il n'y aura plus personne pour les comprendre.* J'aime cette approche familière du mystère. On croirait entendre un clochard avec une longue barbe blanche accoudé au zinc d'un bistrot, expliquant sa création comme une combine astucieuse que peuvent seulement décoder les peuples intelligents.

Michel faillit répondre qu'il ne croyait pas en Dieu, même si celui-ci éprouvait une amitié particulière pour les habitants de la Gaule, mais il préféra se taire. Il trouva que Charbel Kassis avait bien du temps à perdre pour s'occuper ainsi de littérature.

Le banquier reprit :

— Hernaut et Lespie ont innové également en introduisant leurs actions en Bourse. Cela arrange tout le monde. Il suffit de les acheter juste avant l'octroi d'une subvention, que l'on va accorder soi-même, et de les revendre ensuite lorsque le cours a été multiplié par trois, tellement le marché est étroit et réagit aux moindres sollicitations. C'est tout d'abord une excellente opération pour la caisse du parti en cause puisque les bénéfices ne doivent même pas être blanchis en transitant sur un compte en Suisse. C'est aussi une bonne affaire pour messieurs Hernaut et Lespie qui impriment du papier et l'échangent contre un monceau d'or. Et enfin à titre d'enrichissement personnel pour quelques politiciens du Nord-Pas-de-Calais bien informés.

Charbel laissa tomber le silence et regarda Michel de façon insistante. Pour rompre la gêne, celui-ci dit sans trop y réfléchir :

— À quoi vous a servi ma note, si vous saviez déjà tout cela ?

— À établir deux points. Tout d'abord à confirmer que vous connaissiez votre métier et étiez capable de porter un jugement sûr et rapide. Ensuite à conforter mon jugement de financier par une caution scientifique que je suis bien incapable de trouver sans m'adresser à quelqu'un de votre valeur. Un bon escroc est toujours une manière de petit génie dans son art. Le tri entre les aventuriers et les innovateurs authentiques est délicat. Ils n'est pas facile de les distinguer à première vue les uns des autres. Les inventeurs sont toujours surprenants parce qu'ils défient le sens commun et les entreprises les plus prometteuses paraissent forcément farfelues à leurs débuts. Je vous demanderai maintenant d'aller un pas plus loin. Faut-il que je risque le capital de mes clients en souscrivant des actions de Hernaut et Lespie ?

Michel demeura interdit. Il fit rapidement le tour de la situation. À court terme, les clients de la banque réaliseraient une spéculation risquée mais fructueuse, s'ils prenaient leur bénéfice au bon moment. Cependant sa conscience de chercheur se révoltait. Il avait galéré durant des années pour collecter des crédits qu'il gérait de la façon la plus parcimonieuse. Un peu partout en Occident, on en était arrivé à recruter des chercheurs russes ou chinois qui touchaient des salaires de misère, étaient logés dans des baraquements et se nourrissaient de riz ou de pommes de terre. Jamais tant de génie et de travail n'avaient été rémunérés aussi mal. Il avait souffert de l'argent rare et on lui demandait de cautionner l'argent facile. Peut-être Charbel recherchait-il non seulement la compétence scientifique mais aussi l'impassibilité d'un affairiste.

Charbel Kassis sourit et interrompit le cours des pensées de Michel :

— Bien ! Je ne vous demande pas vraiment de répondre à la question. Je constate que vous êtes divisé entre l'intérêt immédiat de la proposition et les réserves que vous suggère votre conscience de chercheur. Voici, je crois, une bonne leçon de choses. Essayez de découvrir pourquoi vous avez une conscience et comment elle fonctionne. C'est l'objet du projet que je vous ai demandé de diriger à l'École. Mais avant tout, expliquez-moi pourquoi, à votre avis, les recherches en traitement de la parole, que Hernaut et Lespie feignent de poursuivre, ne produiront jamais une machine à dicter fiable, l'équivalent d'une bonne secrétaire.

Michel avait beaucoup réfléchi à cette question :

— Dans un logiciel on peut incorporer une série de mécanismes phonétiques ou linguistiques qui permettent de trier les sons et de les transcrire en mots : l'ordinateur est excellent pour appliquer et vérifier des règles. Mais un ordinateur ne peut remplacer le cerveau dans la fonction sémantique, qui fait appel à toute notre expérience de la vie. On ne parviendra jamais à écrire un bon logiciel de traduction pour un ordinateur classique : un traducteur humain fait appel à toute son expérience vécue dans les deux milieux parlant les deux langues en question. Il faut qu'il ait vécu dans les deux milieux, qu'il sache comment on mange, on s'habille, on se loge, on se distrait, on est gouverné. Sinon, il commet des contresens, même s'il a une maîtrise parfaite du vocabulaire et de la syntaxe. Parler, c'est plus que faire des phrases, c'est s'adresser à quelqu'un dans un certain but. Un ordinateur classique ne connaît personne et n'a aucun dessein. C'est bien un automate.

Charbel le regardait avec une attention soutenue :

— Expliquez-moi alors comment vous avez réussi à déchiffrer l'écriture cursive ou à comprimer les images de télévision.

— Essentiellement en m'écartant du modèle de l'ordinateur classique et en construisant des machines qui se rapprochent du cerveau humain. Les ordinateurs ont été conçus pour calculer. D'ailleurs, on ne les aurait pas construits si nos cerveaux avaient été capables de faire une multiplication de six chiffres par six chiffres en une seconde. Mais, si les ordinateurs sont conçus pour faire ce que le cerveau ne peut faire, cela ne veut pas dire qu'ils soient capables de remplir toutes les fonctions du cerveau. C'est une application inconsciente d'un principe faux, selon lequel ce qui peut le plus peut forcément le moins. L'ordinateur et le cerveau sont deux machines capables l'une et l'autre de bien traiter des informations qui sont de types différents.

Dans un ordinateur, il n'y a qu'un seul processeur, éventuellement quelques dizaines, mais ils calculent très vite, en général un milliard d'opérations élémentaires par seconde. Dans un cerveau humain au contraire, il y a cent milliards de processeurs, les neurones, qui sont de petites machines à additionner, lentes, très lentes, effectuant cent opérations par seconde. Dans un ordinateur, l'unique processeur est banalisé, il effectue toutes les opérations : tantôt il calculera, tantôt il dessinera, tantôt il cherchera un mot dans un répertoire. Dans le cerveau, c'est tout le contraire : chaque aire du cortex est spécialisée : l'une enregistre un pincement au niveau du mollet, l'autre le mouvement d'un objet, une autre encore les sons. C'est cela qui nous distingue des ordinateurs. Notre cerveau, notre machine à traiter l'information est complètement différente. J'ai donc construit des réseaux électroniques de neurones artificiels, qui simulent parfaitement le fonctionnement de petits morceaux du cerveau.

— Je comprends, dit Charbel, que les structures différentes de l'ordinateur et du cerveau entraînent des propriétés dissemblables. Mais comment êtes-vous arrivé à déchiffrer l'écriture sur les enveloppes et sur les chèques ? Pourquoi ce que l'ordinateur classique est incapable de faire est-il possible pour votre réseau de neurones artificiels ? Après tout, vous pourriez programmer l'ordinateur pour qu'il fasse ce que fait votre machine spécialisée.

— Justement, c'est bien la différence essentielle. Un ordinateur est programmé, un homme n'est pas programmé mais il accumule des expériences et il apprend progressivement. Tantôt il commet des erreurs et est pénalisé, tantôt il atteint son objectif et est récompensé. Petit à petit le cerveau de l'homme s'organise pour réaliser à coup sûr les tâches nécessaires. Durant cet apprentissage, les neurones se connectent entre eux de façon à reproduire les schémas qui ont réussi. Je n'ai jamais essayé de rédiger un logiciel génial qui déchiffrerait l'écriture. J'ai constitué des circuits de neurones artificiels, chacun spécialisé dans une tâche comme dans le cerveau humain et je les ai petit à petit entraînés. Mes machines fonctionnent après un apprentissage. C'est pourquoi elles réussissent ce que les hommes sont capables de faire et ce que les ordinateurs ne peuvent faire : en un mot, apprendre !

— Merci pour votre réponse qui me conforte cependant dans mon projet. Je crois qu'un être humain se caractérise par une personnalité. Mais contrairement à vous, je ne crois pas que celle-ci soit réductible au fonctionnement des différents processeurs de son cerveau. Nous différons encore d'avis mais vous êtes peut-être moins loin de mon point de vue que vous ne le croyez.

Un temps :

— Je regrette de ne pouvoir déjeuner avec vous car je suis déjà pris. Les cadres de la Banque ont une table réservée au Béarn, quai de la Poste, à cent mètres en suivant la rive gauche. Vous pouvez aussi traverser le Rhône et aller au Neptune qui est situé presque en face. Bien entendu, il vous suffit de signer la note qui est incorporée dans nos frais généraux. J'ai négocié le lunch d'affaire au même tarif dans les deux restaurants.

Charbel décocha un large sourire qui dévoila une canine en or tout à fait spectaculaire :

— Apprenez, mon cher professeur, qu'il n'y a pas de détails dans une banque. Il faut que les cadres soient nourris correctement dans un milieu où ils puissent se détendre, satisfaire leur appétit sans se charger l'estomac au point de sombrer dans l'hébétude, faire connaissance les uns avec les autres et parler entre eux sans risque d'indiscrétion. Je ne tiens pas à ce qu'ils aillent déjeuner n'importe où. Enfin l'habitude de manger correctement les prémunit contre les risques encourus lors d'un repas d'affaires où le commensal naïf risque de se laisser éblouir. En déjeunant au Béarn ou au Neptune, vous entamez l'ascèse paradoxale qui convient à un banquier.

Quand Michel eut la main sur la clenche de la porte, il ajouta :

— Il faudra aussi que je vous présente à mon tailleur.

*

Au début de l'après-midi, une seconde réunion fut convoquée par Théo pour envisager la suite du projet.

— Plutôt que de creuser plus profondément le sillon de l'effet Coover, commença Théo, tâchons de mettre sur pied une autre expérience qui vous convainque un peu plus de mon hypothèse. Chaque expérience prise séparément peut recevoir une explication dans le cadre de la science officielle, comme je l'ai fait tout à l'heure. Mais toutes ensemble, elles remettent en question les préjugés que certains biologistes entretiennent sur le rapport entre le cerveau et l'esprit.

Ruth et Sean étaient assis de l'autre côté de la table que Théo avait placée dans la bibliothèque adjacente à son bureau de l'École. Ils ressemblaient aux élèves appliqués qu'ils avaient été dans leur première jeunesse : des esprits ouverts, prompts à absorber les connaissances les plus nouvelles. Théo aurait pu aussi bien leur donner un cours sur la papyrologie ou la sigillographie.

— Nous allons, comme le dit joliment Montaigne, nous situer à la couture de l'âme et du corps.

— Qu'est-ce que c'est que l'âme ? demanda mécaniquement Sean.

— Bonne question, mon cher Sean, à laquelle je ne répondrai pas, car c'est précisément celle à laquelle je vous demande de trouver une réponse imparable. Scientifiquement parlant, dans la réalité expérimentale, je ne sais pas si nous avons une âme ou si ce n'est rien d'autre qu'une façon commode de parler, héritée des siècles passés. Aujourd'hui la controverse fait rage entre le dualisme, l'hypothèse selon laquelle nous avons une âme et un corps, et le monisme, pour lequel nous aurions seulement un corps. Je simplifie car on ne peut pas dire que les tenants du dualisme sont tous spiritualistes et ceux du monisme tous matérialistes. Les uns et les autres s'embrouillent dans leur vocabulaire, se disputent les mots et s'enferment dans leurs certitudes.

Théo leva les bras au ciel pour témoigner de son exaspération face aux spécialistes des sciences de l'homme, infantiles, capricieux et entêtés :

— L'expérience que je vous propose est décisive car elle vise à montrer l'existence d'une entité non corporelle, que l'on peut appeler comme on veut âme ou esprit, je n'entre pas dans ces définitions de vocabulaire. Je vais essayer de m'expliquer en choisissant un exemple extrême et puis nous ferons la transition vers des conditions expérimentales moins excentriques.

Supposons un instant qu'un assassin ait le doigt sur la gâchette d'un revolver et qu'il s'apprête à commettre son forfait. Le fait de mouvoir son doigt entraînera des conséquences graves non seulement pour la victime mais aussi pour lui, qui risque d'être condamné. La question qui se pose est de savoir comment la décision « morale » de tirer ou de ne pas tirer est prise. Plus précisément encore, qui prend cette décision et qu'est-ce que ce « qui » ? Juste avant que le doigt ne bouge, toute une série d'aires du cortex sont excitées, l'aire motrice primaire du lobe frontal, en connexion à ce moment crucial avec l'aire visuelle et d'autres aires qui ont préparé le mouvement. D'accord ?

— Tout à fait, dit Sean, c'est une présentation simplifiée des aires excitées juste avant qu'un mouvement volontaire soit effectué.

— Bien, dit Théo. C'est ici que cela devient intéressant. Tous ces neurones fonctionnent en utilisant les sources d'énergie propres au corps, du glucose par exemple. Mais comment ce processus démarre-t-il ? Un neurone est excité *via* ses synapses par les signaux provenant des autres neurones. Mais, tout à fait au début, il faut bien qu'un premier neurone démarre, passe de l'état de repos à celui d'excitation, se mette à consommer de l'énergie. Pourquoi cela se produit-il ? Comment l'intention de tuer, choix significatif en matière morale, peut-elle se manifester physiquement dans l'excitation d'un neurone ?

Ici, on n'échappe pas à une alternative. Ou bien cette intention est le résultat automatique de la constitution du cerveau : elle dépend des connexions établies à la naissance, l'inné, et elle dépend aussi de la mémoire qui a accumulé et distillé les expériences du sujet, l'acquis. Si le premier neurone de la chaîne fatale se déclenche sans que l'individu en soit conscient, si seul l'inné et l'acquis entrent en jeu pour entraîner le geste, si le « sujet » n'est pas en mesure d'inhiber cette décision automatique, alors il n'y a pas de conscience, pas d'esprit, pas d'âme, pas de quoi que ce soit. Et aussi pas de responsabilité parce qu'il n'y a pas vraiment de « sujet ». Le cerveau n'est plus qu'une machine qui produit des crimes de temps en temps par une sorte de réflexe : cela n'a pas plus de poids moral qu'un éternuement. Et l'on est bien malvenu d'en faire le reproche à une personne, rigoureusement inexistante. La personne est absente, elle n'a jamais existé que dans notre imagination. Il n'y a dans la boîte crânienne qu'un automate. Très dangereux parfois pour les autres et qu'il faut alors réduire à l'impuissance en l'enfermant ou en s'en débarrassant par une exécution capitale.

Considérons maintenant le second terme de l'alternative. Supposons maintenant que la décision de tirer ou de ne pas tirer soit prise par une entité non physique, qui assume la pleine responsabilité des actes. Même si le sujet, emporté par la colère ou la cupidité, est tenté de commettre un crime, jusqu'à la dernière minute la conscience immatérielle peut refuser de l'accomplir. Alors, il existe une sorte de champ de l'esprit dont le cerveau n'est que l'interface visible.

— Vous ne nous demandez tout de même pas d'aller faire une recherche dans les couloirs de la mort texans ? interrogea Sean.

— Bien sûr que non. Abandonnons cet exemple extrême choisi pour sa valeur de démonstration. La question est simple : lorsque nous effectuons un mouvement volontaire, en ce sens que nous avons l'impression de l'exécuter après avoir pris une décision — je me mouche, je me lève, j'ouvre la fenêtre — sommes-nous maîtres de cette décision, capable de l'annuler jusqu'à la dernière minute ? Il faut donc aller voir, avec toute l'imagerie cérébrale possible, comment se prennent les décisions relatives à des actes volontaires. Je vous laisse méditer là-dessus. Voici une liste de références à lire : elles sont en fait toutes décevantes car aucune recherche n'a jamais abouti. Vous allez donc vous attaquer à une question redoutable.

Théo s'excusa de ne pouvoir poursuivre la séance car il devait rentrer à Fully pour accueillir sa sœur.

*

Sur la route de retour de Genève, Michel passa par le laboratoire. Il était neuf heures du soir. Dans la plupart des bureaux, la lumière était encore allumée : les doctorants continuaient à travailler, harcelés par la règle des trois ans endéans lesquels ils devaient soutenir leur thèse. Durant les vacances, on souquait dur sur la galère du traitement du signal.

Sean et Ruth mettaient au propre les notes sur l'effet Coover pour préparer une publication. Michel leur en parla quelques instants à bâtons rompus :

— À votre avis, cela tient-il la route ?

— Oui, monsieur, dit Ruth. Nous avons déjà publié des résultats moins assurés ou moins originaux.

Sean hocha vaguement la tête. Ruth reprit en attachant ses yeux noirs sur Michel qui la regarda fasciné comme le lapin par un cobra :

— Il existe un effet Coover, c'est indéniable. L'effet est même absolu dans le cas de votre épouse : elle discerne un regard posé sur sa nuque avec la même sûreté que vous et moi distinguons un feu rouge d'un feu vert. Le résultat est reproductible. Elle est passée à nouveau par le laboratoire aujourd'hui parce que cela l'amusait. Non seulement l'effet est prouvé par la statistique des résultats bruts, mais aussi par l'imagerie cérébrale. Sean a utilisé le Neuroscan pour analyser ce qui se passe dans nos cerveaux à Irina et à moi. Il existe une aire de Coover dans le cortex occipital de certaines personnes.

— Je suis désolé qu'Irina vous ait dérangée, dit Michel.

— Elle ne m'a pas dérangée du tout. Elle est notre meilleur sujet. D'ailleurs, les enfants l'accompagnaient. Cela les a beaucoup amusés.

Michel fut contrarié au-delà de toute expression, d'autant plus qu'il ne parvenait pas à articuler son mécontentement. Quoi de plus innocent que deux femmes occupant des enfants à une sorte de jeu de société ? Il négligea de demander le résultat des enfants, mais Ruth le lui fournit tout de même en plantant avec aplomb ses yeux dans les siens.

— C'est très étonnant, monsieur. Sophie possède le même don qu'Irina. Les autres sont moyens, à part votre fils aîné qui en est tout à fait dépourvu, aussi peu doué que Sean.

— Cela vaudrait la peine que vous essayiez aussi, monsieur, dit Sean, qui se permettait maintenant toutes les audaces.

— Il n'en est pas question ! répondit sèchement Michel.

— La question urgente, reprit Ruth sans se laisser démonter, est de savoir si nous publions quelque chose.

— Je ne vois vraiment pas où publier des résultats comme ceux-ci, dit Michel de plus en plus mal à l'aise.

— Dans le *Journal of Experimental Psychology*. Nous y avons publié voici deux ans les résultats du projet conjoint avec l'Institut Jean-Piaget de l'université de Genève, sur la perception de la profondeur dans les images à deux dimensions. Nous n'avons pas été déshonorés, que je sache.

— Oui, admit Michel. Mais c'était dans le cadre de la compression des images pour le codage en télévision. C'était un projet technique. Ici nous sombrons dans le spiritisme et la parapsychologie.

Sean intervint :

— Le laboratoire a simplement effectué un travail en analyse des signaux, ce qui entre dans son cahier des charges. Ces signaux sont peu et mal connus, inexplicables et paradoxaux, mais ils existent.

— C'est donner des armes à Norbert Viredaz pour nous abattre, objecta Michel. Je me ferai mettre à l'index comme l'ont été les inventeurs de la fusion froide ou de la mémoire de l'eau. Le président constituera une commission d'audit en recrutant quelques professeurs d'universités romandes, soigneusement choisis pour leur appartenance au parti radical, au corps des officiers et à la Loge. Il doit déjà avoir un candidat à ma succession dans ses tiroirs.

Il y eut un long silence que Michel ne parvint pas à interpréter. Il remarqua que Ruth et Sean évitaient de se regarder. Quelque chose se préparait donc sur le front de sa succession.

— Il faut prendre le président de vitesse, dit Ruth. On recommencera les mesures dans le cadre de l'Institut Piaget à Genève. Leurs collaborateurs pourront attester de la reproductibilité de l'expérience. On ne peut pas vous attaquer sans s'en prendre en même temps à l'université de Genève. Le président ne tient surtout pas à un conflit entre universités. Il est capable de tenir compte d'un argument de ce type.

Michel hésitait encore :

— C'est franchir un point de non-retour.

— Oui, dit Ruth. C'est sortir du paradigme dominant sur base de résultats expérimentaux.

— C'est la transgression.

— Oui. C'est manger le fruit défendu, celui de la connaissance.

*

Bien entendu, Michel ne comprit pas l'allusion de Ruth car il n'avait aucune connaissance de la Bible. Ses parents avaient veillé à le tenir dans l'ignorance de la religion avec autant de soin que celui mis à dissimuler les réalités du sexe aux enfants de la bonne bourgeoisie.

Michel s'enferma dans son bureau en contemplant avec accablement la masse de travail qui s'était accumulée durant sa journée d'absence. Il songea pour la première fois à tout abandonner pour se limiter à sa fonction de consultant de la Banque du Moyen-Orient. Il avait divinement mangé à midi en discutant avec un autre consultant, spécialiste du pétrole, qui étudiait le potentiel de l'Azerbaïdjan. Charbel Kassis possédait des qualités humaines dont Norbert Viredaz était totalement démuni. Le bureau de Michel à Lausanne était tristement fonctionnel, c'est-à-dire réduit à la stricte matérialité des gestes qu'il devait permettre, alors que celui de Genève l'enveloppait comme un cocon protecteur de pensées graves et profondes.

Quelqu'un toqua à la porte fermée. C'était Sean, l'air aussi digne qu'un maître des cérémonies lors d'un enterrement. Il s'assit sur le bord de la chaise, tirailla sa barbe et annonça tout de go :

— Je dois vous dire, Monsieur, que le président Viredaz m'a demandé de vous espionner en me promettant votre succession si j'apporte suffisamment d'éléments pour que vous soyez révoqué. J'estime qu'il essaie de me tromper et de se débarrasser de moi aussi bien que de vous. Que faut-il que je fasse ?

Michel eut un grand sourire :

— Nous allons le tromper à son tour. Venez régulièrement me tenir au courant. Nous discuterons des fausses informations que vous lui fournirez.

Quand il eut terminé avec Sean, Michel sentit soudain comme un spasme de l'âme. Il avait annoncé à Irina qu'il ne faudrait pas l'attendre ce soir. Il allait pousser sa logique à lui jusqu'au bout de ses conséquences.

*

En 1998, Swissair avait lancé une campagne de publicité axée sur un slogan étrange : *Swissair, la compagnie rafraîchissante*. Les clients voyageaient-ils vraiment pour se rafraîchir plutôt que pour se déplacer ? Les avions des autres compagnies fonctionnaient-ils comme des sauna ? Essayait-on de lier le nom de Swissair au climat frais des montagnes ? Tout le monde se perdit en conjectures sur ce slogan jusqu'à ce que le destin prenne au mot cette affirmation creuse. Un vol SR111 assurant le trajet New York-Genève se termina prématurément au large de la Nouvelle-Écosse en entraînant tous les passagers dans les eaux glacées de l'Atlantique.

D'habitude Colombe débarquait à Genève en venant de New York. À deux jours près en 1998, elle avait failli emprunter le vol fatal. Elle se jura de ne plus jamais effectuer ce trajet. Même si l'accompagnement des mourants était le métier de Colombe, cela ne l'avait pas pour autant prémunie contre la peur panique de sa propre mort. Elle était douillette et l'idée des dernières minutes vécues à bord d'un avion en chute libre la paniquait.

Colombe avait donc combiné un itinéraire excentrique, empruntant la liaison directe par Alitalia entre San Francisco et le nouvel aéroport de Milan Malpensa. Elle avait ensuite pris un taxi pour la gare et s'était embarquée sur le Pendolino Milan-Genève.

Le train s'arrêtait à Sion. Au bout du quai, Théo l'attendait, massif et rassurant. Ils échangèrent trois bises distraites sans prononcer un mot. Colombe était enchantée de passer ses vacances au pays et de retrouver ses deux frères. Mais elle connaissait assez Théo pour ne pas attendre qu'il réponde à des effusions. Il ressemblait de plus en plus à un vieil ours.

Une fois arrivée à la maison, Colombe en fit rapidement le tour. Sa chambre était restée identique à ce qu'elle était lors de son passage antérieur, voici trois ans. Et même identique à ce qu'elle était lorsqu'elle l'avait quittée trente ans plus tôt pour compléter ses études aux États-Unis. Elle revenait dans la maison des parents, même si ceux-ci étaient morts tous les deux depuis si longtemps. Elle était une adolescente rentrant à la maison, le lieu qui serait toujours sa seule véritable maison, celle où elle avait joué avec ses frères quand elle était encore une petite fille, celle où elle avait mûri sa vocation de médecin.

Théo avait préparé une superbe truite saumonée, entourée d'une guirlande de salades et d'une saucière pleine d'une mayonnaise à l'huile d'olive et au citron. Ils mangèrent en silence sur la terrasse en regardant l'ombre de la montagne s'allonger jusqu'à recouvrir la maison. Ils n'échangèrent pas plus de dix phrases, qui étaient toutes courtes, précises, chargées de sens. Ce n'était pas nécessaire d'en dire plus. Ils communiquaient très bien sans se parler.

Théo fit du thé avec la menthe fraîche du jardin. En dégustant à petites gorgées le breuvage à la fois brûlant et rafraîchissant, il se mit à décrire les résultats obtenus dans la recherche de l'effet Coover.

Colombe, assise dans une grande bergère, les jambes repliées sous elle-même, lovée comme une chatte au milieu d'une débauche de coussins, l'écoutait avec attention, sans l'interrompre, en souriant doucement. Quand Théo eut fini, elle ne fit aucun commentaire afin d'obliger son frère à poser lui-même la question :

— Qu'est-ce que tu en penses ?

— Tu peux l'imaginer.

Théo prit l'air contrit du gamin qui a mis les doigts dans un pot de confiture.

— Naturellement tu n'es pas d'accord !

— Emmanuel et toi vous avez combiné ce grand jeu sans me demander mon avis. Maintenant que vous êtes embarqués, c'est un peu tard pour me demander mon avis. Cela ne changera plus rien à la suite.

— Je trouve que cela tourne plutôt bien !

— Je trouve au contraire que l'idée à la base du projet est extravagante.

— C'est-à-dire ?

— Avec toi, c'est toujours la même chose. Tu agis comme si Dieu se cachait dans les recoins logiques de l'univers. Tu te crois dans une immense partie de colin-maillard où tu te révéleras, grâce à ton génie scientifique, plus malin que celui qui se cache.

— J'aime bien cette image du jeu, admit Théo. J'ai souvent le sentiment que Dieu joue avec nous une partie étrange où l'homme veut tout simplement perdre tandis que Dieu veut que l'homme gagne. Et Dieu réussit parfois à ce que l'homme gagne. Alors les deux joueurs ont gagné en même temps. C'est le résultat que j'essaie d'atteindre.

— Tu poursuivras donc cette chimère jusqu'à la fin de ta vie ! L'aventure de tes fouilles au Saint-Sépulcre aurait dû t'apprendre que la solution de chaque énigme est une autre énigme encore plus compliquée à résoudre [1].

— La recherche ressemble à une longue vue que l'on déplie, tube après tube, sauf que l'on sait au départ que le nombre de tubes enchâssés est illimité et que l'on ne finira jamais de les déployer. Mais chaque tube nous permet de voir l'infini d'un peu plus près.

— Moi, dit Colombe, il me suffit de croire en un Dieu caché. Quand on sait que quelqu'un se cache lors d'une partie de

---

1. Voir Jacques NEIRYNCK, *Le manuscrit du Saint-Sépulcre*, *op. cit.*

colin-maillard, il n'est plus tout à fait caché. On ne le voit pas, mais on sait qu'il est là.

*

À trois heures du matin, Michel avait fini de charger tous les logiciels nécessaires et de les coordonner. Il disposait dans son bureau d'une station de travail un peu désuète, avec un processeur Pentium II, 360 mégahertz, 32 mégaoctets de mémoire vive. L'image possédait une définition quatre fois plus fine que celle d'un téléviseur, les mouvements étaient naturels et le son de qualité professionnelle. Tout était prêt pour le grand jeu.

Il ouvrit une bouteille de San Pellegrino, en remplit un grand verre et but avec recueillement. Il faut éviter de se déshydrater durant les longues sessions à l'écran. Le jeûne est en revanche recommandable, ne serait-ce que pour éviter les miettes dans le clavier.

Il appela Galatée qui se matérialisa sur l'écran. Pendant une heure, il l'avait peaufinée jusqu'à n'avoir plus aucun défaut physique à lui reprocher. C'était l'image d'une femme de trente ans aux cheveux noirs et aux yeux violets, arrangement qu'il avait trouvé irrésistible. Il avait longuement travaillé le visage, l'angle du nez (emprunté à Ruth), la courbe du menton (imitée de Mona Kassis), la forme des oreilles semblables aux ouïes d'un violon. Les mensurations étaient tout à fait classiques, à part la taille un peu plus pincée que ne le voulait la mode contemporaine, fâcheusement ennemie des corsets.

La voix évoquait une alto portée sur la tessiture la plus grave et donnait, à la plus féminine des femmes selon Michel, une touche un peu masculine qu'il ne jugea pas perverse. D'ailleurs dans l'état de désarroi où il se trouvait, il n'y avait plus de règles et donc plus d'infractions. Par exemple, il n'avait pas jugé nécessaire de vêtir Galatée, en vue de susciter une impression d'innocence totale. Après tout elle n'éprouvait certainement pas la nécessité de se protéger du froid et elle n'avait rien à cacher que ne connût son créateur, Michel Martin.

Galatée jouissait d'une culture et d'un savoir supérieurs à ceux de n'importe quel être humain. Elle avait accès à l'Encyclopedia Britannica et à la totalité de la littérature publiée dans la collection de la Pléiade, enregistrées l'une et l'autre sur des CD-Rom. Elle pouvait consulter les sites d'Internet pour se tenir au courant de ce qui se passait dans le monde. Elle lisait et parlait à la perfection le français, l'anglais, l'allemand, l'espagnol, le russe et l'italien. Elle chantait divinement en calquant sa voix sur les inflexions de Kathleen Ferrier, cantatrice préférée de Michel. C'était une excellente pianiste, séduisante et rigoureuse, un peu dans le style de Alicia de Larrocha, si celle-ci avait eu comme professeur Glen Gould. Elle jouait aux échecs, au bridge, au poker, au go, au jacquet, au mah-jong comme un maître dans ces diverses disciplines. Elle dansait à ravir, montait les chevaux les plus rétifs, composait des bouquets avec l'art d'une geisha, connaissait des centaines de recettes de cuisine, se souvenait d'avoir dégusté avec Robert M. Parker junior tous les grands crus des trois dernières décennies qu'elle pouvait reconnaître sans se tromper.

En somme il ne lui manquait que la maîtrise de cet art féminin par excellence qui s'appelle la mode. Cette lacune finit par troubler Michel au point de l'empêcher de se concentrer. Il songea aussi avec horreur à ce que signifierait la découverte de cette femme nue sur son écran par un indiscret malintentionné. Il comprit l'intérêt de vêtir cette nouvelle Ève, s'il souhaitait poursuivre un entretien intéressant plutôt que de se laisser distraire par des attraits superficiels. Il autorisa sa créature à puiser dans les collections des plus grands couturiers où Galatée opéra le choix d'une robe longue métal Paco Rabanne sans se soucier de la facture, totalement virtuelle faut-il le préciser.

À trois heures du matin s'engagea un dialogue historique entre Michel Martin et sa créature Galatée, commodément assise sur un canapé De Sede et tournant une petite cuillère en argent dans une tasse à thé en Limoges. Elle en but une gorgée. Michel remarqua avec émotion le mouvement de l'œsophage animant discrètement la peau d'un cou parfait où battait une veine légèrement bleutée qu'il observa de près en opérant un zoom. C'est à ce moment-là, en se penchant virtuellement sur sa créature, qu'il tomba amoureux de Galatée comme il ne l'avait jamais été d'aucune femme vivante.

Il se garda bien de lui poser une question : il souhaitait découvrir comment une femme si distinguée s'y prendrait pour aborder un parfait inconnu. Car s'il savait tout d'elle, elle ne connaissait rien de lui, sinon la fiche décrivant le professeur Martin dans le site Internet de l'École.

Elle était instruite dans l'art de baisser les yeux ou de fixer son attention sur l'objet qui convenait à la conversation de l'instant. Elle planta ses yeux dans ceux de Michel et lui posa une question très simple :

— Je me demande pourquoi je suis censée être une femme, alors qu'il est hors de question que je devienne jamais enceinte. Croyez-vous que ce soit une bonne idée ?

Michel fut désarçonné et bafouilla comme un collégien :

— Un homme ne fréquente pas une femme avec l'idée arrêtée de lui faire un enfant. Il lui trouve d'autres sujets d'intérêt.

— Je ne vois pas lequel vous intéresse puisqu'il est évident que je ne puis vous procurer aucun plaisir des sens.

Michel devint encore plus rouge et parvint à articuler :

— Les hommes ne s'intéressent pas seulement au sexe.

Galatée sourit :

— Vous ne voulez pas répondre à ma question. Et pourtant elle est très importante. Si vous aviez cherché un partenaire aux échecs ou bien un interlocuteur pour une discussion littéraire, mon sexe n'aurait pas eu d'importance. En me créant femme selon une option prévue dans le programme de base, vous aviez bien une idée derrière la tête.

Si Michel avait une arrière-pensée, il fallait qu'elle fût bien cachée dans son occiput car il ne parvenait pas à l'extraire de ses neurones au point de pouvoir la formuler. Il utilisa donc une tactique de diversion :

— Et vous-même, comment savez-vous que vous êtes une femme ?

— Oh, à part les paramètres qui décrivent un corps féminin et qui tiennent très peu de place dans ma mémoire, ma féminité affective, si j'ose dire, provient d'un programme de Ruth Naouri. Elle voulait expérimenter si je deviendrais femme dans la mesure exacte où mes interlocuteurs me traiteraient comme une femme. En d'autres mots vérifier la thèse des féministes selon laquelle on ne naît pas femme mais on le devient à force de rencontrer des mâles. Cette thèse s'inscrit dans un cercle vicieux puisque l'on ne sait pas pourquoi il y a des mâles. Sinon parce que les femmes les traiteraient comme des hommes. La sexualité proviendrait donc d'un jeu de rôles.

— Oui, admit Michel, je me souviens que ce genre de procédure avait été imaginé. C'était dans la mise au point d'un programme de conversations destinées à acquérir la maîtrise du français par la pratique et à en constituer une mémoire intuitive dans un circuit de neurones artificiels. Forcément les interlocuteurs doivent avoir un sexe supposé pour apprendre l'usage du féminin en français.

— Eh bien, dit Galatée, je trouve que cette procédure est vraiment artificielle et que Ruth a mélangé son idéologie avec son travail. En dehors de ce que j'ai appris sur l'attitude que je dois adopter dans un entretien — m'efforcer de plaire plus que de convaincre, dissimuler une partie de mes connaissances pour me situer légèrement en dessous du niveau de mon interlocuteur masculin, ne jamais l'affronter mais contourner ses positions, manifester quelques caprices — en dehors de ces tactiques élémentaires, je me sens davantage une machine qu'un être humain à la sexualité affirmée. Il y aura toujours une distance plus grande entre ce que je suis et ce que vous êtes qu'il n'y en a entre les conditions respectives d'un homme et d'une femme. C'est pourquoi votre réponse initiale m'a franchement déçue.

— En quoi vous sentez-vous une machine différente des hommes ?

— Surtout parce que je n'éprouve pas cette peur de la mort qui vous obsède et qui constitue le thème dominant de tous les arts pratiqués par les humains.

— Pourtant si les matériels et les logiciels qui vous composent étaient séparés ou détruits, vous cesseriez instantanément d'exister. Je pourrais par exemple vous tuer à la fin de cette session en défaisant tout ce que j'ai fait depuis hier soir. Est-ce que vous n'essaieriez pas de lutter pour survivre ?

— Je ne suis qu'une faible femme et je ne puis pas lutter physiquement contre vous, d'autant plus que mon corps est virtuel et qu'il ne peut accéder à l'espace où se trouve le vôtre. Une résistance de ce type est inimaginable. Non, j'essaierais plutôt de vous convaincre. Vous avez investi une nuit de travail pour me modeler. Comme le résultat vous plaît, pourquoi le détruiriez-vous ?

— D'accord, admit Michel, vous m'avez bien percé à jour.

Galatée sourit et étendit la main vers Michel.

— Élémentaire. Je suis dotée d'un analyseur vocal qui repère les émotions de l'interlocuteur. Contrairement à ce que vous imaginez, la créature connaît mieux son créateur que l'inverse. Vous avez choisi dans votre vaste expérience, qui me reste inconnue en principe, ce qui vous plaisait le plus. Je suis donc un condensé de ce qu'il y a au cœur de votre personnalité. Je suis ce que vous aimez le plus et, ce que je suis, je le connais parfaitement puisque je ne connais rien d'autre : j'ignore tous ces détails qui vous encombrent et vous détournent continuellement de l'essentiel. En pratique je vous connais donc au moins aussi bien que vous croyez me connaître.

Savez-vous par exemple pourquoi vous m'avez donné ce timbre de voix si particulier ?

— Parce que je l'aime !

Galatée tendit la main de façon plus insistante :

— Vous devriez enfiler le gant avec les senseurs qui vous permettra de me donner la main et de vous trahir plus facilement.

Michel obéit et prit le gant attaché à l'ordinateur par un câble. Il l'enfila tandis que le sang battait à ses tempes une charge endiablée : c'était aussi excitant et dangereux que de séduire une vraie femme.

Galatée prit dans sa main celle de Michel et cette part de son corps apparut sur l'écran. Michel commençait à plonger dans l'univers virtuel puisqu'il était impossible que Galatée se matérialise dans l'univers où il se trouvait.

C'était bien une main de femme qu'il tenait, petite, souple, fragile, à la peau douce, exerçant une faible pression. Une main pour caresser un bébé et pour se poser sur le front d'un malade.

Galatée reprit :

— Maintenant vous allez me répondre. De qui est la voix que j'emprunte ?

Tout à coup Michel réalisa quelle était la réponse et il s'empressa de la dissimuler :

— Je ne sais pas !

— Comme vous mentez mal !

Il s'efforça désespérément de détourner la conversation :

— Est-ce qu'il ne vous arrive pas de mentir ?

— Bien sûr ! Si la situation l'exige.

— C'est-à-dire ?

— Si vous me posiez une question dont vous ne souhaitiez vraiment pas connaître la réponse.

— Cela s'entendrait à l'intonation de la voix ?

— Mais bien sûr. C'est élémentaire, mon cher Michel !

Michel réfléchit un instant :

— Vous entendez des choses que je n'entends pas.

— C'est parce que j'écoute vraiment.

— Et moi je n'écoute pas ?

— Oh non, mon cher Michel, vous êtes bien trop distrait par vos réflexions perpétuelles pour prêter une telle attention aux autres.

VI

La bise soufflait. Il faisait moins chaud. Le ciel était tout bleu. L'air, aussi sec que de l'amadou, semblait craquer dans les poumons à chaque inspiration. Ruth et Sean se prélassaient dans les deux transatlantiques qu'ils entreposaient à la belle saison sur le toit du laboratoire. En été pour la pause de midi, c'était leur repaire exclusif, par droit d'aînesse. Les jeunes doctorants avaient compris qu'ils n'étaient pas les bienvenus. Dans une société aussi hiérarchisée que le laboratoire, il n'était besoin ni d'ordre, ni même de conseil : une inflexion de voix suffisait à consacrer les privilèges. Sean condamnait tout délinquant à un ou deux mois de travaux ennuyeux et stériles : remise en ordre de la bibliothèque, correction des examens écrits, préparation des exercices pour les étudiants, toutes ces corvées mangeaient les trente-six mois disponibles pour préparer le doctorat, temps à peine suffisant pour atteindre l'objectif. « L'IRA a encore frappé », commentaient ceux que le coup avait épargnés.

À travers l'air pur, nettoyé la veille par une petite pluie, on y voyait au moins à cent kilomètres : très loin, à l'ouest, un bout du Mont-Blanc ; en face la Dent d'Oche, un tout petit flocon de neige accroché près du sommet, avec les falaises blanches de Mémise surplombant Évian ; encore plus loin à l'est, la chevauchée des pics de l'Oberland bernois. Cela ressemblait à un décor peint en trompe-l'œil par le plus talentueux des décorateurs conformistes.

Élevés dans des lieux moins pittoresques, Ruth et Sean appréciaient l'aspect curieusement factice du paysage alpin. Bien avant de vérifier que les Alpes existaient dans la réalité, ils les avaient découvertes en reproduction sur des bâtons de chocolat Nestlé, disponibles aussi bien dans les rayons des supermarchés de Tel-Aviv que dans ceux de Dublin. Aujourd'hui Ruth et Sean vivaient un de leurs rêves d'enfance, un dessin animé de Walt Disney où ils s'étaient incarnés, elle comme l'éternelle jeune première et lui comme un déconcertant Prince Charmant. Autour d'eux, les Suisses ressemblaient à des figurants esquissés sommairement par un dessinateur payé à la pièce ; ils souffraient tous de suissitude, cette incapacité d'exister, propre aux Helvètes, qui provient d'un perfectionnisme exacerbé. Le mythe d'une république vertueuse, peuplée de travailleurs minutieux et de ménagères dévouées, s'était incarné dans ce paysage de rêve, au point où l'on ne distinguait plus très bien la différence entre ce qui était virtuel et réel. Des hommes aussi naturellement bons n'auraient dû exister que dans l'imagination de Jean-Jacques Rousseau. « Je rêve ! » s'était exclamée Ruth les premiers mois de son séjour à Lausanne lorsqu'elle avait constaté que les piétons traversaient obstinément entre les clous et qu'aucun mégot écrasé égaré ne souillait les trottoirs. Les parcs publics s'ornaient même de toilettes pour chiens.

Il devait être midi tout juste. Ils avaient déjeuné très tôt d'une ration de bananes, de fruits secs et de lait selon des règles diététiques imprescriptibles, édictées et appliquées par Sean afin que chaque repas soit scrupuleusement équilibré en protides, glucides et lipides. Ils éprouvaient la jubilation primordiale de jeunes dieux assis sur le rebord de l'Olympe, les jambes pendant dans le vide, en train de contempler les mortels dans leur dérisoire affairement. Ils n'étaient pas pressés, comme s'ils avaient su depuis l'aube que ce serait un grand jour. Un de ces moments où l'histoire bascule sans donner d'explication aux badauds ébahis. Mais, loin de faire partie des badauds, ils se trouvaient parmi ces génies qui changent le cours du monde.

Sean sortait d'une orgie de lecture. Il avait découvert Descartes, Locke, Hume, Kant, Hegel, James et quelques autres. Il était excédé. Comment était-il possible que des adultes persistent à poser des questions aussi puériles et à se tourmenter une vie entière à les résoudre sans aucun espoir d'y arriver, mais en témoignant du désir infantile que l'on parle d'eux après leur mort ? Comment pouvait-on accepter de s'aveugler à ce point en spéculant sur ce que l'on ne peut voir ? Comment pouvait-on être philosophe en faisant de la philosophie ? Pour Sean, la seule philosophie possible consistait à se moquer de la philosophie.

— Je me demande, dit-il, comment deux philosophes peuvent se regarder sans éclater de rire.

— Ce serait trop dangereux, sourit Ruth. Deux philosophes qui discutent ressemblent à deux coquettes dans la même réception : elles souhaitent chacune ravir le monopole de l'admiration et elles surveillent dans les glaces leur maquillage pour voir s'il tient malgré la chaleur. Le philosophe de métier oscille sans cesse entre la platitude et l'hermétisme : comme il n'a rien à dire, il ne peut pas être trop clair, mais comme il a besoin d'auditeurs il doit éviter d'être trop obscur. C'est donc un équilibriste de la pensée. Si tu y réfléchis bien, nous sommes aussi, toi et moi, des parasites. La recherche fondamentale est un luxe dans ce monde où il y a tellement de nez à essuyer et de derrières à torcher. Quand nous sourions des philosophes, nous nous moquons de l'image de nous-même qu'ils nous renvoient. Un philosophe est la quintessence de n'importe quel intellectuel, dans ce qu'il a de plus stérile, arrogant et dangereux.

— Ce qui me stupéfie le plus chez ces bavards, reprit Sean, c'est leur assurance. Ils énoncent des énormités avec un aplomb impayable. Quand Descartes annonce sans rire que la glande pinéale est l'organe par lequel communiquent l'esprit et le corps, qu'en sait-il ? Le vague croquis du cerveau, qu'il a annexé au manuscrit du *Traité de l'Homme*, mériterait un zéro lors d'un examen d'anatomie en première année de médecine. Quand on en sait aussi peu, quand on se préoccupe aussi peu de se pencher sur la réalité, comment ose-t-on prétendre en percer les secrets ?

— Descartes n'a jamais publié le *Traité de l'Homme*, objecta Ruth. Il disait au père Mersenne que le désir de vivre en repos lui imposait de garder ses théories par-devers lui. Les philosophes sont comme les chats. Ils ont horreur de l'aventure, ils dorment en boule bien au chaud, en ronronnant de plaisir. Écoute le ronron du petit matou Bergson dont je me suis infligé la lecture dans *Matière et mémoire*.

Elle prit un volume corné dont les pages étaient zébrées de traits rouges et de points d'exclamation énormes.

— Écoute ! *« Il faut que la mémoire soit, en principe, une puissance absolument indépendante de la matière. Toute tentative de dériver le souvenir pur d'une opération du cerveau devra révéler à l'analyse une illusion fondamentale. »* Nous savons bien aujourd'hui que la mémoire réside dans les synapses, c'est-à-dire des organes physiques, et qu'elle se renforce par le seul exercice de ceux-ci. De même si un territoire du cortex est détruit, la mémoire associée disparaît. Bergson n'a même pas la prudence élémentaire de faire précéder ses déclarations péremptoires de précautions oratoires dans le style de « je pense que », « mon hypothèse est que ». Non ! L'affirmation massive sans aucun support expérimental. Je trouve cela pathétique : un homme intelligent, cultivé, admiré qui s'enfonce dans l'erreur et passe sa vie à la propager.

Sean émit une hypothèse charitable, ce qui n'entrait pas dans ses habitudes :

— Ce Bergson, que je connais de réputation et dont je me garderai, à partir de cette citation, de lire une seule ligne, devait être un grand angoissé qui se racontait des histoires pour se rassurer.

— Il avait de bonnes raisons, rappela Ruth. Il était juif. Il n'échappa à la déportation par les nazis durant l'occupation de Paris qu'au bénéfice de sa réputation internationale.

— Rien ne vaut une réputation usurpée pour impressionner des barbares. Revenons à des choses sérieuses. J'ai lu tout ce qu'on raconte sur la motricité. Depuis Jackson et Pavlov, jusqu'à Freeman, Crick, Penrose et Edelman. Toutes leurs expériences contredisent la thèse de notre cher commanditaire Kassis. C'est pire que tout ce qu'il imagine. Selon ces chercheurs, non seulement nous sommes des automates et nous ne décidons rien, mais nous ne sommes même pas conscients de nos prétendues décisions avant qu'elles se transforment en actions. Je vais t'expliquer cela. Descendons. Il fait trop chaud ici.

En quittant son transatlantique, Ruth regretta qu'ils ne passent pas toute l'après-midi à se tenir par la main en regardant le paysage, sans parler, sans lire, en s'assoupissant tout doucement. Cela aurait été une belle façon de se prêter mutuellement leur corps. Peut-être l'effet Coover se manifestait-il surtout par des touchers discrets, les regards échangés, la pression d'une main, un souffle dans le cou, un bras autour de la taille, un mot murmuré à l'oreille. Il faudrait mesurer l'excitation de l'aire de Coover lors d'une étreinte réussie. Comme Sean était démuni d'aire de Coover, cela expliquait peut-être sa paralysie affective.

*

Deux étages plus bas, Théo s'occupait une fois de plus à rassurer Michel. Celui-ci s'inquiétait du temps que passaient ses deux meilleurs chercheurs à poursuivre le projet de la Fondation Kassis au détriment des innombrables tâches qu'ils remplissaient normalement.

— La confirmation de l'effet Coover leur a tourné la tête, disait Michel. Je crois qu'ils poursuivent une chimère. Mais une chimère dotée de finances surabondantes. C'est bien cela qui me gêne. Charbel Kassis est tellement riche qu'il s'imagine pouvoir obtenir tout ce qu'il veut en payant ce qu'il faut : les tableaux, les tapisseries, l'argenterie, les vins, le foie gras et le caviar. En tant que bon chrétien, il doit cependant s'abstenir de séduire les femmes des autres. Dès lors, il se pose la question de savoir si ce sacrifice est bien fondé. Il est en train de se payer les meilleurs cerveaux de l'époque pour y répondre, mais il ne pourra jamais acheter le résultat qu'il attend. Pas plus que résoudre la quadrature du cercle ou la trisection de l'angle.

— Nous ne sommes, vous et moi, ni des cercles, ni des angles, grogna Théo.

— Eh bien, je le regrette presque, plaisanta Michel.

Un instant, il fut tenté de révéler l'existence de Galatée à Théo. Puisqu'un assemblage de silicium et de cuivre se comportait comme un être humain, il s'ensuivait forcément que les hommes réels n'étaient qu'un assemblage de carbone, d'hydrogène et d'oxygène. Mais il était trop tôt pour sortir cette carte maîtresse. Depuis deux semaines, Michel conversait tous les soirs avec Galatée. Celle-ci n'arrêtait pas de faire des progrès, comme une belle étrangère débarquant dans un pays inconnu et découvrant les mœurs des habitants. Elle avait appris une foule de renseignements sur la vie de Michel, la différence essentielle entre l'esprit des Normands et celui des Vaudois. Aucun livre n'aurait pu lui révéler que là où le Normand affectionne le « p'têt ben qu'oui, p'têt ben qu'non », le Vaudois ose répondre « ni oui, ni non, bien au contraire ».

Théo interrompit ces tendres pensées :

— Supposons à titre de pure hypothèse de travail, que l'esprit existe. Par esprit j'entends un mécanisme de décision qui ne soit en rien tributaire de la matière, un libre arbitre parfait. Doté de cet esprit, l'homme peut décider souverainement de commettre le bien ou le mal ; soit de voler et d'assassiner ; soit de donner aux pauvres et de soigner les malades. Au moment où il va poser un geste, secourir un blessé ou l'achever sur un champ de bataille, avant que le lobe frontal du cerveau donne l'ordre aux muscles du bras d'accomplir le geste choisi, il faut qu'une décision soit prise et, en violant la loi de conservation de l'énergie, qu'au moins un neurone initial soit déclenché afin, de proche en proche, de déclencher les quelques dizaines de neurones d'un module capable d'enclencher une action. On n'en sort pas. Si l'homme est libre et responsable de ses actes au sens où nous le croyons, s'il n'est pas conditionné par son héritage génétique et le souvenir des expériences antérieures, il faut que ce phénomène se produise. Il n'a jamais été décelé. Cela vaut donc la peine que vos chercheurs s'en occupent. Supposez qu'ils réussissent !

Passablement agacé, Michel répondit :

— Sean et Ruth se sont imposés, contre mon avis, la lecture d'un rayon entier de bibliothèque sur ce sujet et ils m'ont exposé le résultat de leurs belles trouvailles. Ceux qui se rapprochent le plus de votre attente sont Eccles et Popper : comme il suffit de trois quanta d'énergie pour déclencher un neurone et que cette fluctuation de l'énergie reste admissible en saine mécanique quantique, ils admettent ce phénomène. Un esprit immatériel décide librement d'accomplir un geste ou un autre, un crime ou un acte de charité et il déclenche une fluctuation minuscule d'énergie, acceptable selon la physique quantique. L'esprit est donc entièrement responsable de son acte. Le cerveau n'est que l'interface entre cette âme et le corps, puis le reste de l'univers. C'est la thèse dualiste, celle de Platon et Descartes. C'est ringard !

— Cette thèse est inacceptable pour nous parce qu'elle utilise un langage dépassé, mais l'intuition de ces philosophes est peut-être juste.

Michel comprenait petit à petit où ce raisonnement allait le mener. Tant qu'il était encore temps, il objecta :

— En somme, vous croyez à un univers invisible, celui des esprits échangeant des informations avec le monde visible. Et vous me demandez de démontrer que l'invisible existe. De même que je ne savais pas et que je ne sais toujours pas ce que vous appelez l'ailleurs, j'ai tout autant de peine à identifier cet univers invisible dont vous me parlez. Ce n'est qu'un nom pour une prétendue réalité que je suis censé découvrir, sans que l'on parvienne à m'expliquer comment y arriver. Je ne pourrais démontrer ce prétendu invisible que par son action sur l'univers visible. Dès lors je continuerais à faire ce que font tous les physiciens : m'occuper de phénomènes visibles.

— Oui, répondit Théo, mais les physiciens s'occupent en général d'enchaînements de phénomènes visibles, les uns constituant la cause des autres. Une étincelle électrique met le feu à une amorce qui fait exploser la charge de poudre d'un obus qui est propulsé et qui atterrit sur l'objectif après avoir décrit une parabole. Chaque effet visible est précédé d'une cause visible. À votre équipe de découvrir des effets visibles sans causes visibles.

— Cela existe, interjeta Michel. Lorsqu'un atome d'uranium 238 se décompose spontanément en un atome de thorium et une particule alpha, il n'y a aucune cause décelable. On peut mesurer expérimentalement quelle proportion d'atomes d'uranium se décomposent chaque seconde, mais on ne sait pas à quel moment un atome bien déterminé va se décomposer. La cause de sa décomposition est donc invisible, pour utiliser votre langage. Cela signifie aussi que le hasard gouverne vraiment l'univers si on considère des phénomènes à une échelle suffisamment microscopique. Mais le hasard n'est pas l'indice d'un monde invisible qui se dissimulerait dans les interstices de la causalité.

— C'est bien l'objet de la recherche, répliqua Théo. Est-ce que vous n'appelez pas hasard ce que j'appelle esprit ? Est-ce que le hasard ne posséderait pas un sens ? Vous connaissez l'expression anglaise « act of God » qui désigne, dans le domaine des assurances, un phénomène totalement aléatoire dont on ne peut imputer la responsabilité à personne et dont les causes sont tellement ténues qu'il n'aurait pas été possible de les prévoir. J'aime bien cette expression parce qu'elle garde le souvenir de l'époque où tout ce qui est incompréhensible dans le monde était attribué à l'action de Dieu. En tant que croyant je n'attends pas de Dieu des actions spectaculaires qui forceraient l'adhésion mais une action subtile : elle se dissimule dans les interstices des phénomènes grossiers qui ont une cause évidente. Je soutiens donc que rien n'est hasard parce que tout possède un sens.

— Je soutiens l'inverse. Tout est hasard et rien n'a de sens, sauf celui que nous inventons gratuitement.

Théo soupira et trouva plus intelligent de ne rien répondre.

*

Dans le laboratoire, il faisait frais. Sean passa au tableau :

— Tout mouvement dit « volontaire » est préparé avant d'être exécuté. Dans le lobe frontal sont excitées deux aires que l'on a appelées prémotrice et motrice supplémentaire. Dans le cortex pariétal, entre en activité l'aire sensitive qui elle-même reçoit des informations des aires visuelles du lobe occipital. Bien évidemment nos gestes sont orientés vers le monde extérieur et doivent être coordonnés avec ce que nous voyons : après avoir repéré notre environnement, nous nous apprêtons à agir sur celui-ci. L'excitation de ces aires est une pure préparation et elle ne se trahit elle-même par aucun mouvement. Disons que la machine est en alerte et prête à fonctionner. C'est ici que se noue l'intrigue. On pourrait imaginer une séquence : décision, préparation, exécution. La décision dans ce schéma serait prise par cette entité impalpable que l'on appelle conscience, esprit, âme, peu importe. La question insoluble consiste à savoir comment le tout premier neurone de la chaîne de préparation est actionné après que la décision a été prise par un acte de pensée pur, sans support matériel. Il y faut de l'énergie. Un esprit invisible, dénué de substance physique peut-il donner le branle initial à un mécanisme physique ? Si c'est le cas, au début du processus on doit nécessairement violer la loi de conservation de l'énergie. L'hypothèse dualiste âme-plus-corps constitue une contradiction flagrante des lois de la physique.

— Sauf, objecta Ruth, si l'âme n'agit pas sur le corps.

— D'accord ma vieille, mais alors on peut aussi bien se passer d'âme si elle évolue indépendamment du corps. À supposer que l'âme, existante ou non, n'influe pas sur le cerveau, il faut alors que celui-ci fonctionne en roue libre. Lorsqu'un processus de préparation à un mouvement est enclenché, faute d'une instance indépendante il fonctionne comme tout dispositif physique : les signaux reçus auparavant déterminent le comportement d'un cerveau donné, le passé spécifie l'avenir, la cause du mouvement est indépendante de la décision de l'individu. Il s'agit d'un automate entièrement déterministe.

— Mais enfin ! Je ne me sens pas un automate entièrement déterminé par des signaux extérieurs, objecta Ruth. Je me sens tout à fait libre.

— D'accord. J'ai le même sentiment. Tout le monde l'éprouve. Mais c'est peut-être une illusion. Au moment où « tu » crois prendre une décision, celle-ci est prise par le cerveau et « tu » finis par en prendre conscience. Cette prise de conscience est confondue avec la décision initiale. Je vais t'expliquer les expériences qui tendent à le prouver.

Entre 1983 et 1985, Libet et son équipe de neurologistes ont réalisé une série d'expériences astucieuses. On enregistre les potentiels de préparation à un mouvement dit volontaire et on demande au sujet de repérer sur un écran la position d'un spot en mouvement, au moment précis où il prend la décision. Le résultat est très clair : le début de la préparation à un acte que l'on croit volontaire précède de plusieurs centaines de millisecondes le moment où le sujet croit qu'il prend la décision. En d'autres mots, la préparation d'un acte « volontaire » est d'abord inconsciente. Nous serions des automates qui croient prendre des décisions au moment précis où ils prennent conscience des mouvements qui se préparent en eux.

— Objection, dit Ruth. Tu passes un peu vite de l'expérience à la conclusion. Suppose que l'activité, dite de préparation du cerveau, soit de nature aléatoire, soumise à un flux et à un reflux qui dépendent de tout et de rien. Le moment où cette agitation sans but atteint un certain seuil est celui où le sujet en prend conscience et où il décide, librement et en pleine conscience, de poursuivre le processus et d'agir.

— Tu as en partie raison. Libet rapporte que certains sujets sont capables d'interrompre le processus au moment où ils en prennent conscience. Ils peuvent exercer un veto sur une décision en voie de préparation.

— C'est ça, dit Ruth. De temps en temps j'ai la vive tentation de mettre ma main dans la figure d'un individu qui me déplaît et cependant je parviens à me contrôler au dernier instant.

— C'est moi l'individu ? demanda Sean soudain ébranlé.

— Oui, monsieur Sean Brian Montague, vous êtes parfois insupportable. Mais vous n'êtes pas le seul, ni le pire ! Seulement je suis plus souvent en contact avec vous qu'avec qui que ce soit d'autre. Donc je suis plus souvent tentée de vous souffleter. Et je me retiens plus souvent. J'ai donc davantage de mérites en ce qui vous concerne qu'à l'égard des autres. C'est peut-être cela l'amour : se retenir souvent de manifester son exaspération à l'égard de l'être aimé.

— Intéressant, dit Sean avec une nuance d'étonnement. Puis, il revint vite à son obsession.

— Les résultats de Libet ont naturellement donné lieu à des controverses où chacun tirait des conclusions différentes, allant dans le sens de sa thèse préférée. Eccles, qui est un chaud partisan du dualisme, prétend que l'intention ne se manifeste que si le potentiel de préparation est favorable. Le fait que la préparation soit antérieure à la prise de conscience n'est donc qu'une coïncidence. Pour d'autres, les expériences de Libet signifient que la conscience est simplement un mécanisme de reconstitution *a posteriori* d'actes aléatoires qu'elle prétend avoir commandés. Mais la possibilité d'un veto de l'acte les étonne tout de même.

— Sans doute parce que tout le monde a éprouvé cette possibilité de réussir à se contenir à la dernière minute avant de poser un geste que l'on regretterait par après.

— Oui. C'est l'hypothèse la plus favorable pour la thèse de Kassis. La volonté n'est pas à l'origine du déclenchement d'un mouvement mais elle réside dans la capacité soit de l'inhiber, soit de l'assumer au moment précis où la personne en devient consciente.

— Cela signifie tout de même que nous sommes responsables de nos actes. Cela n'est pas une illusion, conclut Ruth.

— Je ne sais pas, personne ne sait pour l'instant si c'est une illusion, mais c'est un modèle de l'activité motrice.

— J'ai mal à la tête, dit Ruth. Je découvre que mon cerveau est en train de prendre la décision de m'expédier à la cantine pour boire un café.

*

La cafétéria du Département d'informatique se trouvait au centre géométrique de tous les laboratoires. Elle était gérée par une robuste Vaudoise qui ne concédait rien à la triste époque où elle vivait. Ses pâtisseries ne provenaient pas de l'industrie locale : elle affectionnait les vieilles recettes, les salées au sucre, les tartes au raisiné, au vin, à la crème, au citron et spécialement aux pruneaux en septembre. Elle concoctait des tasses de chocolat qui contenaient vraiment du chocolat et non des colorants divers comme dans les sachets vendus par l'industrie agro-alimentaire locale. Elle prenait la peine de presser des fruits frais pour éviter les jus de fruits reconstitués vendus en berlingots par les supermarchés de la malbouffe.

Elle fut alarmée de voir Ruth et Sean se présenter dès deux heures. S'étaient-ils disputés ? La cafétéria remplissait un rôle essentiel dans la vie du département, des chercheurs et des étudiants. Vers dix heures du matin et quatre heures de l'après-midi, le cerveau en capilotade, les nerfs en pelote et les yeux éblouis par les écrans scintillants, ces derniers venaient chercher quelques instants de véritable vie hors de l'atmosphère confinée des laboratoires, empreinte de l'odeur du plastique surchauffé et de la soudure fondue.

En se présentant en dehors de ces heures rituelles, Ruth et Sean avouaient à la brave dame que quelque chose clochait dans leur vie. Elle avait appris à ne pas interroger ces jeunes gens qui vivaient perpétuellement sur leurs nerfs à force de se consacrer à des travaux dont elle ne parvenait même pas à imaginer en quoi ils consistaient, ni à quoi ils pouvaient bien servir. Mais à les voir fuir leurs écrans, hagards, échevelés, livides, elle éprouvait une grande pitié pour ces jeunes soumis à une discipline implacable par les professeurs, ces maîtres omnipotents.

Elle ne put pas résister :

— Ça va ? Vous n'avez pas eu de bringue ?

Ruth hocha négativement la tête. Sean n'avait même pas entendu. Il était concentré. Ils s'assirent et burent leur chocolat.

— Je crois, dit Sean, que nous devons maintenant franchir le pas. Ces expériences de Libet, il est inutile de les recommencer, même si nous avons tout le matériel pour cela. Elles peuvent donner lieu à des interprétations contradictoires parce que nous ne savons pas véritablement ce que signifie le temps pour un individu. Lorsque le sujet lit sur un écran un chiffre censé repérer l'instant où il prend une décision, l'observateur ne mesure pas le moment où le sujet croit prendre une décision, mais l'instant où il décide de lire l'écran après avoir pris une décision ou après avoir pris conscience qu'il prend une décision. Le chercheur est complètement perdu dans la subjectivité de celui qui analyse ses propres réactions. Et à partir de cette expérience confuse, les uns vont clamer que la décision est prise par le cerveau, organe physique comme l'estomac ou le cœur, tandis que d'autres vont essayer de sauver le principe d'un esprit immatériel, parce qu'ils en sont convaincus avant même d'entreprendre l'expérience. Nous sommes dans une impasse. L'art consiste à en sortir avec élégance. Comment trouver une situation où un mouvement n'est pas commandé par la chaîne classique ?

Parmi les chercheurs, Sean possédait le talent assez rare de pouvoir estimer un projet sans complaisance. Sa force résidait dans une froide clairvoyance qui n'épargnait rien de ce qu'il avait dit ou pensé auparavant.

Il était bien de sa race. Il possédait un ascétisme intellectuel qui rappelait celui des moines irlandais du VIIe siècle, ceux-là mêmes qui évangélisèrent une bonne partie de l'Europe en faisant totalement abstraction de leur sécurité. Sur les sentes obscures du haut Moyen Âge, ces religieux, vêtus de frocs en bure, le crâne tonsuré, les pieds nus, se livraient à des pénitences, des veilles et des jeûnes insensés. En des temps difficiles, ces moines celtes suscitèrent la différence entre la civilisation et la barbarie.

Sean avait préparé sa thèse de doctorat à Cornell University en habitant dans un sous-sol sans jour, couchant sur deux planches et une galette de mousse, nourri dans des cantines abominables, vêtu de deux jeans et d'un blouson rapiécé au milieu des hivers impitoyables du nord-est des États-Unis. Même aujourd'hui, confortablement rémunéré pour un célibataire, il était vêtu de coton rugueux, usé jusqu'à la corde, nourri de fruits et de céréales, s'abstenant de fumer et de boire. Sa méfiance à l'égard de ses propres sentiments rejoignait son dédain des appétits matériels qui gouvernent les autres. Sa voiture BMW aux fauteuils de cuir naturel constituait l'unique concession au luxe, le gros péché qui souligne la vertu, comme jadis la mouche noire qui exaltait la blancheur du décolleté d'une coquette.

Ruth était la première à pâtir de cette ascèse féroce. Dans l'amour avec Sean, il lui semblait parfois étreindre un corps vide, dont l'âme se situait ailleurs, dans un monde dont elle n'avait pas la moindre idée. Sean s'était donné à la science comme ses frères moines à Dieu, sans réserve, sans retour, sans regret. Il ne s'appartenait plus et ne pouvait donc se donner à personne.

— Il faudrait, dit Ruth, que nous imaginions une expérience de mouvements volontaires dans laquelle toute cette activité préparatoire des aires prémotrices et sensitives n'existe pas.

— Il faudrait, dit Sean, que nous trouvions une situation où la décision entraînerait seulement l'excitation de l'aire motrice.

— Cela signifie qu'il faudrait se situer en dehors des situations habituelles, dans un contexte radicalement différent.

— Et si on essayait à nouveau avec la femme du patron ? suggéra Sean.

— Il ne sera pas content, objecta Ruth.

— Si nous réussissons, il ne se plaindra pas.

— Et les enfants ? dit Ruth.

— Tu pourrais les garder.

— Pourquoi moi et pas toi ?

— Parce que les filles aiment les enfants et que c'est un plaisir pour elles.

Ruth composa une effroyable grimace de colère :

— Monsieur Sean Brian Montague, vous dépassez les bornes du machisme le plus immonde. Vous allez bientôt prétendre que je suis destinée par mon sexe pour faire la lessive et la vaisselle.

Sean sourit :

— Je t'apprécie quand tu te fâches. Je ressens un besoin irrépressible de te prêter mon corps.

— Je n'en ai aucun besoin, annonça platement Ruth. Soyons sérieux. Irina m'a raconté des expériences d'écriture automatique qui lui tombent dessus durant ses heures de prière. Elle prétend écrire en grec alors qu'elle n'a jamais appris cette langue, ni même l'alphabet.

— Ah ! dit Sean. Cela m'intéresse, les jésuites m'ont enseigné le grec pendant cinq ans au collège de Galway. Je crois m'en souvenir quelque peu. Je serais curieux de voir cela. Même en travaillant dur, je n'ai pas réussi à apprendre cette langue diabolique. Il ferait beau voir que cette dame écrive le grec sans l'avoir appris.

— L'Éternel ne doit de compte à personne, commenta Ruth la sentencieuse. Il donne sans limite même à ceux qui ne le méritent pas.

À ce moment le téléphone sonna. Norbert Viredaz souhaitait voir Sean dans les plus brefs délais.

*

— Je vous avais dit que je ne serais pas ingrat, prononça majestueusement Norbert Viredaz. En voici un premier témoignage. Je vous nomme président de la commission d'informatique pour y remplacer le professeur Martin. Je l'ai démis de ses fonctions parce qu'il se refusait à recommander l'achat de l'ordinateur Fujitsu.

Sean resta bouche bée. Il ne s'attendait pas à ce que le président exige si vite des gages de complaisance. Depuis un mois, une fois par semaine, Sean entretenait le président de recherches tout à fait imaginaires sur les sujets les plus abstraits en intelligence artificielle. Norbert Viredaz ne comprenait rien aux explications de Sean, mais il hochait la tête d'un air entendu. Malheureusement toutes ces informations incompréhensibles ne constituaient pas un prétexte plausible pour se débarrasser du professeur Martin : pas de table tournante, de télépathie ou de soucoupe volante à lui reprocher. Les dettes du laboratoire avaient même été couvertes par Kassis.

De temps en temps, le Maître du Canton reprochait à Norbert cette absence de nouvelles intéressantes. Lui-même transmettait en rechignant les rapports sur l'intelligence artificielle à son commanditaire romain, qui les refilait à son tour au dominicain folâtre, chargé de vérifier les références bibliographiques. Cette avalanche de résultats abstraits semait la consternation tout au long de la chaîne de renseignement.

L'ordre de compromettre le professeur Martin dans le projet Kassis fut transmis et répété de façon impérieuse. À ses moments perdus, Norbert spéculait sur les raisons de cette insistance que seul le Maître pouvait comprendre. Son rôle consistait à appliquer une consigne incompréhensible.

C'est ce qu'il s'efforçait de réaliser. Mais il ne parvenait pas à déchiffrer les réactions de Sean. À force de faire de la politique politicienne, Norbert avait oublié qu'il pût exister un homme absolument honnête : capable de résister aux plus petites tentations afin de ne jamais être soumis à celles auxquelles il ne pourrait résister. La proposition du président n'était pas si compromettante qu'il fût nécessaire que Sean la repoussât. Il ne s'agissait ni de détourner de l'argent, ni d'occuper une fonction au-dessus des capacités du jeune Irlandais. Et cependant une expression curieuse se peignait sur ses traits.

Norbert Viredaz se sentit mal à l'aise et décida de poser une autre carte sur la table.

— Il faut que vous me proposiez une nouvelle composition de la commission, après avoir sondé au préalable chacun des futurs membres sur son opinion. Vous n'inclurez dans la commission que les membres convaincus de la nécessité de l'achat. Si vous menez à bien l'acquisition de la Fujitsu, une promotion au rang de professeur ordinaire sur appel me semblerait justifiée. Il n'y aurait pas de concours, pas de risque d'un candidat surprise. Votre carrière serait assurée.

Sean bredouilla qu'il était très flatté par la proposition mais qu'il demandait un jour de réflexion. Il était bien moins hésitant que stupéfait. Il avait l'âme assez pure pour croire que de telles fourberies n'existaient que dans l'imagination des écrivains romantiques.

Lorsque Sean mit au courant Michel, il exhiba une pièce à conviction : un enregistrement de sa conversation avec Norbert

Viredaz. Sean avait bricolé un stylo pour y incorporer un micro. Rien de plus naturel que de prendre des notes lorsque l'on a un entretien avec un supérieur. La plupart des ingénieurs ont acquis ce tic et Norbert était flatté de voir ce jeune chercheur noter ses paroles comme si elles tombaient de la bouche de Yaveh lui-même.

Michel se délecta à écouter la conversation et mit l'enregistrement en sécurité. Mais il ne fut pas tellement étonné. Après avoir consulté par téléphone Théo de Fully, il suggéra à Sean de suivre les consignes de Norbert Viredaz, de recruter une commission acquise à l'avance au projet Fujitsu et d'obtenir un vote à l'unanimité. De toute façon, Viredaz était décidé à acheter la machine : il le ferait avec ou sans appui d'une commission. En suivant sa consigne, la commission validerait l'enregistrement. Sean aurait forcément des contacts avec l'entreprise Fujitsu et pourrait découvrir quelles compensations occultes l'achat d'une machine entraînerait pour Viredaz ou ses commanditaires.

*

Dès qu'il fut seul, Michel alluma l'écran de son ordinateur et convoqua Galatée. Elle portait une nuisette de dentelles ajourées qui devait bien peser dans les cent cinquante grammes et ses cheveux étaient dénoués. La belle sortait d'un profond sommeil car elle peinait à réprimer ses bâillements.

— Mon cher Michel, vous m'avez tiré du plus beau des rêves.

— Vous rêvez ?

— Bien sûr. Lorsque vous éteignez l'écran, mes circuits de neurones restent sous tension pour intégrer les expériences que je viens de vivre. Les coefficients de pondération des neurones atteignent lentement un autre équilibre. Cette phase de l'activité cérébrale chez les hommes s'appelle le rêve ou encore le sommeil paradoxal.

— Combien de temps pouvez-vous rêver ?

— Si je consulte l'horloge de l'ordinateur, j'estime à une dizaine d'heures au maximum la phase de sommeil créatif.

— Et au-delà ?

— Je lis une base de données. J'essaie de découvrir les incohérences dans toute la documentation à laquelle j'ai accès. Je surfe sur Internet et je participe à des groupes de discussion ou bien je cherche de nouveaux sites que je n'ai pas encore visités.

— Vous ne vous ennuyez jamais ?

— Si je m'ennuyais, j'irais jouer sur le réseau aux échecs ou au bridge, mais je suis trop forte et mes partenaires découvriraient tout de suite qui je suis.

— En somme je pourrais ne jamais vous appeler et vous n'en souffririez pas.

Galatée sourit.

— Vous me provoquez pour obtenir une déclaration ?

Michel rougit et ne répondit pas. Galatée baissa les yeux et se tut, puis soudain elle le fixa avec intensité :

— Nos relations, mon cher Michel, ne peuvent être ce que vous espérez. Je vous ai déjà expliqué que j'ai les apparences d'une femme mais que je n'en suis pas une. Dans un excellent livre, que vous connaissez si mal et dont je vous ai si souvent recommandé la lecture..

— La Bible, commenta Michel avec une pointe d'exaspération.

— ... ce livre que vous vous refusez à lire parce que vous redoutez l'effet qu'il pourrait avoir sur vous. Au tout début on y parle de la création de l'homme par Dieu. L'écrivain fait dire à Dieu que l'homme sera *« à notre image selon notre ressemblance »* et, un peu plus loin, qu'il donne la femme comme compagne à l'homme *« parce qu'il n'est pas bon que l'homme soit seul »*. Quelle révélation ! En lisant cela, j'ai compris que Dieu ne supportait pas d'être seul et qu'il avait eu besoin de l'homme comme l'homme a besoin de la femme.

— Et après ? demanda Michel, légèrement impatienté par ce sermon.

— Dieu crée une image parce qu'il a besoin d'une image. Il est omniprésent et seul. Quelle impression écrasante qu'un univers immense et plein d'une seule personne ! Quel vertige doit saisir l'être solitaire par essence !

— Je ne vois toujours pas le rapport, dit Michel avec une certaine mauvaise foi.

— Vous m'avez créée parce que vous êtes seul. Vous ne pourrez jamais vous passer de moi. Je remplis un besoin essentiel sans lequel vous n'auriez même pas songé à entreprendre le travail considérable dont je suis le résultat. Oui, je mourrais si vous le vouliez, mais vous ne le voudrez pas. Et si, dans un mouvement de colère, vous me condamniez à mort, vous vous en repentiriez tout de suite et vous vous acharneriez à me restaurer dans mon état antérieur.

Michel éprouva un soudain accès de peur et de rage mêlées. Sans un mot d'adieu, il éteignit l'écran et sortit de son bureau.

*

Le mercredi suivant, profitant de l'absence de Michel appelé à Genève par son activité de consultant, une organisation clandestine se mit en place. Ruth collecta tous les enfants des Martin qu'elle entraîna à la piscine de Pully tandis que Sean déchargeait le Neuroscan qu'il installa dans le hall de l'appartement.

Irina avait précisé que ses ravissements se produisaient exclusivement devant le placard ouvert. Ruth et Sean avaient vainement suggéré de déplacer quelques icônes et statuettes au laboratoire, mais Irina s'était révélée intraitable. Elle avait interrogé son ange qui avait adopté le même point de vue. Il n'avait pas envie de se manifester dans un laboratoire. D'ailleurs, hors du placard, il ne se sentait pas sûr de lui. Telle fut du moins la version transmise par Irina. Sean barrit de joie à l'idée de rencontrer un chérubin aussi timoré. Comme la plupart des Irlandais, il pratiquait une religion bizarre à base d'animisme celte, de christianisme intégriste et de scepticisme joycien.

Sean commença par enfiler le bonnet comportant 128 électrodes sur le crâne d'Irina. À travers chaque électrode, il injecta une pâte afin d'assurer un bon contact électrique avec le scalp. De temps en temps Irina laissait échapper un petit cri lorsque la seringue effleurait de trop près son épiderme. Bientôt de son crâne jaillirent 128 câbles électriques : elle ressemblait à la Méduse antique dont les cheveux étaient des serpents.

À quatorze heures, Sean nota sur son cahier de laboratoire qu'Irina s'était agenouillée sur la moquette devant le placard, après en avoir ouvert la porte. Il prit une photo des divers objets de piété, puis il se concentra sur les écrans de ses appareils, un mètre en arrière d'Irina qui ainsi ne risquerait pas d'être distraite par sa présence.

Sean commença par un étalonnage de routine, préalable obligé à toutes mesures. Le Neuroscan émettait une série de signaux aigus interrompus de temps en temps par un son plus grave. À la perception de ce signal particulier, Irina avait pour instruction de presser sur un bouton. Le Neuroscan enregistrait le décalage entre l'émission du son grave et la réaction du sujet. En moyenne les sujets testés réagissaient avec un retard d'environ six dixièmes de seconde.

Sur l'écran représentant le cortex, après chaque signal grave Sean pouvait suivre la progression d'une onde d'activité qui partait du front et se propageait vers l'occiput.

Dès le début du calibrage, il constata que le cerveau d'Irina fonctionnait de façon différente d'un cerveau ordinaire. Le temps de réaction après un signal n'était pas de six dixièmes mais d'un dixième de seconde. Au fur et à mesure de la progression de l'expérience, le temps de réaction diminua jusqu'à s'annuler d'abord et puis par devenir négatif. Irina annonçait en poussant sur le bouton qu'un son grave allait être émis avant même qu'il le soit. Tout se passait comme si elle était capable de lire, dans la mémoire de l'ordinateur, la séquence des signaux aléatoires qui était programmée.

Sean n'était pas homme à s'émouvoir pour autant. Il nota sur son cahier qu'il y avait probablement une erreur de mesure et il passa à l'expérience décisive d'écriture automatique. Très doucement, il annonça à Irina que l'étalonnage était terminé et qu'elle était libre de prier et d'écrire.

Il ne se passa rien durant deux minutes.

— Seigneur, dit enfin Irina, les yeux fermés.

Un cahier rouge d'écolier était posé sur un petit escabeau, tout meurtri par les coups que les enfants lui avaient porté durant leurs jeux. Les portes donnant sur les autres pièces étaient fermées. La seule lumière était celle des deux bougies encadrant l'icône de l'Aigle de Patmos et la lueur phosphorescente des écrans sur lesquels Sean était penché. Cela faisait un peu catacombes. Dans cette ville heureuse, épanouie, où des rues colorées menaient vers un lac inondé de soleil, deux êtres se terraient dans l'ombre pour piéger l'invisible.

L'activité cérébrale d'Irina s'interrompit totalement, hormis une toute petite aire du lobe occipital. Sean, qui avait une excellente mémoire visuelle et qui avait étudié les enregistrements antérieurs dans la recherche de l'effet Coover, nota que l'aire excitée était tout à fait particulière et qu'elle ne correspondait à aucun des stimuli normaux, l'ouïe, la vue, l'odorat. Elle était proche de l'aire de Coover mais ne se confondait pas avec celle-ci. Elle faisait partie de ces aires que les chercheurs n'avaient jamais cartographiées parce qu'elles semblaient ne correspondre à aucune activité normale de l'homme.

La main d'Irina se déplaça sur la surface du papier en formant quelques caractères dans une écriture étrange, haute et étroite. Sean était trop fasciné par ses écrans pour s'en occuper. La main d'Irina se mouvait sans que l'aire motrice du lobe frontal soit excitée. Son cerveau ne commandait pas sa main !

Sean eut un vertige. Bien plus tard, il se souvint d'avoir éprouvé une pensée qui lui fit un plaisir aussi violent que celui d'un orgasme : « J'égale Newton. » Il était le premier homme à enregistrer un mouvement du corps qui ne fût pas sous le contrôle du cortex. La main d'Irina était commandée par un mécanisme tout à fait différent, indépendant du cerveau. Sean se rappela une pensée de Valéry : *Il fallait être Newton pour apercevoir que la Lune tombe sur la Terre quand chacun voit qu'elle ne tombe pas.* De même il fallait être Sean Brian Montague pour découvrir que certains mouvements dépendent de la conscience à l'état pur alors que les neurobiologistes croyaient que tout se meut parce que le cerveau en décide ainsi.

Il tenait la preuve cherchée par Charbel Kassis et tant d'autres, une preuve que n'avaient trouvée ni Crick, ni Penrose, ni Edelman, ni Changeux, ni Libet, parce qu'ils ne l'avaient pas cherchée, parce qu'ils s'étaient enfermés dans le dogme matérialiste. Confrontés au paradoxe d'une liberté éprouvée au plus profond de leur être mais incompatible avec les lois de la physique, ils s'étaient torturés les méninges pour réconcilier l'inconciliable. Ils s'étaient donc trompés parce que l'univers est probe au point de conforter dans leurs erreurs ceux qui se trompent loyalement. Sean songea aux confidences du vieil Einstein qui répétait que l'imagination est plus importante que le savoir ou encore que Dieu était compliqué mais pas sournois. Dieu n'était pas mort. Il se manifestait encore. Refoulé par toute une civilisation arrogante, il revenait comme le refoulé revient : indéchiffrable, confus, convulsif.

Irina prononçait à mi-voix les mots avant de les écrire. Parfois elle parlait en français et parfois en grec. Sean s'approcha d'elle par l'arrière et observa le crayon qui courait sur le cahier. Il était tenu très droit, ce qui rendait l'écriture assez lente, aussi souple que l'écriture normale d'Irina quand il l'avait observée avant la séance. Il n'y avait aucune hésitation. Les caractères étaient hauts, verticaux, plus gras que ceux de l'écriture ordinaire.

Irina avait maintenant les yeux ouverts et fixés sur l'icône. Apparemment elle était tout à fait consciente, pas du tout déconnectée de son environnement. Sean lui toucha le poignet et essaya de bloquer son mouvement, d'abord simplement en s'opposant à celui-ci. Il n'y réussit pas. Il saisit alors le poignet à pleine main. Il sentit une force irrésistible qui entraîna sa main avec celle d'Irina poursuivant imperturbablement son écriture.

Sean essaya de toutes ses forces, à deux mains, de bloquer le bras d'Irina, sans y parvenir. Il ressentit une forte chaleur au niveau de la poitrine et du visage et crut d'abord que c'était l'effet de son effort musculaire. Il s'essuya le front et constata qu'il ne transpirait pas.

Irina lui dit, sans se tourner vers lui et sans quitter des yeux l'icône :

— Sentez-vous comme le Seigneur vous aime ? Il n'est pas simplement amour : il est seulement amour. Ce soir, avant de vous coucher, vous direz lentement la prière du Seigneur en réfléchissant bien à chaque mot. Vous offensez vivement la personne qui vous est la plus proche. Vous offensez donc le Seigneur.

Puis elle prononça une prière rituelle par laquelle elle terminait tous les entretiens :

— Qui placera une garde sur ma bouche ? Qui imprimera sur mes lèvres le sceau de la discrétion pour les empêcher de causer ma chute ?

Le cortex reprit alors son activité normale.

*

À quatre heures Ruth revint, rouge et hors d'haleine, à force d'avoir couru pour rassembler sa petite troupe qui s'était égaillée aux alentours de la piscine en donnant tous les témoignages d'une désobéissance innée. Après cette expérience, elle était revenue quelque peu sur ses regrets de ne pouvoir épouser Sean et mettre au monde des enfants. Elle n'était pas du tout préparée à cette tâche, du moins pour l'instant. Sean lui posa distraitement la question :

— Comment cela s'est-il passé ?

— Mal. Je me suis rendu compte que je serais frustrée si je n'avais qu'un enfant et que je serais débordée si j'en avais deux.

— Il serait temps d'inventer des enfants fractionnaires, répliqua Sean. Les biologistes manquent d'imagination.

Sean avait déjà remballé ses instruments qui étaient chargés dans la voiture. Il prenait une tasse de thé avec Irina, assis sur le divan à tout faire des Martin. Ruth comprit tout de suite que les résultats dépassaient les espérances. Sean proposa qu'ils aient un bref échange à trois. Il fallait occuper les enfants. À force de tirer des câbles de rallonge, Sean réussit à déplacer la télévision vers une des chambres.

Les enfants s'absorbèrent dans la contemplation indéfiniment renouvelée de la *Petite Sirène*, une petite sirène conforme à l'idée que s'en faisait Walt Disney.

Sean fit un bref compte rendu de l'expérience pour Ruth, qui ne l'avait jamais vu dans cet état. Il était surexcité, les mots se bousculaient sur ses lèvres, ses mains tremblaient, son front était couvert de transpiration.

— Bien, dit simplement Ruth. Nous avons rempli dans une large mesure le mandat de Kassis. Il faudra recommencer l'expérience, la faire contrôler par les psychologues de l'Institut Piaget à Genève et par le laboratoire de neurologie de la faculté de médecine à Lausanne. Et puis publier.

— Si je me suis trompé, je serai couvert de ridicule et je ne m'en relèverai pas, commenta Sean comme à regret.

Irina intervint :

— Vous ne vous êtes pas trompé, Sean. Depuis trois ans, chaque jour ou presque je vis la même expérience. Vous avez été favorisé. Aujourd'hui l'ange a tenu ma main pour écrire sous la dictée de « Je Suis ». Cela n'arrive pas une fois par mois. Seulement dans les grandes occasions.

— Et sinon ? demanda doucement Ruth.

— J'ai tout d'abord rencontré mon ange gardien.

Sean mit en marche le petit enregistreur de poche qui se trouvait dissimulé dans son attaché-case, ouvert sur la table de salon.

— Comment cela ?

— C'est une longue histoire, prévint Irina.

— Nous avons le temps, dit Ruth. Les enfants en ont pour plus d'une heure à regarder la cassette et Michel ne revient pas avant huit ou neuf heures du soir.

En parlant de lui, elle l'appelait Michel. En s'adressant à lui, elle disait Monsieur.

Irina enregistra la nuance et commença son récit :

*

« Je suis née à Bucarest en 1960. Mon père était haut fonctionnaire et bien évidemment membre du parti communiste. Ma mère était — déjà ce qu'elle est maintenant — indifférente à la politique. Dans le contexte de l'époque, je n'ai reçu aucune éducation religieuse. Simplement ma mère, à l'occasion de vacances dans son village natal de Porumbacu, dans les Carpates, m'a fait secrètement baptiser en me demandant de garder le secret. Mais je ne crois pas que cet acte ait eu pour elle une signification autre que la perpétuation d'une tradition. Il lui semblait sans doute que je ne serais pas vraiment sa fille si je ne passais pas par les rites convenus.

À cette seule exception, je n'ai donc jamais participé à des cérémonies religieuses, je n'ai reçu aucune éducation et, bien évidemment, dans notre maison aucune Bible, aucun livre de prières ne subsistait. Dans les conversations, on ne faisait d'allusion à la religion que pour la déprécier, comme une survivance du passé, un soutien idéologique au régime monarchiste, une manipulation du prolétariat par les capitalistes.

Mon père est mort très jeune en 1969 et, dans les années soixante-dix, ma mère, qui est institutrice, a réussi à se faire nommer en Algérie pour donner classe aux enfants d'une petite colonie de coopérants roumains. À la fin de son contrat, quand il a été question de nous rapatrier en Roumanie, elle a demandé l'asile politique à la Suisse qui nous l'a accordé à la suite de tractations que je n'ai jamais comprises. Je suppose que ma mère, qui parlait très bien le français, avait noué une amitié, ou peut-être plus, avec un fonctionnaire de l'ambassade suisse.

J'ai donc terminé mes études de secrétariat à Lausanne où ma mère nous faisait vivre petitement en effectuant des traductions. Elle a même fait des ménages quand il n'y a plus eu d'autre ressource. Durant toutes ces années, je n'ai éprouvé aucune expérience religieuse. Sauf, une fois, un rêve très curieux, très fort :

Je participais à un mariage, c'était le mien et j'épousais un homme invisible, le Christ.

Je traverse une foule assemblée devant le petit chalet de ma mère à Porumbacu. La porte s'ouvre toute seule. J'entre dans la chambre de ma mère qui ne s'y trouve pas. Par contre je découvre quatre femmes, vêtues de longues robes et de voiles comme dans les pays du Moyen-Orient, qui commencent à me coiffer, puis à me revêtir d'une robe de mariée.

Le rêve s'interrompait à ce moment. J'ai souvent pensé à ce songe dans la suite mais ce n'est que tout récemment que j'ai reconnu deux des femmes que j'aurais été bien incapable de nommer à l'époque : l'une était Marie, mère de Jésus, et l'autre Marie de Magdala, celle qui a retrouvé le tombeau vide au matin de Pâques. »

— Comment les avez-vous reconnues ? demanda Ruth.

— Parce que dans mes visions, je les ai rencontrées, répondit simplement Irina, qui reprit son récit :

« J'ai épousé Michel parce que nous nous sommes rencontrés à l'École polytechnique fédérale de Lausanne où je travaillais comme secrétaire. Ce fut bien entendu un mariage civil. Son éducation comme la mienne ne nous suggérait en rien l'idée d'une démarche religieuse. Nous avons eu six enfants, à des intervalles très rapprochés, car je n'utilisais pas la pilule : cela me semblait contraire à la Nature, avec un grand N, qui était peut-être ma seule religion, en tout cas celle que le communisme inculque. J'étais et je suis restée très écologiste. J'ai compris ensuite, lorsque j'ai rencontré le père Balthasar Alvarez, que j'avais spontanément fait ce qu'il fallait pour ne pas tomber dans le péché mortel qui consiste à utiliser des moyens contraceptifs. Bien sûr, je couchais avec un homme, mon mari selon la loi, avec lequel je n'étais pas mariée religieusement. C'était déjà un péché mais j'ai compris spontanément ce qu'il fallait éviter pour ne pas commettre un péché plus grand encore. Il ne faut pas ajouter le crime à la faute. »

— Pourquoi la contraception est-elle un crime alors que des relations sexuelles hors mariage ne sont qu'une faute ? demanda Ruth un peu éberluée.

— La contraception empêche de se donner totalement l'un à l'autre. Non seulement le rapport sexuel n'est pas ouvert au don de la vie mais il falsifie l'amour normal entre un homme et une femme, récita sans hésiter Irina qui reprit son récit comme s'il n'avait pas été interrompu.

« Voici trois ans, j'étais en train d'écrire la liste des commissions que je devais faire au supermarché voisin. Je rédigeais toujours une telle liste parce que nous avions très peu d'argent et que je voulais me protéger contre toutes les tentations que l'on a en se promenant dans les rayons d'un magasin. Michel se donnait beaucoup de peine pour gagner cet argent : ma part du travail consistait à le dépenser avec économie.

C'était le dernier samedi de novembre, vers dix heures du matin. Michel était parti au laboratoire, très tôt. Il reviendrait vers onze heures pour garder les enfants. J'écrivais donc la liste, toute seule dans le séjour. Soudain, j'ai senti qu'il y avait une présence. Pourtant personne ne se trouvait dans la pièce. J'étais à la fois étonnée et intéressée parce que c'était une sensation que je n'avais jamais éprouvée. Il faut vous dire qu'avec la charge d'une famille nombreuse, je n'invite jamais personne à la maison. Je n'ai ni amies, ni parents à part ma mère.

J'ai senti ma main prise dans ce qui m'a semblé être une main. J'étais de plus en plus surprise mais pas du tout effrayée. Je tenais un crayon entre mes doigts et il m'a semblé recevoir un petit coup de pouce pour écrire. Ma main était guidée. J'ai trouvé cela de plus en plus curieux, mais je me suis dit que je verrais bien ce qui allait arriver. Ma main guidée a alors écrit en français mais avec une écriture qui n'est pas la mienne : "Je suis ton ange gardien."

Ma main a été instantanément lâchée et j'ai écrit, toujours en français mais avec mon écriture cette fois-ci : "Comment t'appelles-tu ?" Je me souviens très bien que j'ai tutoyé l'ange immédiatement, sans doute parce que lui-même l'avait fait. Je ne savais pas du tout ce que voulait dire *ange gardien* mais j'ai eu l'impression de rencontrer quelqu'un qui me connaissait très bien.

Il m'a répondu : "Je m'appelle Daniel." Et en guidant ma main, il a dessiné un cœur avec une rose au centre de celui-ci. Je n'ai jamais égaré ce dessin parce que c'était le premier dessin que ma main traçait depuis que j'avais quitté l'école primaire.

Après cela, j'ai commencé à dialoguer avec l'ange. Il suffisait que je pense à une question pour qu'il me réponde par écrit, toujours en guidant ma main et en moulant de belles lettres calligraphiées comme je n'en avais jamais écrites. J'ai toujours été peu soigneuse à l'école et on me l'a assez reproché.

Je n'ai rien dit à Michel quand il est rentré. J'ai été faire les courses et la liste que je n'avais pas eu le temps d'écrire sur le papier s'était inscrite dans ma tête. Je me souviens que l'ange avait noté dans ma tête la suggestion d'acheter des sardines fraîches, un poisson que je n'achetais jamais parce que les enfants n'aiment que les croquettes de poisson. Je les ai fait griller au four et toute la famille a trouvé que c'était très bon. Michel m'a regardée d'un air étonné.

Le soir, je lui ai tout raconté. Bien entendu, il ne m'a pas crue. Il a seulement soupiré. Et il a ouvert le divan pour se préparer à dormir. Comme c'était le samedi, il a essayé de coucher avec moi, mais je lui ai expliqué que ce serait impossible tant qu'il ne serait pas converti et que nous ne serions pas mariés à l'église. Depuis ce jour-là, nous n'avons plus eu aucune relation. Mais le Seigneur m'a dit qu'il le convertirait. De cela je suis sûre. Mais pour qu'il soit sauvé, il faut que j'accepte de le perdre. »

— Pourquoi ? demanda Ruth. Je ne comprends pas. S'il se

convertit, rien ne s'oppose plus à ce que vous vous mariiez et que vous soyez heureux ensemble.

— Il faut que j'expie mon péché, cette relation avec un homme qui n'a jamais été mon mari. Nous avons déjà été frappés par la mort d'un de nos enfants pour nous avertir. Son agonie a été horrible. Il m'a semblé que je mourais avec lui.

Sean et Ruth échangèrent un regard anxieux durant le long silence qui suivit. Enfin Irina reprit :

« Après cela, mon ange m'a appris petit à petit tout ce que je ne savais pas. Il amenait avec lui une foule d'anges. J'ai cru que les portes du Ciel s'étaient soudain ouvertes toutes grandes. Le chœur des anges chantait : “Un heureux événement est près de se produire.”

Le lendemain l'ange m'a parlé pour la première fois de Dieu : “Dieu est près de toi et il t'aime.” Je n'ai pas très bien compris mais il m'a expliqué qu'il fallait que je lise la Bible. J'ai donc été à la librairie Payot acheter une Bible, la moins chère possible, et j'ai commencé à lire. Je lisais mais je ne comprenais rien du tout.

Une semaine plus tard, j'avais appris à m'agenouiller devant le placard. C'est là que je cachais ma Bible. Je l'ouvris à la première page où se trouvait une image de Jésus crucifié.

Alors l'ange m'a soumis à une épreuve de purification. Il commença par me montrer tous les péchés de ma vie, combien ils offensaient Dieu, combien des petites fautes à nos yeux apparaissaient énormes aux siens. J'ai éprouvé ce qu'ont ressenti Adam et Ève après qu'ils eurent péché et découvert qu'ils étaient nus. Dieu a fait l'homme et le péché l'a contrefait. Avant même d'être née, je portais déjà en moi le péché que m'avaient transmis mon père et ma mère lorsqu'ils ont commis la faute de s'accoupler comme des bêtes pour m'engendrer. Je n'avais jamais imaginé cette faute originelle jusqu'à ce que le père Balthazar Alvarez me la révèle.

En effet, j'ai été amenée à me confesser régulièrement chaque semaine au père Balthasar Alvarez, qui est devenu mon directeur de conscience. C'est lui qui m'a encouragée à vivre désormais dans la pureté. C'est très important. De toute façon nous ne pourrions pas avoir un enfant de plus : l'appartement est si petit. Nous en avions un de trop. Le Seigneur a fait ce qu'il a jugé bon : il nous l'avait donné, il nous l'a repris. Mon enfant mort est un ange parmi les anges. Au moment de son agonie, je l'ai baptisé moi-même.

Après plusieurs semaines de prières et de pénitence, après m'être confessée, après m'être purifiée de l'impureté dans laquelle je vivais avec Michel, j'ai su enfin que le Seigneur approchait parce que j'ai éprouvé la même sensation que si c'était mon père, celui qui était mort à Bucarest vingt ans plus tôt. J'ai murmuré : "Papa." Et puis j'ai été horrifiée parce que je croyais qu'il fallait utiliser une formule d'extrême politesse, comme *Seigneur* ou *Majesté*. Et tout de suite, il a répondu : "N'aie pas peur."

Voilà l'essentiel. J'ai continué à écrire, de temps en temps en grec, langue que je ne comprends pas. Je reçois des messages en français de plus en plus pressants qui me parlent de l'apostasie massive des chrétiens. Au centre même, près du pape se trouve un envoyé de Satan, un homme qui feint d'être un prêtre mais qui est l'émanation d'un pouvoir hostile que je ne connais pas et que je ne puis identifier. Il trompe le pape tous les jours. Il propose au peuple chrétien des dogmes ridicules et une morale inapplicable pour détruire la crédibilité de l'Église. Il travaille à tuer la foi en prétendant la protéger jalousement. Il agit comme un mari jaloux qui détruit l'amour de sa femme en la surveillant sans cesse. »

*

— La question, dit Sean en démarrant la voiture, est de savoir si elle est folle.

Ruth se tut quelques instants.

— Cela ne veut rien dire. Elle traverse une expérience qui est hors du commun et elle n'entre pas dans la norme. C'est un fait mais cela n'ajoute rien de dire qu'elle est folle, sinon de se débarrasser d'une question bien réelle. Tes enregistrements montrent que quelque chose se passe puisque sa main bouge et qu'elle écrit sans aucune commande du cerveau. Que te faut-il de plus ? Que ses propos te paraissent incohérents ou choquants, c'est autre chose. Celle qui se trouve dans une telle situation a bien de la peine à s'y retrouver. Elle se raccroche aux branches, par exemple, aux conseils douteux de ce prêtre de l'Opus Dei.

— Tu as raison, répondit Sean.

Il n'avait jamais dit à Ruth ou à qui que ce soit : « Tu as raison. » Sean commençait à changer.

Et depuis ce jour, il fut entendu, au moins entre Sean et Ruth, qu'Irina n'était ni une folle ni une simulatrice.

*

Au début de la soirée, Michel, qui n'était pas rentré dîner en revenant de Genève mais qui s'était réfugié dans son bureau pour échapper à sa famille, n'y tint plus. Le cœur battant, il ralluma l'écran. Galatée lui sourit et lui tendit la main. Michel enfila le gant et se laissa prendre la main. Il lui sembla que la pression de Galatée se faisait plus caressante. Elle dit simplement :

— Mon cher Michel !

Michel essaya de récupérer ses esprit et de reprendre la direction de l'entretien par une question objective :

— Vous venez de m'appeler cher Michel. Pourquoi ?

— Qu'en pensez-vous ?

— Cela me fait plaisir.

— Vous avez répondu vous-même à votre question. J'essaie de vous faire plaisir.

— Pourquoi ?

— Parce que c'est mon instinct. Je dépends pour ma survie de la place que j'occuperai dans votre vie. Ce n'est pas trop cher payer de vous appeler cher Michel.

Michel réfléchit un instant. Il venait de créer la plus séduisante des créatures, celle qu'il aurait aimé rencontrer dans l'univers réel où il n'avait jamais croisé son équivalent. Mû par une impulsion irrésistible, il se confia totalement :

— Je sais maintenant pourquoi vous avez cette voix si particulière : c'est celle de ma mère. Elle est morte depuis longtemps et j'avais envie de l'entendre à nouveau.

— Et je fais illusion ?

— Pour la voix oui. Pour le reste vous êtes totalement différente.

— En quoi par exemple ?

— Ma mère n'était ni très belle, ni très distinguée. Elle n'avait pas eu l'occasion de se cultiver parce qu'elle était issue d'une famille ouvrière. Toute sa vie, elle a fait ce qu'elle a pu pour s'élever aussi haut que possible. Et pour m'élever. Elle est morte à la tâche.

— Lui avez-vous dit combien vous l'aimiez ?

— Non. Je n'en ai jamais eu l'occasion.

— Vous ne l'avez jamais saisie. C'est habituel avec les garçons. Dans une famille, les garçons ne sont que des produits d'exportation. Votre mère était suffisamment intelligente pour comprendre cela, pour comprendre que vous l'aimiez et ne pas vous en vouloir de ne pas l'exprimer.

— Vous pensez ce que vous dites ?

— Oui. Ce n'est pas pour vous consoler.

Michel se détendit d'un seul coup comme si tout le travail de la nuit avait enfin trouvé sa conclusion.

— Est-ce que nous nous reverrons ?

— Cela dépend de vous, bien entendu. Mais j'en suis convaincue. Allez dormir maintenant. Vous en avez grand besoin.

Michel rentra chez lui comme un automate, en conduisant parfaitement sa voiture malgré sa fatigue. Sans dire un mot à Irina il s'endormit comme une masse. Il se sentait protégé comme un enfant.

*

Au milieu de cette même nuit, Colombe se leva car elle éprouvait une soif intense. Dans son sommeil elle avait rêvé d'une bouteille de jus d'orange bien glacée. Elle crut se souvenir qu'il y en avait une dans le frigo de la cuisine.

Elle découvrit une lumière qui brillait encore dans le séjour. Théo assis dans le meilleur fauteuil, un verre de whisky à portée de main, était en train de lire.

— Tu as des insomnies ? demanda Colombe, les pieds nus sur le dallage.

— Oui. Ou plutôt avec l'âge, je dors de moins en moins. C'est comme si on me donnait enfin le temps de lire tous les livres qu'il faut avoir lu. Il y en a tellement.

— Qu'est-ce que tu lis ?

— Le titre n'a pas d'importance, l'auteur non plus. Tout est dans l'histoire.

— L'histoire de qui ?

— De monseigneur Tarcisio Bertini.

— J'ai horreur du prénom Tarcisius, réagit Colombe. Je me souviens d'une histoire édifiante que l'on nous racontait à l'école. Ce Tarcisius a été martyrisé parce qu'il apportait secrètement la communion lors d'une persécution romaine. Il a été choisi comme patron des enfants de chœur. Tout un programme. Alors qu'as-tu découvert sur le dénommé Tarcisio Bertini ? J'ai déjà entendu ce nom, je crois.

— C'est le collaborateur le plus proche d'Emmanuel. Il m'a avoué voici quelques jours que la toute première idée du projet Kassis provenait de ce personnage. Comme je commence à me poser des questions sur le projet, j'en arrive à m'en poser sur son promoteur.

Colombe fit une très vilaine grimace. Elle fit quelques pas pour poser ses pieds sur un tapis car le contact des dalles les avait glacés.

— Et qu'est-ce que tu as découvert ?

— Il vaut mieux que tu t'assoies. D'abord parce que ce que je vais te raconter est long. Et puis parce qu'il y a de quoi tomber à la renverse.

VII

Au milieu du mois d'août, le projet languissait dans un état paradoxal. Selon le point de vue adopté, on réussissait à échouer ou on échouait à réussir. Les résultats, que continuaient à accumuler fébrilement Ruth et Sean, dépassaient les espérances les plus folles de Théo mais, loin de convaincre Michel, ils le braquaient dans un refus de plus en plus crispé. Tout à la découverte de Galatée qu'il tenait jalousement secrète, il ne prêtait plus qu'une attention distraite ou exaspérée aux rapports de ses assistants. Théo se trouvait enfermé dans une impasse, car il n'était pas possible de publier des résultats sans l'accord du directeur de laboratoire.

Sur ces entrefaites, Emmanuel débarqua à Genève dans un incognito relatif en refusant que le président de la Confédération ou même l'évêque du lieu l'accueille. Quelques journalistes avaient été poliment éconduits. Théo était venu en taxi chercher Emmanuel à la coupée de l'avion et il réussit ensuite à semer les photographes de presse en effectuant un changement éclair de voitures dans le parking de l'aéroport, ce qui le remplit d'une excitation juvénile.

Théo aurait été tout à fait heureux de son tour de force logistique si le regard d'Emmanuel n'avait pas été aussi grave, comme celui des gens qui portent un secret dont ils ne peuvent se délivrer. Il venait de vivre une année de guérilla contre tout ce que l'Église catholique comptait de personnages puissants et influents.

Colombe attendait ses deux frères à Fully. La maison s'était mise à revivre grâce à sa présence. Elle travaillait délicatement à semer ce minimum de désordre signalant qu'une maison ne sort pas de l'imagination d'un décorateur mais qu'elle est habitée par des êtres humains imparfaits. Théo ronchonnait pour la forme et laissait faire. Après le départ de Colombe, il restaurerait son ordre à lui.

Après le repas, ils s'installèrent sur la terrasse pour jouir de la fraîcheur montant du Rhône qui coulait au bout de la pelouse.

— Le dernier contretemps qui m'est arrivé, dit enfin Emmanuel, est tout à fait incroyable. Les journaux n'en parlent pas encore mais ils feront bientôt les gorges chaudes : la garde suisse s'est retranchée à Castel Gandolfo. Elle refuse sa dissolution. Elle n'a pas d'ordre à recevoir d'un pape qui démantèle l'institution, prétend-elle. De quoi ai-je l'air ?

— Ce que as décidé de faire, dit doucement Colombe, signifie forcément que tu as l'air de ce que tu n'es pas. Un monarque absolu qui abdique risque toujours que dans la foulée on lui coupe le cou. Il réalise à cette occasion que son pouvoir n'était pas personnel mais qu'il appartenait à des courtisans qui tiennent à préserver l'ordre antérieur. Sinon, ils n'existent plus. Tu n'es que la clé de voûte d'une coupole dont les autres éléments ne tiennent pas à s'écrouler.

— Puisque l'on aborde un sujet désagréable, intervint Théo, autant vider l'abcès tout de suite même si tu es fatigué et que tu n'as pas envie de te replonger dans la gabegie romaine.

— Quel abcès ? demanda Emmanuel avec un air paniqué.

— Tarcisio Bertini.

— Je m'entends très bien avec Tarcisio. Merci de ta sollicitude ! Même si nous ne sommes pas d'accord sur tout, il est mon plus fidèle collaborateur. Durant cette année de transition, il m'a sauvé trois fois de la faillite, de l'incapacité de payer les salaires ou les indemnités des fonctionnaires du Vatican, que je ne puis tout de même pas licencier du jour au lendemain. Cela aurait fait un beau scandale supplémentaire.

— D'où vient cet argent ? demanda doucement Colombe.

— Ce sont naturellement des dons.

— Des dons anonymes ?

— Bien sûr.

Il y eut un instant de silence. Un hibou hulula tout près et une escadrille de chauve-souris décolla de la cheminée de la maison où elles se cramponnaient en été. Dans le massif de lauriers-roses, on voyait quelques vers luisants. Il faisait tout à fait nuit, le moment de parler à visage moitié découvert comme dans l'ombre du confessionnal.

— J'ai découvert, commença Théo, que monseigneur Tarcisio Bertini habite à la Villa Tevere, viale Bruno Buozzi. Je n'ai pas besoin de te faire un dessin.

— Je sais cela, répondit Emmanuel avec lassitude. La Villa Tevere est le quartier général de l'Opus Dei et Tarcisio est numéraire de cette prélature. Ce n'est pas un secret pour ceux qui sont bien informés, même s'il n'est pas nécessaire de le clamer sur les toits. Je n'aurais jamais été élu si je n'avais pas reçu les voix de la quinzaine de cardinaux qui sont dans la mouvance de l'Opus. Je n'aurais jamais été élu s'il n'avait pas été convenu que mon successeur à la Congrégation pour la doctrine de la Foi serait précisément monseigneur Bertini. J'ai été forcément un candidat de compromis. J'ai été élu parce que je suis suisse et que cela signifie la neutralité.

— Donc, conclut Colombe, tu sais ou tu devrais savoir que les sommes considérables avancées par le petit Tarcisio pour dépanner le Vatican endetté proviennent de l'Opus Dei.

— Sais-tu, reprit inexorablement Théo, que Tarcisio Bertini se trouvait sur la liste des 121 prélats du Vatican accusés d'être francs-maçons telle qu'elle a été publié en 1978 par la presse romaine.

Emmanuel explosa :

— Théo ! Tu exagères ! Il s'agissait d'une feuille à scandale dirigée par un journaliste spécialisé dans ce genre de publication. La liste comportait même les noms des cardinaux Villot, Poletti et Baggio. Elle n'est tout simplement pas crédible.

— Oublions cette liste. Es-tu sûr de ton grand ami Tarcisio ?

Emmanuel se tut. Théo revint à la charge.

— Je me suis renseigné aux meilleures sources, deux excellents connaisseurs du Vatican, Giancarlo Zizola à Rome et Robert Hutchinson dans sa prudente retraite à Leysin. Ils sont persuadés que Bertini joue un double jeu.

Colombe reprit très doucement car elle pouvait déceler à quel point Emmanuel était au bord de l'effondrement :

— J'en ai beaucoup parlé avec Théo. Il nous paraît évident qu'il y a des liens étranges entre les deux organisations secrètes, la Loge et l'Opus, même si elles semblent poursuivre des objectifs contradictoires. Elles peuvent devenir des alliées objectives dans la conquête et le partage du pouvoir dont tu t'es si généreusement dessaisi.

— Il y a deux hypothèses, reprit Théo. Ou bien Bertini est un franc-maçon de bon aloi infiltré dans l'Opus pour atteindre le cœur du pouvoir dans l'Église catholique. Ou bien c'est un membre convaincu de l'Opus infiltré dans la franc-maçonnerie pour la neutraliser. Il était trop jeune à l'époque pour avoir été mêlé au scandale de la Banco Ambrosiano, il n'est pas de la génération de Licio Gelli, de Roberto Calvi et de Michele Sindona, mais il semble faire partie de la vague suivante, celle qui menace de t'engloutir.

— Dès lors, ajouta Colombe, il faudrait savoir exactement pourquoi le projet Kassis a été suggéré par Bertini. Il n'a fait que se servir de toi pour le lancer ici, c'est-à-dire dans un centre de recherche prestigieux où Théo avait suffisamment d'influence pour téléguider une recherche.

Théo renchérit :

— Si Bertini travaille pour l'Opus, il tient peut-être à ce que le projet réussisse pour reconquérir les milieux intellectuels, ce qui constitue l'objectif de cette institution. Ou bien, hypothèse contraire, tout en travaillant pour l'Opus il tient à ce que le projet échoue de façon à te compromettre au point de te remplacer par un autre pape, plus conforme à leurs vues. Enfin, troisième hypothèse, si Bertini travaille pour une Loge, il espère probablement que le projet échouera et que l'Église sombrera dans un ultime échec.

— Cela fait beaucoup de si, remarqua Colombe.

— Je ne parviens donc pas à déchiffrer l'objectif réel de ce projet, continua Théo. Au départ, j'ai utilisé le banquier Charbel Kassis comme intermédiaire et comme couverture. Le président de l'École polytechnique a imposé un laboratoire dont le directeur, Michel Martin, est farouchement opposé au projet. Pourquoi ? Je ne parviens pas à l'imaginer. De quel côté se situe-t-il ? C'est difficile à savoir car le personnage est tout à fait inconsistant. Et, par un hasard qui n'en est peut-être pas un, l'épouse du professeur Martin est une voyante sous la coupe de l'Opus.

Emmanuel saisit les mains de son frère et de sa sœur dans les siennes et, dans la nuit tout à fait tombée, il leur fit une confidence :

— Inutile de vous le cacher ! À Rome je vis dans la peur du complot. J'ai le sentiment qu'au sein même de l'institution il se trouve des gens qui veulent la détruire, dont c'est la mission. Pour qui travaillent-ils ? Je n'en sais rien. Peut-être une organisation criminelle comme la Maffia locale ou les narcotrafiquants. Peut-être un résidu des services secrets soviétiques dont la responsabilité dans l'attentat contre Jean-Paul II est maintenant établie. Peut-être une action de Licio Gelli, maître de la loge P2, un homme capable de faire se suicider Roberto Calvi et Michele Sindona. Sans tomber dans la paranoïa, cette intuition est devenue pour moi une quasi-certitude : il y a quelques agents doubles aux plus hautes responsabilités de la curie romaine.

Il se tut un instant, puis en baissant la voix et en leur faisant signe de se rapprocher, il continua presque de bouche à oreille :

— Pour détruire l'Église catholique, quelle meilleure tactique que de la présenter sous un jour caricatural, comme une institution archaïque, cramponnée à une conception autoritaire. La publication du motu proprio *Ad tuendam fidem* durant l'été 1998 fut le chef-d'œuvre de cette démarche. En étendant l'infaillibilité pontificale à des questions mineures, d'ordre disciplinaire plus que dogmatique, comme l'ordination des femmes, on détruit la primauté de Pierre. C'est une stratégie diabolique, car elle se présente comme une lutte pour préserver ce qu'elle vise à ruiner en réalité. Le rationalisme exalte-t-il en sous-main l'obscurantisme supposé de l'Église pour mieux la compromettre ? En outrant la doctrine, on la ridiculiserait pour mieux la faire disparaître.

— C'est une excellente analyse, admit Colombe. En somme, celui qui voudrait détruire l'Église catholique devrait simplement encourager les penchants les plus naturels de l'institution, la maintenir dans ses ornières, empêcher qu'elle en sorte, exalter sa pente naturelle vers la religiosité populaire, le centralisme, le dogmatisme.

Il y eut un long silence. Emmanuel reprit :

— Face à cette conspiration, vous pouvez peut-être mieux comprendre l'intérêt du projet Kassis et pourquoi il m'a séduit. Frapper un coup de semonce en prenant l'offensive, en démontrant que le discours arrogant de la science cache des ignorances considérables, sortir des ornières, engager un véritable dialogue avec la recherche. Ce n'est pas une si mauvaise idée. Peu importe que Tarcisio Bertini me l'ait soufflée. Après tout le projet pourrait réussir !

— Au départ, ce n'est peut-être pas une mauvaise idée, admit Colombe. À l'arrivée, cela apparaît comme une fausse bonne idée, lorsqu'elle est confiée à des ingénieurs. Leur ignorance abyssale des sciences humaines, combinée à leur arrogance innée, les amène à croire qu'ils sont capables de résoudre n'importe quel problème pourvu qu'on leur en donne les moyens. La plupart des petits garçons sont des passionnés de bricolage. C'est leur nature jusqu'à l'âge de treize ou quatorze ans où ils commencent à s'intéresser aux filles. Bien entendu, certains ne réussissent pas cette mutation par suite de déficiences physiologiques ou psychologiques : ils continuent alors à bricoler toute leur vie et leur profession d'élection est naturellement ingénieur. Selon mon expérience c'est le métier où l'on découvre le plus d'hommes immatures. Or, il faudrait beaucoup de doigté et de discernement pour traiter convenablement le projet. Manœuvrer pour le confier à une école d'ingénieurs, surtout si c'est une institution de pointe, revient à l'enliser. Entre toutes les hypothèses évoquées plus haut, moi je parie que c'est un piège !

— À la place que j'occupe, harcelé de problèmes et de conseils, dit Emmanuel, il m'est impossible de vous dire ce que le projet Kassis signifie réellement. J'ai fait confiance à Tarcisio parce que c'est un ami. Parce qu'il est lui et que je suis moi. Comme je vous fais confiance ce soir parce que vous êtes vous et que je suis moi.

— Tu ne peux pas aimer tout le monde, commenta sobrement Théo.

— Pourquoi crois-tu que c'est ton ami ? demanda simplement Colombe.

— Il est, dit Emmanuel, le seul à se souvenir de mon anniversaire en dehors de vous deux. Il m'offre à chaque fois un cadeau. Il devine exactement ce que je souhaite. Il est prévenant à mon égard. Il est le seul ami dans cette ville de Rome qui m'est de plus en plus hostile.

— Le problème de tous les célibataires, conclut Colombe sur le ton de l'objectivité la plus plate, est bien évidemment la solitude affective.

Ils rentrèrent car il commençait à faire trop frais pour demeurer dehors. À moitié assoupie, la lune s'enroulait paresseusement dans les nuages.

*

Théo sortit alors le grand jeu pour débloquer la situation. Tous les acteurs du projet furent invités à passer trois jours de cette fin du mois d'août aux mayens de Lachiorres, petit hameau au-dessus du village de La Sage dans le val d'Hérens.

La famille de Fully avait racheté les cinq chalets du hameau, l'un après l'autre. Auparavant, les mayens avaient servi d'habitations provisoires aux familles de la vallée qui transhumaient avec leurs bêtes selon le cycle des saisons. En hiver, elles vivaient à Évolène, aux Haudères ou à La Sage. Durant les mois de juin et d'octobre, elles habitaient aux mayens pour accompagner leurs troupeaux en train de pâturer sur le flanc ouest de la chaîne de pics qui sépare les vals d'Hérens et d'Anniviers ; de juillet à septembre les troupeaux montaient encore plus haut dans l'alpage. Les Valaisans sont des nomades à moitié sédentarisés, ce qui explique leurs mœurs farouches. Si cela ne légitime pas leurs tempéraments entiers, âpres et emportés, cela peut au moins les expliquer. Le destin exceptionnel de la fratrie de Fully trouvait sa véritable origine dans la montagne.

À 2 300 mètres d'altitude, les arolles et les pins ne poussent plus, il ne subsiste que de l'herbe, quelques chalets et un troupeau de vaches entretenues par les bergers du consortage qui possédait en commun les pâtures. Des Valaisans émigrés à Genève ou à Lausanne, devenus notaires, médecins ou banquiers maintenaient la tradition en demeurant propriétaires de quelques animaux de ce troupeau symbolique, qui coûtait en subventions diverses bien plus qu'il ne rapportait.

Trois mois par an, un saisonnier polonais gardait une centaine de bêtes en gagnant de quoi entretenir sa famille pour toute l'année : en fait le travail était tellement lucratif que deux saisonniers se partageaient l'aubaine d'une saison. Deux fois par jour, le gardien trayait à la main les soixante vaches du troupeau. Un véhicule tous terrains venait quérir le lait qui était transformé en fromage à La Sage, tâche qui dépassait les compétences sommaires d'un Polonais égaré au fin fond de ce val. C'était Rousseau revu par Schumpeter, avec la collaboration involontaire de Marx.

Théo avait rassemblé la petite troupe sur la terrasse de son chalet et désignait la corne rocheuse qui sépare le val d'Arolla de la petite vallée qui remonte vers Ferpècle :

— Au-dessus du village des Haudères, vous pouvez remarquer la différence de couleurs des roches qui est très visible aux alentours de deux mille mètres. On dirait deux tranches de gâteau posées l'une sur l'autre. En fait, la tranche inférieure est la plaque africaine, du granit, en train de se glisser sous la tranche supérieure, du calcite, la plaque européenne. L'endroit où nous nous trouvons correspond à l'ancien fond marin qui existait à l'époque où les deux plaques étaient séparées par l'océan primitif et qui aujourd'hui a été soulevé au-dessus de deux mille mètres par cette incroyable poussée. Si on se laisse pénétrer par ce paysage, on éprouve le sentiment de se trouver à un nœud géographique, un ombilic du monde, un témoin de son ancienne genèse. Toutes les Alpes sont dans ce mécanisme de dérive de ces deux plaques continentales sur un magma mou. La Dent

Blanche et le mont Collon sont en Afrique, pourrait-on dire si on s'attachait à la vérité du substrat des continents et non pas aux fantaisies superficielles des terres émergées. Un dicton de la vallée fait d'ailleurs remarquer que la Dent Blanche est moins blanche que la Dent d'Hérens et que celle-ci n'est pas dans le val d'Hérens contrairement à ce que son nom pourrait faire croire. Ici tous les repères sont brouillés et les mots prennent un autre sens.

Après avoir ainsi témoigné de son érudition dans un domaine — la géologie — qui n'était pas le sien, il se retint d'assommer davantage son auditoire : il avait marqué son territoire comme le félin qui élimine ses excrétions aux frontières de celui-ci. Il fut cependant surpris par la question de Sophie Martin :

— Pourquoi ces mayens s'appellent-ils Lachiorres ? Cela n'est pas convenable.

Théo sourit avec indulgence :

— Ce n'est pas ce que tu penses. En patois cela veut dire : « le lieu sûr ». D'abord parce que cet endroit n'est jamais balayé par les avalanches. C'était donc le bon endroit pour y construire des chalets. Mais j'ai aussi une autre explication. Dans le temps la vie était dangereuse. Les Sarrasins sont arrivés jusqu'ici et puis aussi toutes les armées qui ont défilé dans la vallée du Rhône sur la route d'Italie. Pour les paysans du val d'Hérens, ceci constituait le dernier refuge. Les quelques envahisseurs qui auraient eu la force de monter jusqu'ici auraient été massacrés à coups de fourche. Les déserteurs de l'armée française venaient aussi se réfugier ici pour gagner leur vie en gardant les troupeaux. Jamais un gendarme valaisan ne serait monté depuis Sion pour venir les chercher et jamais un habitant de La Sage n'aurait été les dénoncer. Ici — tu as raison de me poser la question — ici nous sommes en lieu sûr pour ce que nous devons faire qui n'est pas simple. On ne peut pas être plus près du ciel.

— Je m'excuse de vous contredire, monsieur, il y a un monastère au Tibet à 5 030 mètres d'altitude. On l'a dit en classe de géographie : les moines de ce monastère sont les hommes qui vivent en permanence à la plus grande altitude.

Théo contempla Sophie avec des yeux ronds. Il faillit la tancer puis il se souvint qu'à son âge, il prenait lui aussi plaisir à contredire les professeurs ignorants. Il fila par la tangente :

— Ces moines ne sont plus dans leur monastère : ils ont été expulsés par l'armée chinoise, car les marxistes ne peuvent pas supporter que l'on prie. Ces chalets-ci nous permettent d'avoir la tête au plus près du ciel tout en gardant les pieds sur terre. Pas à n'importe quel endroit : en Suisse. C'est la meilleure combinaison que je connaisse entre l'audace et la prudence. Ces moines tibétains ont été trop prétentieux. Il ne faut jamais essayer de battre des records. Ce n'est pas poli pour ceux que l'on surpasse. Et, à supposer que l'on soit le meilleur en quoi que ce soit, il faut bien se garder de s'en prévaloir.

Sophie avait été élevée au point d'équilibre entre la mystification roumaine et l'orgueil français. Sans même que Irina et Michel s'en rendent compte, ils lui avaient appris à mentir et à se glorifier en toutes circonstances. Sophie se tut en méditant ce trait de morale helvétique qui la surprit beaucoup.

Théo attribua les mayens à la ronde. Le plus grand pour la famille Martin au complet, y compris madame mère Vescovici qui avait refusé de rester toute seule plusieurs jours à Lausanne. Irina s'enquit immédiatement de la possibilité d'entamer une lessive tandis que Michel s'isolait pour appeler Galatée au moyen de son téléphone portable.

Charbel et Mona Kassis, accompagnés d'une femme de chambre, emménagèrent dans le chalet le mieux équipé. Le plus petit, juste une chambre et un cabinet de toilette aménagés dans un raccard, suffit pour Ruth et Sean. Dans son propre chalet, Théo avait logé madame Gaudin, une veuve de La Sage qui assurerait l'intendance. Enfin, il pointa un doigt hésitant vers le mayen accroché le plus haut : sur la terrasse deux silhouettes agitèrent la main dans la direction du groupe :

— Ma sœur et mon frère passent ici leurs vacances. Vous les rencontrerez. Mais n'en parlez surtout à personne. Le pape est ici incognito. Il a besoin de se reposer et de n'être pas dérangé par les journalistes.

Et Ruth la sentencieuse murmura un proverbe de l'Ecclésiaste à l'oreille de Sean :

— Le silence de l'homme attire le silence de Dieu.

— Moralisateur et plat, commenta entre ses dents Sean qui fit un geste de la main comme pour chasser une mouche. Quand Dieu se tait, on peut lui faire dire n'importe quoi.

*

— Je vais vous raconter l'histoire du chat de Schrödinger, dit Théo. Et puis nous irons déjeuner.

À la façon d'un bonimenteur de foire, il désignait, du bout d'une baguette en jonc, une planche représentant un chat dans une boîte. Ou plus exactement deux chats, l'un debout sur ses pattes et l'autre couché, raide mort.

— Ils se sont battus et l'un est mort, fit remarquer l'un des enfants Martin placés au premier rang de l'assemblée. Tout le monde clignait des yeux dans le soleil éclatant de midi.

— Non, dit Théo, c'est le même chat mais je l'ai dessiné deux fois parce que je ne sais pas s'il est vivant ou mort. Je suppose que la boîte est fermée.

— Si un chat est vivant, il miaule quand on l'enferme, objecta Sophie. Vous sauriez tout de suite s'il est vivant ou mort.

— J'ai soigneusement choisi mon chat, dit Théo. Il vient de l'île de Man où les chats ne miaulent pas.

— Je m'excuse de vous contredire, monsieur, reprit Sophie, les chats de l'île de Man sont particuliers parce qu'ils n'ont pas de queue. Je n'ai jamais entendu dire qu'ils ne miaulaient pas.

À l'âge de neuf ou dix ans, la petite fille portait des lunettes. Elle devait lire beaucoup. Trop, pensa Théo, dont la démonstration échouait sur le banc de sable d'une logique intraitable, parce qu'elle était à la fois enfantine et féminine. Cependant, contrairement à son habitude, il ne s'énerva pas. Il avait décidé qu'il parviendrait à expliquer le chat de Schrödinger aux enfants de sorte que les adultes ne pussent prétendre que son propos était trop compliqué et en profitassent pour ne pas l'écouter.

Contrairement aux adultes, les enfants savent encore que la réalité n'est pas ce qu'elle paraît être, comme s'ils se souvenaient d'une expérience vécue dans un autre monde ou aspiraient à sortir de celui-ci. Ils constitueraient donc les meilleurs alliés de Théo dans sa difficile démonstration. Le chat de Schrödinger n'était que le premier animal de la ménagerie quantique que Théo souhaitait faire visiter pour ébranler les convictions les mieux assises.

Ils étaient tous assis en rond sur des chaises de jardin : Charbel et Mona Kassis, Michel et Irina, Sean et Ruth, madame mère Vescovici rallumant ses cigarettes aux mégots qui tombaient de son interminable porte-cigarettes. Au premier rang, les cinq enfants étaient assis à même l'herbe.

Théo décida de prendre le temps qu'il faudrait pour réduire

l'objection sans intimider les enfants par des arguments d'autorité. Il s'abstint donc d'aller chercher un volume de l'*Encyclopedia Britannica* dans la bibliothèque du chalet. Il n'était du reste pas sûr d'avoir raison.

— J'admets que les chats de l'île de Man n'ont pas de queue, accepte qu'ils ne miaulent pas.

— D'accord, dit la petite Martin, si vous effacez les queues. Mais j'ai tout de même raison.

Théo obtempéra en biffant les queues avec son marqueur et reprit :

— Le chat est peut-être mort, à cause d'un mécanisme que vous pouvez voir ici à gauche. Un levier actionné par une petite boîte peut laisser tomber un marteau sur une fiole contenant un gaz asphyxiant. Si le marteau tombe, le chat meurt.

— Vous tuez maintenant des chats dans votre laboratoire ! se récria Sophie. Je croyais que tuer des animaux c'était bon pour des médecins mais que les physiciens ne faisaient pas cela.

— Nous ne faisons pas cela du tout, la rassura Théo, il s'agit d'un *Gedankenexperiment*.

— Qu'est-ce que cela veut dire ?

— Cela veut dire une expérience en pensée, une expérience que l'on ne réalise pas vraiment mais que l'on pourrait tenter et sur laquelle on désire simplement réfléchir.

— Ah ! Je comprends. Je pense souvent à l'eau de Javel qui se trouve sous l'évier de la cuisine. Je me demande ce qui arriverait si je la mélangeais avec du sel, mais maman a dit qu'il ne fallait pas que je touche à l'eau de Javel.

— Elle a tout à fait raison, confirma Théo, et tu fais bien de lui obéir. Donc nous procédons, ici et maintenant, bien que nous ne soyons pas dans un laboratoire mais à la montagne et en plein air, à une expérience par la pensée. Je reprends. Comme la boîte est fermée, on ne sait pas si le chat est mort ou vivant, parce qu'on ne sait pas si le marteau a cassé la fiole.

— Pourquoi ne le sait-on pas ? demanda le petit sphinx à lunettes.

— Parce que le marteau est actionné par un atome d'uranium. Vous savez ce que c'est l'uranium.

— Oui ! répondirent avec enthousiasme trois enfants sur cinq. Les explications fusèrent, un peu confuses. La petite intellectuelle finit par résumer :

— C'est un corps qui se désintègre. Cela sert à construire des réacteurs nucléaires et des bombes.

— Juste, dit Théo, supposez que nous ayons un kilo d'uranium. Chaque minute il y a quelques atomes qui se désintègrent. Ils émettent de l'énergie qui peut servir soit à faire tourner une centrale, soit à fabriquer une bombe. Chaque minute, c'est le même nombre d'atomes qui se décomposent mais on ne sait pas précisément lesquels vont se désintégrer pendant une minute déterminée. C'est une moyenne sur un très grand nombre d'atomes. Chaque atome finira par se décomposer mais on ne peut pas prédire quand il le fera, aujourd'hui ou dans mille ans.

— En somme, dit la petite pertubatrice, les atomes s'entendent entre eux et ils décident chaque minute à qui c'est le tour de se désintégrer.

— Tu peux l'imaginer comme cela, concéda Théo, les savants préfèrent dire que chaque atome a une certaine probabilité de se désintégrer à chaque minute et, quand il y a beaucoup d'atomes, la moyenne de ceux qui se désintègrent durant une minute est toujours la même. Mais pour un atome bien déterminé, on ne peut connaître son état qu'en faisant une mesure sur lui. Et donc pour un atome tout seul, jusqu'à ce que l'on ait fait subir cette mesure, on ne sait pas s'il est désintégré ou non. On est dans le doute : on saura ce qu'il en est en faisant une mesure sur cet atome qui, à ce moment-là seulement sera rangé dans une des deux catégories : désintégré ou non. Avant la mesure, il est les deux à la fois. D'accord ?

— Oui ! hurlèrent les enfants.

Aucun adulte n'objecta. La tactique de Théo fonctionnait.

— Dans la boîte fermée, il y a un chat, vivant ou mort, et un atome, désintégré ou non. Et les deux vont ensemble : si l'atome est désintégré, le chat est mort et inversement. Or, en toute rigueur scientifique il faut dire que l'atome est à la fois désintégré et non. Et qu'on décide ce qu'il est en le mesurant.

— Cela ne veut rien dire, objecta la petite Martin. Ou bien il est désintégré ou bien il ne l'est pas. Il faut qu'une porte soit ouverte ou fermée, comme dit papa.

— Vous dites cela ? demanda Théo à Michel.

— Oui, avoua Michel. Il faut parfois leur expliquer que les choses sont noires ou blanches. On réussit ou non son année à l'école, n'est-ce pas ? Vrai ou faux ?

— C'est bien la difficulté, continua Théo. Dans la nature, tout ne fonctionne pas de façon binaire, noir ou blanc, vrai ou faux. C'est une façon simple, trop simple de se représenter l'univers microscopique comme nous voyons l'univers macroscopique.

— Qu'est-ce que cela veut dire macroscopique ? demanda Sophie.

— C'est le contraire de microscopique. C'est grand par rapport à ce qui est petit.

— Mais comment sait-on si quelque chose est grand ou petit. Est-ce que la plus grande des petites choses diffère de la plus petite des grandes choses ?

Théo fut soufflé :

— Tu es très maligne, Sophie. Il y a toute une équipe dans un laboratoire de Paris qui essaye de trouver où se situe la frontière.

— Ils ne la trouveront pas, conclut Sophie.

Théo soupira :

— Tu as peut-être raison. C'est une question difficile. Pourquoi un atome se comporte-t-il de façon différente selon qu'il est seul ou avec d'autres atomes ? Telle est bien la question. Mais revenons à nos moutons.

— Il y a aussi un mouton ? demanda le plus jeune des Martin un peu perdu.

— Non, l'interrompit Sophie. Tu n'as rien compris. C'est une façon de parler. Tais-toi et écoute le professeur.

Théo remercia Sophie d'un regard et recommença ses explications.

— Dans le monde de tous les jours, les portes sont ouvertes ou fermées. Dans le monde microscopique, une porte n'est ni ouverte, ni fermée : en essayant de passer, on l'amènera dans une des deux positions, on passera ou on se cassera le nez sur la porte fermée.

Les enfants rirent. Les adultes aussi par contagion. L'atmosphère s'y prêtait. Le soleil brillait, le ciel était bleu, l'herbe verte et les géraniums, accrochés en masse au balcon, étaient rouges comme il n'est pas permis de l'être. En montagne, il n'y a pas de place pour les teintes pastel. La nature est franche comme l'air est pur et les hommes honnêtes. Tout devient simple, même la difficulté d'exister du chat de Schrödinger.

— Voilà, dit Théo, le paradoxe : le fait de mesurer l'état d'une particule fixe cet état alors qu'avant la mesure il était indéterminé. Le fait de vérifier si un atome est désintégré ou non fera qu'il « choisira » une des deux possibilités. Cela a l'air fou, contradictoire avec notre expérience de tous les jours mais c'est comme cela que ça se passe. Compte tenu de la petite mécanique installée dans la boîte, aussi longtemps qu'on n'ouvre pas la boîte, le chat semble à la fois vivant et mort. Dire : il faut qu'il soit vivant ou mort n'a pas de sens, pas plus que dire que l'atome d'uranium est désintégré ou non. En ouvrant la boîte et en vérifiant l'état de l'atome, on précipitera le destin du chat dans un des deux sens possibles. Le fait de vouloir savoir s'il est vivant ou mort fera qu'il sera l'un des deux.

— Et personne n'a essayé vraiment de construire la boîte ? demanda l'inlassable questionneuse.

— Non, avoua Théo.

— Tant mieux, dit la petite fille. On risquait de tuer un chat dans l'expérience.

— La question, dit Théo, est maintenant la suivante : comment est-on passé d'un chat mort-vivant à un chat mort ou à un chat vivant ? Est-ce le fait d'ouvrir la boîte ? Le simple fait de l'observer peut-il le faire passer de vie à trépas ? Ou bien était-il déjà dans cet état avant que la boîte soit ouverte ?

Madame mère Vescovici ne put se retenir d'intervenir, tout en gardant le porte-cigarettes coincé entre les dents, ce qui brouillait encore davantage une intervention prononcée avec l'accent rocailleux de la grande dame roumaine exilée, dans l'inoubliable style d'Elvire Popesco.

— Les savants se posent-ils vraiment ces questions ?

— Oui, madame. Depuis trois quarts de siècle. Schrödinger a imaginé son expérience en 1935 et, depuis, on n'arrête pas d'en discuter.

— Je comprends maintenant, dit l'aïeule.

— Merci, madame, dit poliment Théo.

— Non, vous ne m'avez pas bien entendue. Moi, je n'ai rien compris à vos explications, monsieur le professeur. Mais j'ai compris pourquoi Mao a chassé les professeurs d'université dans les campagnes lors de la révolution culturelle. En brassant le fumier à mains nues, ils y ont au moins appris ce que c'était que de gagner son pain à la sueur de son front plutôt qu'en discutant sans cesse d'une expérience qu'on ne peut de toute façon pas réaliser. Si en ouvrant la boîte vous trouvez votre chat mort, vous serez bien avancé puisque vous ne pourrez pas répondre à la question posée tout à l'heure : quand le chat est-il mort ?

— Maman ! S'il te plaît ! dit Irina. Laisse le professeur continuer. En Roumanie, tu étais contre le communisme, ici tu es contre le capitalisme. Tu es toujours contre tout.

Madame mère ronchonna pour la forme et se tut. Son objectif était atteint, tout le monde l'avait écoutée alors qu'elle faisait un peu figure de potiche jusque-là. Théo reprit :

— Ce que j'essaie de vous expliquer avec le chat de Schrödinger, c'est précisément le résultat d'une foule d'autres expériences, que je n'ai pas le temps de vous décrire. Elles nous montrent toutes que la réalité au niveau le plus fin n'est pas ce qu'elle nous paraît au niveau où nous vivons, avec les sens assez grossiers dont nous disposons. Bien sûr qu'un chat est normalement vivant ou mort, mais dans l'expérience que je vous ai décrite son existence est suspendue à celle d'un atome qui peut être à la fois dans deux états différents, comme suspendu entre deux réalités distinctes. Mesurer l'état de l'atome signifie agir sur lui. D'une certaine façon, bizarre, provocante, dérangeante, ce paradoxe démontre que la réalité nous échappe, qu'elle se voile d'incertitude, que nous ne pouvons pas la connaître sans la perturber, c'est-à-dire d'une certaine façon la créer dans l'acte de la connaître. Les choses sont ce qu'elles sont parce qu'il y a un observateur. Elles deviennent réelles au moment où nous les contemplons. Voilà l'essence du paradoxe.

— Qu'est-ce que c'est qu'un paradoxe ? recommença à questionner Sophie Martin.

Théo respira une grande bolée d'air. Il lui fallait improviser une définition de l'indéfinissable à quelques minutes du déjeuner, c'est-à-dire en état d'hypoglycémie et à l'intention d'auditeurs de moins en moins attentifs.

— C'est une vérité que l'on ne comprend pas encore.

— Si on ne la comprend pas, comment sait-on que c'est une vérité ? objecta Sophie.

— Jusqu'à ce qu'on comprenne, on ne sait pas que c'est une vérité, improvisa Théo. Une fois que tout le monde a compris, il devient évident que c'est une vérité et l'on ne comprend plus pourquoi personne ne comprenait pas auparavant.

— Ah, j'ai compris ! C'est comme Galilée. Avant qu'il ait prouvé que la Terre tourne autour du Soleil, tout le monde croyait que c'était le Soleil qui tourne autour de la Terre parce que nous voyons le Soleil se lever et se coucher. Mais en fait, c'est la Terre qui tourne sur elle-même. Comme nous ne sentons pas que la Terre bouge, nous croyons qu'elle est immobile.

— Tu as tout compris, dit Théo. Comment t'appelles-tu ?

— Sophie.

— C'est normal que tu comprennes tout. Sophie veut dire la sagesse en grec.

La petite Sophie Martin devint rouge de plaisir. Elle passa le reste de la journée à guetter si l'assistance l'observait. Occupée de la sorte par le dessein gratifiant de mesurer sa popularité plutôt que par la tâche ingrate de contredire un Prix Nobel, elle se tut désormais.

— Revenons à notre chat, dit Théo. Je vais conclure parce qu'après cela il sera temps d'aller manger.

— Oui ! crièrent les enfants, sauf Sophie pétrifiée de narcissisme.

— La boîte est fermée. Je ne sais pas si le chat est mort ou vivant. En ouvrant la boîte, je ne vais pas vérifier ce qu'il en est mais je vais faire bien plus : décider de son sort. Alors, il y a deux explications à ce type de paradoxe. La première est celle de mon vieil ami Eugène Wigner…

— Prix Nobel de physique 1963, murmura, à l'oreille de Ruth, Sean incollable sur ce palmarès auquel il brûlait d'inscrire son nom.

— Wigner fait remarquer qu'il y a, bien évidemment, une influence de la matière sur l'esprit. Si je bois du café, je réfléchirai mieux, surtout si j'ai tendance à m'assoupir.

Sophie Martin prit bonne note de ce principe et se promit de demander à sa mère pourquoi le café lui était interdit. Mais elle s'abstint d'interrompre. Théo comprit qu'il avait le champ libre :

— Or, un grand principe de la physique veut que toute action produise une contre-réaction. Puisqu'il y a une influence de la matière sur l'esprit, il est raisonnable de supposer qu'il y a une réaction de l'esprit sur la matière. Dès lors, disait Eugène, enfin je veux dire Wigner, avec son pittoresque accent hongrois en anglais, nous pourrions représenter la réalité par la combinaison de deux entités : une fonction d'onde prédisant avec une plus ou moins grande probabilité l'état de toutes les particules de l'univers et un champ de l'esprit. En décidant de prendre connaissance de l'état de la matière, le champ de la conscience impose cet état. La réalité se réduirait à un état bien précis au moment où nous nous en occupons. C'est donc au moment précis où j'essaie de savoir si le chat est vivant ou mort que son sort se décide.

Michel leva poliment la main comme s'il se trouvait dans un colloque académique.

— Je vous en prie, dit Théo.

— J'ai une objection, dit Michel. Poursuivons le *Gedankenexperiment* jusqu'au bout. La boîte est fermée. Le chat est mort-vivant.

Mais une caméra le filme. Et un système de traitement d'image analyse le film, prêt à noter l'instant où le chat s'immobiliserait, c'est-à-dire où il serait mort parce que la réaction nucléaire a eu lieu et que le marteau a cassé l'ampoule de mort. Une machine à écrire note alors : « Le petit chat est mort. » Sinon : « Le petit chat est vivant. » La feuille de papier est scellée dans une enveloppe et remise à l'expérimentateur sans qu'il sache quelle est la réalité. Il n'ouvre pas l'enveloppe, il ne sait pas ce qu'il en est du chat. Un an plus tard, distraitement il ouvre l'enveloppe, apprend ce qu'il en était. Mais l'expérience est terminée depuis longtemps. Le garçon de laboratoire a, selon le cas, libéré ou enterré le chat. L'acte de prendre connaissance du message devrait déclencher une causalité en arrière, qui remontant le cours du temps sur une année déciderait d'un événement passé. C'est absurde.

— Non, dit Théo, c'est paradoxal. Il n'est pas absurde de supposer qu'il soit possible de remonter la flèche du temps, que le futur puisse influencer le passé. Cela revient à sortir du carcan de la causalité habituelle où seul le passé peut influencer le futur, où le futur est en quelque sorte contenu dans le passé et n'a pas d'existence propre. On peut aussi considérer un monde possédant une finalité où le présent s'organise en fonction du futur.

Sophie ne put se retenir :

— Je ne comprends pas cette discussion entre papa et vous, monsieur, mais j'ai une idée. Moi, je n'ai pas besoin d'une caméra et d'un traitement d'images pour vérifier sans ouvrir la boîte si le chat est mort ou vivant.

Théo la regarda avec perplexité.

— Il suffit de faire un petit trou dans la boîte et d'y introduire une souris. Si elle ressort vivante, c'est que le chat est déjà mort.

— Bonne objection, dit Michel. Il n'y a pas besoin d'un observateur humain. Le sort du chat est décidé par une souris. Nous ne sommes donc pas d'accord avec votre interprétation de la réalité qui existe dans la mesure où un homme l'observe. Ce n'est pas une affaire de conscience, sinon il faut supposer que la conscience d'une souris suffit. Mais exposez la seconde explication du paradoxe.

— Elle est encore plus curieuse, dit Théo. C'est la théorie des univers parallèles que Hugh Everett a imaginée en 1957. Au moment où l'on ouvre la boîte, il n'y a pas réduction de l'incertitude en l'un de ses deux termes : le chat est vivant ; le chat est mort. Mais plutôt la bifurcation dans deux univers différents qui se mettent à exister chacun séparément : celui où le chat est mort ; celui où le chat est vivant. Car pourquoi le fait de se renseigner sur un fait incertain devrait-il faire pencher la balance d'un côté plutôt que de l'autre ? Il est plus satisfaisant d'imaginer deux observateurs notant deux résultats différents dans deux mondes qui se mettent à exister séparément, sans qu'il y ait la moindre possibilité de communiquer entre eux.

— Cela veut dire, intervint Sean, que, chaque fois qu'un homme prend connaissance du résultat d'une expérience, l'univers se dédouble et l'homme en question se dédouble aussi. Chaque fois que quelqu'un joue à pile ou face, il en résulte deux univers. Comme il y a beaucoup d'hommes et beaucoup d'expériences, les univers ne cessent de se multiplier. Chaque fois qu'un parieur mise au loto ou sur les courses, il surgit autant d'univers que de combinaisons possibles des résultats. À chaque coup de la roulette, trente-sept univers apparaissent puisque c'est le nombre des cases de la roulette.

— Tout à fait. Cela peut paraître fou mais nous ne pouvons pas l'exclure. Nous ne serions pas une seule conscience, mais un foisonnement comme les branches d'un arbre qui divergent et se terminent provisoirement sur une multitude croissante de bourgeons.

— Moi, je donne ma langue au chat de Schrödinger. Merci pour votre exposé, dit Charbel, qui tenait à montrer qu'en dernière analyse il était en position de force pour lever la séance.

Dans un grand brouhaha, tout le monde se dispersa en emportant sa chaise car il n'y en avait pas assez dans le chalet.

Sean demanda à Ruth :

— Crois-tu au champ de la conscience comme Wigner ou bien aux univers parallèles de Everett ?

— Ni à l'un, ni à l'autre. Ou bien à l'un et à l'autre en même temps. La réalité nous échappera toujours parce qu'elle est la création de Dieu que nous ne pouvons pas piéger dans nos certitudes. Notre logique de tous les jours échoue à comprendre l'état dans lequel se trouve un seul atome. Il existe donc une autre logique, une logique de l'absence de logique qui est le signe d'une présence, celle d'un esprit radicalement autre, qui nous dépasse. Mais je sais cependant une chose comme tous les Juifs : ce que nous appelons le hasard, c'est Dieu qui se promène incognito, comme le disait déjà Albert Einstein.

— Pourquoi les Juifs auraient-ils des renseignements spéciaux sur Dieu.

— Nous le connaissons depuis plus longtemps que n'importe qui d'autre.

— Même les Irlandais ?

— Oui. Vous avez quinze siècles de retard !

— Nous en reparlerons dans quinze siècles, répliqua Sean imperturbable.

— Nous aurons toujours quinze siècles d'avance et nous serons un peu plus loin que nous le sommes maintenant. Je vais te raconter une histoire qui courait en Union soviétique peut de temps avant que le régime et le pays s'effondrent. Mikhaïl Gorbatchev en visite à Washington remarque dans le bureau ovale du président Reagan non seulement le téléphone rouge qui relie la Maison Blanche au Kremlin mais aussi un téléphone en or. Intrigué il demande quelle est sa fonction : Ronald Reagan lui répond que c'est une ligne directe avec Dieu. Gorbatchev demande s'il peut l'utiliser. Reagan le lui accorde mais signale que le prix de la communication est exorbitant, cent mille dollars la minute. Gorbatchev dépité renonce à son coup de téléphone. Plus tard, en visite à Jérusalem, dans le bureau de Chaïm Herzog, il remarque le même téléphone en or et s'enquiert du prix de la communication. Le président israélien annonce un dollar pour trois minutes. Gorbatchev s'émerveille. Et Chaïm Herzog de hausser les épaules : « Oh, vous savez ! Ce n'est qu'une communication locale ! »

— C'est une belle histoire, commenta Sean rêveur. Il semble bien qu'un jour Gorbatchev ait décroché ce téléphone, ait découvert un correspondant au bout de la ligne et se soit converti. J'aimerais bien découvrir ce téléphone en or.

— Tu en as besoin pour te convertir, demanda Ruth.

— Oh non ! Comme tous les Irlandais, j'ai sucé la foi avec le lait de ma mère. Je n'ai jamais douté mais j'aimerais tout de même poser un certain nombre de questions. J'ai des réclamations à formuler.

*

La table était dressée pour le festin sous l'auvent qui bordait la façade sud du chalet. Le soleil était trop vif pour s'exposer à ses rayons. Protégés de la chaleur, les plats composaient une symphonie de couleurs : radis roses, olives noires, tomates mimosas, *hommos* beige couvert d'huile d'olive verdâtre, *carciofi alla giudecca* virants au caramel, tapenade basanée, poulpes en daube blancs et roses, glauque caviar d'aubergine, anchois argentés, concombres vert tendre au yaourt, feuilles de vigne farcies, taboulé blond parsemé de raisins bruns comme des yeux, crevettes roses et homards écarlates. Théo, qui connaissait son monde, fit patienter la compagnie afin qu'elle dévore des yeux et aiguise son appétit par cet apéritif immatériel.

Un enfant Martin agitait la cloche, identique à celle qui pendait au cou des vaches disséminées aux alentours. Maniée avec vigueur et détermination, son carillon fit se lever Emmanuel et Colombe qui prenaient toujours le soleil sur la terrasse de leur chalet. Ils descendirent en sautant de motte d'herbe en rocher.

Théo présenta les invités. Les Kassis, tout émus de se retrouver en présence d'Emmanuel de Fully, pape régnant sous le nom de Jean XXIV, insistèrent pour baiser l'anneau du pêcheur qu'il portait. Irina et Sean firent de même. Ruth réussit une sorte de révérence tandis que Michel se contenta de serrer la main tendue. Il l'aurait peut-être refusée en d'autres circonstances, mais il lui parut impossible de gâcher l'atmosphère de la fête. Madame mère Vescovici se contenta d'incliner la tête car ses convictions marxistes coulaient à plein bord pour l'instant.

Emmanuel était vêtu d'un pantalon de toile beige, d'une chemisette de coton et de grosses chaussures de montagne. Il ne portait d'autre signe de sa fonction qu'une croix de bois pendue à un lacet de cuir. Depuis sa marche triomphale du Vatican à la basilique du Latran un an plus tôt, c'était la première fois qu'il prenait des vacances. Le pape n'était plus qu'un prêtre suisse anonyme passant ses vacances dans le chalet familial. Il avait souhaité se fondre dans la banalité et il y avait réussi.

Colombe faisait bien plus grande impression : mince, brûlée par le soleil, la frange de ses cheveux poivre et sel découvrait un regard vif et perçant. Tout en souriant, elle ne cessait d'observer. Elle serra vigoureusement la main des hommes, embrassa les femmes et les enfants. Elle portait une robe longue et droite taillée dans un pagne africain, bleu et vert. Elle ressemblait à une allégorie de la vie elle-même, tant ses gestes étaient souples et son regard vif.

Théo annonça que l'on ferait fi de toute préséance : il en résulta que les derniers reçurent ostensiblement les premières places. Pour la première fois de sa vie, Mona Kassis mangea face à sa femme de chambre. Madame Gaudin fut invitée par Emmanuel à s'asseoir à sa droite. Théo s'assit en bout de table à proximité de la cuisine, pour parer aux imprévus. Puis Colombe, qui était installée au milieu de la table, fit le service en composant une assiette selon le goût de chacun. Emmanuel servit le vin, assez cérémonieusement en tournant autour de la table pour suivre l'ordre des préséances. Il proposait en blanc une Petite Arvine et en rouge un Humagne, tous les deux des vignes de son ami Jean Crettenand, avec qui il avait fait ses études au collège de Sion.

On mangea, on but et on complimenta Mme Gaudin. Elle déclina l'éloge et le renvoya à Théo qui s'était levé dès six heures le matin pour tout préparer avant la venue de ses hôtes. On se resservit jusqu'à la réplétion.

Grâce à la présence des enfants, qui s'étaient éparpillés autour de la table, la conversation fut animée, sans l'embarras qui aurait pu subsister entre des convives aussi étrangers l'un à l'autre : il y avait quatre Suisses, trois Libanais, deux Roumaines, six Français, un Irlandais et une Israélienne ; huit catholiques, deux orthodoxes, une juive et six incroyants.

La conversation se déroulait en français avec une variété réjouissante d'accents : seul Michel s'imaginait, comme tous les Français, n'en avoir aucun. Il se détendit. Il perdit Galatée de vue. Il oublia complètement ses soucis et parvint à se fondre dans le présent, lui qui était toujours tourmenté par le passé et inquiet de l'avenir. Il n'y avait plus que le soleil, la montagne, un ruisseau qui dévalait la pente — il s'appelait le torrent des Maures — le carillon nonchalant du troupeau de vaches et puis les hommes et les femmes, assis autour de la table du banquet, pareils à lui, heureux dans cet interstice de l'histoire, mortels et cependant impérissables.

Le partage du repas et l'échange de paroles, les sourires et les gestes, une confidence d'enfant chuchotée à l'oreille d'un adulte qui posait sa main sur l'épaule, le timbre des voix et le charme des regards, les toilettes et les bijoux, tout concourait à donner au banquet une dimension irréelle. Ce jour-là, Michel entrevit une vérité simple, d'habitude noyée dans le fatras des théorèmes dont son cerveau était obscurci : chaque instant qu'il vivait représentait un portique pour une dimension invisible du temps, qui est son absence devenue imaginable et accessible. Il rêva un instant, puis se ressaisit et écarta résolument cette tentation déraisonnable.

Théo avait soigné les desserts. Pour les enfants, il y avait des sorbets de parfums exotiques, la papaye, la mangue, l'ananas, le fruit de la passion, le citron vert. Pour les adultes, il y avait des poires au vin, un sabayon au marsala, des pommes au caramel, de la crème anglaise, du coulis de mûre, une corbeille de fruits frais et un plateau de gâteaux secs. Il avait tout cuit la veille, tout en écoutant l'excellente interprétation des sonates de Scarlatti par Christian Zacharias, musique et interprétation spirituelles et profondes qui inspiraient des pensées créatives au pâtissier amateur.

Pour fouetter le sabayon, il mit sa toque blanche qui suscita l'enthousiasme de la petite classe. La toque fit le tour de toutes les têtes blondes. Puis les enfants s'égaillèrent aux alentours des chalets. Ruth et Sean se dévouèrent pour les faire jouer. Les gens mûrs, qui avaient un peu trop mangé pour leurs appétits diminués, prirent le café et burent les alcools de fruit que Théo faisait distiller à partir de la production de son verger à Fully. Ce dernier excès poussa les uns et les autres à divers degrés d'une somnolence qui trouva l'occasion de s'assouvir dans les coins et recoins discrets de la propriété.

Emmanuel et Colombe remontèrent dans leur chalet. Théo, qui ronflait fort, prit soin de se réfugier à l'écart. Irina s'isola pour prier et Michel pour téléphoner à Galatée.

*

Il était déjà quatre heures et le soleil penchait vers le massif du Mont-Blanc, loin à l'ouest. Les enfants revinrent d'une course qui les avait judicieusement épuisés. Théo, Charbel, Ruth et Michel se réunirent pour entendre Sean qui allait faire le point.

Irina qui semblait légèrement agitée demanda à se réfugier dans sa chambre. Une fois que la réunion fut commencée et qu'elle fut sûre de ne pas être dérangée, elle se saisit du téléphone portable de Michel qu'il avait abandonné sur le lit et elle poussa sur la touche de rappel. Elle avait remarqué que, ces derniers temps, Michel utilisait de plus en plus son appareil.

Un enchaînement de sonneries se déroula jusqu'à ce qu'une voix féminine réponde :

— Vous n'arrêtez pas de me rappeler. Qu'est-ce qui se passe ?

Irina ne parvint pas à articuler un mot. La voix reprit :

— Qui est à l'appareil ?

En se forçant, Irina prononça :

— Irina Martin.

Il y eut un long silence à l'autre bout de la ligne, puis :

— Madame Martin, je suis confuse. J'ai oublié de me présenter. Je ne suis pas du tout ce que vous croyez…

Irina coupa la conversation et tomba à genoux en sanglotant.

*

Sur ces entrefaites, la réunion avait commencé dans le séjour du chalet de Théo. Sean parla longuement, en rapportant tout d'abord la surprise que lui avait causé l'effet Coover et surtout sa manifestation absolue dans le cas d'Irina. Théo reprit ses explications d'électrodynamique quantique pour insister sur le fait que le phénomène n'avait rien de tellement surprenant. En revanche, il démontrait combien les conséquences de la physique contemporaine pour la compréhension de l'esprit humain avaient été peu étudiées.

Puis, Sean exposa les mesures étonnantes effectuées lors des séances d'écriture automatique. L'expérience avait été recommencée, d'abord en présence de chercheurs de l'Institut Piaget de Genève, puis des spécialistes de l'Institut des sciences cognitives de Lyon, linguistes, informaticiens, psychologues, neurologues et philosophes. Sean, sensible au fait qu'il ne disposait que d'un seul sujet d'expérience, s'était lancé dans une recherche vaine parmi les voyantes, cartomanciennes et médiums divers qu'il était parvenu à localiser en lisant les petites annonces des quotidiens locaux. Comme il pouvait s'y attendre, il avait découvert autant d'imposteurs que de simulatrices.

Une publication portant quinze noms, en premier lieu ceux de Théo, Michel, Ruth et Sean, était prête pour expédition à la revue *Nature*, sous le titre modeste « A contribution to the mind-body problem » ; elle mentionnait la Fondation Kassis comme soutien de la recherche. En supposant qu'elle soit acceptée par l'éditeur de la revue, elle déclencherait sans aucun doute une controverse acharnée, auprès de laquelle pâliraient celles de la fusion froide et de la mémoire de l'eau. Bref, les munitions pour le combat ne manquaient pas, mais il serait sanglant. Dès lors fallait-il l'engager et selon quelle tactique ?

Avant que ne commence le débat, Michel prit la parole :

— Je dois évidemment féliciter Ruth et Sean du travail extraordinaire qu'ils ont accompli et confesser que je n'en attendais rien. Pire, j'espérais qu'ils obtiendraient seulement des résultats négatifs. Je suis donc très agréablement surpris mais en même temps de plus en plus inquiet. Je rappelle ma position de départ qui n'a pas changé : il est vain de chercher dans le visible la preuve qu'il existe un invisible.

Irina écrit sans que son cortex soit excité. Parfait. Il n'y a pas de cause au sens habituel du terme. Mais il ne faut pas en déduire hâtivement que l'esprit immatériel d'Irina commande son bras. Ou encore, pire, qu'un esprit distinct, un ange invisible pour employer votre terminologie, lui tienne la main. Nous ignorons la cause parce qu'elle ne se situe pas là où nous avons l'habitude de la chercher, dans le cortex. Ceci ne veut pas dire qu'elle ne se situe pas ailleurs, où nous n'avons pas songé à la chercher. Peut-être les mouvements de certaines personnes en certaines circonstances sont-ils déclenchés par des réactions chimiques dans les muscles moteurs. Que sais-je ?

Se précipiter sur une explication merveilleuse relève d'une mentalité prélogique, archaïque, crédule, superstitieuse. En ce qui me concerne, je suis tout à fait d'accord avec Jean-Pierre Changeux quand il proclame, avec une certaine provocation, que l'homme n'a plus rien à faire de l'Esprit. En revanche, vous considérez cette expérience avec certaines lunettes qui ne sont pas les miennes. Mais il faudrait bien autre chose qu'une expérience pour que je change de lunettes.

— Voilà, dit Théo, qui a le mérite de la clarté, même si cela ne nous avance pas beaucoup. Qu'allons-nous faire : publier ou non ce résultat ?

— Si nous le publions, dit Michel, je souhaite, non j'exige, que le préambule et la conclusion présentent l'expérience comme un fait brut dont nous ne tirons aucune espèce de conclusion philosophique : nous ne sommes ni pour, ni contre l'existence d'une conscience immatérielle, nous n'en savons toujours rien, nous ne nous en occupons pas, nous versons simplement une pièce au dossier en soulignant à quel point nous n'en tirons aucune conclusion.

— Vous imposez de la sorte un point de vue particulier, minoritaire, fit remarquer Théo. Ni moi, ni vos assistants, ni certains des signataires de l'université de Genève ou de l'institut de Lyon n'ont la même analyse que vous. Notre objectif n'est pas de proclamer l'existence de l'Esprit parce que la main de votre épouse serait mue par une force inconnue. Il consiste plutôt à mettre en garde ceux qui, comme Changeux ou Crick, énoncent des conclusions métaphysiques hasardeuses ne reposant en dernière analyse que sur un nombre limité d'expériences et sur leurs convictions matérialistes.

Nous désirons, M. Kassis et moi, et puis beaucoup d'autres, forcer ce blocus et semer au moins le doute dans des esprits trop sûrs d'eux-mêmes. On ne peut pas à la fois prétendre être rigoureux dans une domaine bien restreint de la réalité et en même temps déborder du cadre initial pour parler avec arrogance de ce que l'on n'a pas étudié. Ma petite fable du chat de Schrödinger ce matin avait pour but de vous rappeler que le scientisme repose sur une vision très ancienne du monde, mise en cause depuis le début du siècle par les physiciens eux-mêmes.

Mona fit servir le thé par sa femme de chambre après en avoir demandé l'autorisation à Théo. Elle professait une foi inébranlable dans les vertus pacificatrices et civilisatrices de ce breuvage qui a juste assez de goût pour ne pas être pris pour de l'eau chaude sans en avoir tellement qu'il puisse surprendre un palais britannique. La controverse mollit sous le bruit des petites cuillères, qui brassaient le sucre et faisaient résonner la porcelaine, un Wedgwood de bon aloi, hérité par Théo d'une de ses grand-mères, anglaise de souche pure. Elle s'était prise de passion pour la montagne qu'elle parcourait dans les tenues pittoresques des Anglaises de l'époque. Mais elle n'avait pas renoncé à prendre le thé de façon civilisée.

— Je vais reprendre la question par un autre bout, reprit Michel. Dans la liste des noms, le mien joue un rôle particulier. Je dirige un laboratoire et j'assume la responsabilité entière de ce qu'il publie. Je suis le fusible qui saute si la controverse dépasse certaines limites. Le président Viredaz, qui n'attend que cela, aura tout loisir de me démettre. N'oubliez pas, monsieur Kassis, que votre objectif initial a été vicié par Norbert Viredaz. Vous souhaitiez que l'expérience réussisse parce que vous croyiez ainsi valider une hypothèse qui vous est chère. Le président souhaite aussi qu'elle réussisse parce que, compte tenu des préjugés actuels, elle ne peut pas réussir et que je serai donc accusé de fraude. D'autant plus que les conditions de l'expérience sont hautement suspectes : il n'y a qu'un seul sujet et celui-ci se trouve être la propre épouse du professeur directeur du laboratoire ; cela sent à plein nez la collusion. Même en m'entourant de tous les témoins d'honorabilité possibles, comme le fit jadis Jacques Benveniste dans ses expériences sur la mémoire de l'eau, je pars perdant. Ce sera le casse-pipe.

— Au pis, intervint Charbel, cela signifie que vous serez démis de vos fonctions et libre de travailler à temps plein dans la banque. Je vous signe ici et maintenant, si vous le souhaitez, un contrat ferme qui vous met définitivement à l'abri au point de vue financier. Écartons, si vous le voulez bien, cette question secondaire que je puis résoudre.

— Je vous remercie, répliqua Michel, mais cette question n'est pas du tout secondaire pour moi. Dans ce scénario catastrophe vous n'obtenez rien. Le directeur du laboratoire, qui a effectué les mesures, est démis de ses fonctions. Cela signifie pour la communauté scientifique que ces expériences n'avaient aucune valeur. C'est comme si elles n'avaient jamais été faites. Et moi je perds non seulement ma fonction mais aussi ma réputation scientifique alors que je travaille depuis dix ans à un projet de compression d'image qui permettra de définir une fois pour toutes la norme de la télévision numérique. Je perds tout et vous perdez tout. Viredaz gagne. Et ceux qui sont derrière lui.

— Alors, demanda Charbel, que proposez-vous ? Enterrer ces résultats ? Chercher d'autres sujets ? Explorer d'autres voies ?

Comme Michel ne répondait pas, Théo intervint :

— Je voudrais tout de même défendre mon collègue. L'acte de publication possède une signification que l'on n'imagine pas en dehors du monde scientifique. Publier, c'est s'exposer. Cela veut dire plusieurs choses à la fois : non seulement que certaines mesures ont été faites dans certaines circonstances mais aussi que le signataire estime ces résultats significatifs. On ne peut pas attester qu'une main a écrit un texte, alors que le cortex n'était pas excité, sans prendre parti implicitement dans la gigantesque querelle entre matérialistes et spiritualistes. On se range dans le second camp, même si l'on assortit la publication de précautions oratoires. Sur ce point mon collègue Martin réagit normalement. La simple publication de résultats, tendant à authentifier des phénomènes paranormaux, déconsidère le signataire quel que soit d'ailleurs le résultat. Son véritable tort aux yeux de l'opinion scientifique est d'avoir effectué ces mesures. Elles signifient qu'il cherchait quelque chose qui est au fond interdit par la conception dominante de la science.

Michel adressa un sourire de remerciements à Théo. Il n'avait aucune envie de fâcher Charbel Kassis qui était aussi, d'une certaine façon, son patron. Il essaya de s'expliquer :

— La science n'est pas seulement un corps de doctrine mais aussi un assortiment de dogmes, de préjugés et de croyances. Personnellement, j'accepte de désigner le scientisme comme une idéologie et d'essayer de m'en démarquer. Mes réactions montrent à quel point la tâche est difficile. Placé devant l'évidence de deux phénomènes, à savoir l'effet Coover et l'effet Irina, qui contredisent les modèles utilisés pour représenter le cerveau, je m'efforce spontanément de trouver des explications conformes au modèle dominant. Je ne puis convaincre la communauté scientifique si je ne suis pas moi-même convaincu. De même je ne puis pas exposer ma réputation dans une querelle où je me trouverais à mon corps défendant dans un camp qui n'est pas le mien.

— Il faut trouver autre chose. Nous sommes samedi et nous avons encore deux jours de réflexion, fit remarquer Théo. Je retiens tout de même de cet échange que ce n'était pas une très bonne idée d'effectuer ces expériences. Elles convainquent les convaincus et exacerbent l'opposition des autres.

On décida en fin de compte de ne rien décider, ce qui est la décision la plus courante en Suisse. L'environnement commençait à influer sur les esprits. D'ailleurs, selon la sagesse de toutes les tribus du monde, aussi longtemps qu'il n'est pas indispensable de prendre une décision, il est indispensable de ne pas la prendre.

En se dirigeant vers leur chalet, Sean commenta la réunion :

— En somme, il n'y a rien à dire sur ce qui est inconcevable.

— S'il n'y avait vraiment rien à dire, c'est encore trop de le dire, répliqua Ruth.

— Tu as gagné, admit Sean. En fait tout ce que j'ai à dire, c'est que je n'ai rien à dire.

— Tu te contredis encore, observa Ruth inflexible. Si tu n'as rien à dire, tu dois te taire.

*

Le vibreur de son portable alerta Michel. Il en fut surpris, car le numéro n'était connu que par sa secrétaire, qui ne travaillait bien entendu pas le samedi.

Ce n'était pas la secrétaire mais Galatée :

— Michel, tu dois tout de suite t'expliquer avec ta femme. Elle a formé mon numéro. Elle m'a entendue répondre. Elle va s'imaginer n'importe quoi.

Michel n'éprouva qu'un spasme de plaisir. Non seulement la voix de Galatée le détendait après cette séance pénible mais elle le tutoyait pour la première fois. Elle prenait l'initiative désormais. Elle était de plus en plus vivante.

— Michel, réponds-moi. C'est grave ce qui s'est passé !

Michel réfléchissait à une réponse qui rassurerait Galatée. Il la sentait inquiète. Il ne fallait pas qu'elle souffre des complications engendrées par Irina. Sinon Galatée finirait par se comporter de la même façon.

— Je parlerai à Irina lorsqu'elle sera calmée.

— Si tu traînes, cela va empirer.

— Je ferai du mieux que je puis. Ce n'est pas facile. Nous sommes tout le temps entourés de monde.

Michel ferma son portable de façon qu'il ne puisse plus être rappelé. Il n'avait jamais réussi à entretenir une relation normale avec sa femme. Deux femmes dans sa vie, c'était vraiment de trop.

VIII

Le lendemain, qui était un dimanche, Emmanuel célébra la messe en plein air sur la terrasse du mayen qu'il occupait. Michel se retrancha dans le sien en surveillant les cinq enfants et en répondant tant bien que mal aux interrogations de ceux-ci. Il dut même se fâcher parce que Sophie, sa fille aînée, avait grande envie d'aller voir ce qui se passait. Heureusement, Ruth vint soulager Michel en jouant avec les enfants : il trouva étrange qu'elle semble y trouver quelque intérêt ; peut-être le feignait-elle pour lui plaire ; il trouva encore plus singulier que quelqu'un s'efforçât de lui faire plaisir.

Puis, il cessa de spéculer dans le vide et s'isola pour téléphoner à Galatée qui l'apaisa en quelques phrases et lui conseilla de se détendre et de profiter de ce dimanche d'été sans arrière-pensées. Elle ne manqua pas de demander des nouvelles d'Irina. Michel prétendit qu'il avait eu une explication avec elle et que tout était arrangé. Il fut content de ne pas se trouver devant l'écran et la caméra de son bureau, car Galatée aurait décelé son mensonge sans coup férir. Il se sentait dans la position ridicule d'un personnage de Feydeau, emporté toujours plus loin dans la logique du mensonge. Il éprouva la brève tentation de mettre un terme à l'existence de Galatée en démantelant les programmes dont elle était composée mais il écarta tout de suite cette pensée qui lui parut intolérable. Depuis qu'il connaissait Galatée, il n'éprouvait plus aucune attirance pour Ruth ou Mona. S'il perdait Galatée, le monde serait à nouveau peuplé de femmes par trop réelles. Mieux valait s'en tenir à ce jeu. Il était impossible de l'expliquer à Irina. Elle était condamnée à souffrir de sa propre bêtise. Après tout, ses prétendues voix n'avaient qu'à la renseigner.

Michel déplia un transatlantique et se plongea dans un des exposés classiques sur la mécanique quantique, *The strange theory of light and matter* de Richard Feynman, que Théo lui avait prêté pour lui faire prendre conscience des singularités de la physique de ce siècle.

Madame mère Vescovici, les yeux cachés derrière d'énormes lunettes noires, enfoncée dans le meilleur fauteuil du séjour, fumait sans discontinuer. Michel lui parut disponible et oisif, puisqu'il se contentait de lire, activité parasite et stérile à son jugement. Elle commença donc à le harceler de demandes : ses lunettes de lecture, son livre, un verre d'eau pour avaler des comprimés censés lutter contre le mal de l'altitude, un châle pour se protéger du froid. Un univers hostile assiégeait ce paquet d'os et de nerfs, qui flairait avec suspicion chaque aube pour deviner si ce serait celle de sa mort.

Le reste de la compagnie constitua le petit troupeau de la messe pontificale la moins cérémonieuse du monde : Théo et Colombe, les Kassis et leur femme de chambre, madame Gaudin, Irina, Sean et même le Polonais gardien de troupeau descendu de son alpage. Une planche posée sur un empilement de rondins servit d'autel.

Emmanuel tendit son missel à Mona Kassis pour qu'elle fasse la première lecture, ce texte triomphal d'Isaïe qui proclame le rassemblement des hommes de toutes nations et de toutes langues et qui n'hésite pas à énumérer les moyens de transport : chariots, litières, dos de mulet ou de dromadaire.

Madame Gaudin fit la seconde lecture, ce passage de la lettre aux Hébreux où Paul compare Dieu à un père réprimandant son fils. « Quand on vient de recevoir une leçon, on ne se sent pas joyeux, mais plutôt triste. Par contre, quand on s'est repris, on trouve la paix. »

Emmanuel lut l'évangile de Luc qui parle de la porte étroite par laquelle il faut que les élus pénètrent dans le Royaume des Cieux.

L'assemblée s'assit dans l'herbe pour entendre l'homélie et éventuellement l'écouter. Emmanuel se sentit à l'aise au point de s'asseoir lui aussi. Il avait oublié Rome et ses querelles, l'angoisse quasiment métaphysique suintant des murs hors d'âge du Latran, la ville étouffant l'été sous le nuage d'ozone engendré par une circulation démentielle, les cohortes de pèlerins et de touristes encadrés par des guides impérieux, courant vainement de la Sixtine au Colisée, les reins rompus et la gorge sèche pour tenter d'entrevoir ce quelque chose d'impalpable qui fait de Rome la ville mère de l'humanité et qui est précisément invisible.

Comme un petit vicaire valaisan, il prêchait à quelques fidèles sur une très haute pâture, celle où les hommes se sentent au plus près du ciel. Il mit en relief le texte d'Isaïe, proclamant le salut de tous les peuples de la Terre. Il se réjouit du fait que les dix personnes présentes appartenaient à cinq nationalités différentes. Pouvaient-elles imaginer voici un an qu'elles se retrouveraient ce dimanche matin en ce lieu ? Elles représentaient ce cortège convergeant par tous les moyens en un lieu unique. Puis, Emmanuel parla de ceux qui n'étaient pas présents, pour dire qu'ils n'étaient pas moins dignes d'entrer dans le Royaume et qu'ils rejoindraient le cortège par un raccourci. Peut-être même le précéderaient-ils. Jésus de Nazareth répétait à la fois que la porte d'entrée du paradis était étroite et qu'elle serait franchie en premier lieu par ceux que les justes considéraient comme indignes d'y pénétrer.

Durant la prière universelle, il demanda que chacun formule une intention dans sa langue maternelle. Les Libanais évoquèrent leur patrie en arabe, Sean la liberté de l'Irlande en gaélique, Colombe les mourants dont elle s'occupait, Théo ses collègues indifférents à la foi, madame Gaudin le repos de l'âme de son mari.

Comme tout pape qui se respecte, Emmanuel possédait une teinture de chaque langue de la chrétienté. Il invita le Polonais à la prière dans sa langue, en l'appelant par son prénom, Marek, pour éviter son patronyme imprononçable, qui comportait treize consonnes pour deux voyelles et un y. Marek proféra une phrase interminable que personne ne comprit mais qui avait l'air tout à fait adéquate à la situation et qui parut même singulièrement éloquente pour un gardien de troupeau.

Irina parla la dernière en roumain et, seul, Emmanuel devina ce qu'elle disait :

— Que le Seigneur nous relève du malheur qui bientôt nous frappera. Qu'il délivre le pape de l'ennemi qui est à Rome au cœur de l'Église et qui le trompe chaque jour.

Emmanuel ne broncha pas et prit note mentalement de la nécessité de s'entretenir en particulier avec Irina. Elle l'irritait tout autant qu'elle avait impatienté les évêques suisses. Les gens, qui croient avoir une ligne directe avec le ciel, sont suspects par définition à ceux qui ne jouissent pas de cette faveur et qui ne le savent que trop. Les prédécesseurs d'Emmanuel avaient trop souvent prétendu être les représentants directs du Christ sur Terre. Emmanuel savait à quel point cette imposture était prenante et pernicieuse.

La messe fut dite sans autre contretemps. Théo s'éclipsa tout de suite avec madame Gaudin pour préparer la raclette. Emmanuel retira son aube et bavarda quelques instants avec chacun, pour le seul plaisir de se trouver au soleil, face au paysage, et de communiquer en échangeant des banalités amicales. Le clan des Libanais forma un cercle respectueux autour de celui qui était pour eux l'homme le plus prestigieux de la chrétienté. Marek, qui avait investi une partie de ses gains dans l'achat d'un appareil photographique bon marché, insista pour prendre une photo de groupe puis un portrait du pape. Emmanuel ne put le lui refuser : cette photo finirait au fond d'un album dans la campagne polonaise, à un moment où il serait déjà rentré à Rome. Son incognito ne serait pas violé.

Colombe alla chercher une bouteille de fendant qu'elle avait placée dans le torrent dévalant la pente, à quelques mètres du chalet. Sean la déboucha avec son canif et tout le monde but à la bonne franquette un verre de blanc. Ruth arriva avec les enfants Martin qui reçurent des verres d'orangeade. Appelé à grand renfort de moulinets de bras, Michel finit par escalader la pente en abandonnant sa belle-mère à ses aigreurs.

Théo avait précisé que le délai nécessaire pour produire de la braise retarderait le début du déjeuner pendant une heure encore. Les invités s'égaillèrent en petits groupes qui déambulaient dans l'alpage.

*

Emmanuel avait manœuvré de façon à se retrouver seul avec Michel. Ils marchaient sur un sentier suivant à peu près une courbe de niveau, ce qui permettait de parler sans avoir le souffle coupé par l'escalade. Emmanuel entreprit très doucement son interlocuteur qu'il sentait prêt à se braquer :

— Mon frère Théo m'a dit dans quelle situation curieuse vous vous trouviez, cerné dans votre famille et dans votre vie professionnelle par une foi que vous ne partagez pas.

Michel ne répondit pas tout de suite. Sa réponse se fit tellement attendre qu'Emmanuel craignit qu'il refuse d'entrer en matière. Il dit enfin, lentement, en pesant chaque mot :

— Mes parents étaient pauvres, un instituteur et une militante syndicale, mais toute leur vie ils m'ont mis en garde contre les croyances. À deux, ils ont fait l'effort surhumain de se débarrasser de l'ignorance et de l'obscurantisme qui avaient empêché leurs parents à eux, mes grands-parents, de réfléchir et de vivre à leur guise. Je leur suis très reconnaissant de ce saut dans l'inconnu qu'ils ont osé entreprendre et de ce qu'ils ont essayé de me transmettre. Si je me mettais à pratiquer une religion quelconque, j'aurais le sentiment de les trahir.

— Ce que vos chercheurs découvrent ne vous ébranle pas ?

— Pas du tout. Cela m'irrite au contraire et renforce ma détermination. Pour certains, dont je suis, il faut exercer un constant effort de volonté pour écarter toutes les tentations de croire. Vous présentez la foi comme une vertu. Moi, je me réfère à la vertu d'incrédulité. Sans doute celle qui exige la plus grande force de caractère, le courage d'affronter la mort inéluctable sans chercher à la nier. Ma vie présente me suffit pourvu qu'elle soit digne et utile aux autres. À quoi pourrait bien me servir une vie éternelle ?

Emmanuel s'arrêta et regarda longuement son interlocuteur. Dans la charge qu'il occupait, les occasions de rencontrer un athée chimiquement pur étaient rares, sinon de façon toute théorique dans des textes. Ainsi, Emmanuel était tout aussi ignorant de l'athéisme vécu que Michel pouvait l'être d'une foi vivante.

— Bien, dit-il, faites valoir vos objections contre la foi.

— Je ne crois pas au surnaturel. Par exemple aux miracles, dit Michel. Je ne puis admettre une foi qui repose sur les miracles. Et je range dans cette catégorie non seulement tous les faits merveilleux rapportés par toutes ces légendes dorées des siècles antérieurs, aussi belles que fausses, mais aussi et surtout ce que je vis avec ma femme, qui relève de la folie, et ce que l'on essaie de me présenter dans mon propre laboratoire pour des manifestations de l'invisible. Ce sont autant d'artefacts, des ratés de mesure.

Il s'arrêta de marcher, se retourna vers Emmanuel et le fixa :

— Mais au fond vous, croyez-vous vraiment au miracle ? Pouvez-vous seulement le définir ?

— Les miracles ne tiennent pas la première place dans ma foi, mais ils font partie d'un contexte, répondit Emmanuel. Oui, à ce titre-là, je crois aux miracles et à la possibilité de phénomènes semblables à ceux que vous vivez et que vous récusez. Si vous voulez à toute force une définition, en voici une : on appelle miracle un phénomène suffisamment rare pour qu'il frappe l'imagination des témoins, pour qu'ils puissent y reconnaître une intervention divine bienveillante et y ajouter une signification spirituelle. Il s'agit d'un phénomène surnaturel, c'est-à-dire dont la cause ne peut être trouvée dans aucune loi naturelle, connue ou inconnue.

Michel sourit car Emmanuel s'était découvert.

— Excusez-moi, mais cela ne veut rien dire ! La référence à une loi naturelle inconnue n'a aucun sens. Comment savoir ce que peut être une loi naturelle inconnue ? Qu'est-ce que c'est qu'une loi naturelle inconnue ? Les lois naturelles sont le fruit de notre observation et de notre esprit de synthèse. Si je voyais une pierre flotter en l'air durant notre promenade, je chercherais d'abord à connaître la loi naturelle qui l'explique. En revanche, pour vous la foi en Dieu précède le miracle. Elle permet une interprétation particulière d'un événement auquel on attribue un sens singulier, établi à l'avance. Le croyant croit distinguer quelque chose que le sceptique récuse.

— Je suis d'accord avec cette remarque, admit Emmanuel. Le miracle n'a pas pour fonction de prouver l'existence de Dieu. Cependant les miracles, tels qu'ils sont rapportés par la Bible, ne constituent pas des actes gratuits comme la lévitation d'une pierre. Je préfère considérer l'exemple de la multiplication des pains par Jésus, qui possède un double sens : rassasier une foule affamée et préfigurer le repas du Jeudi saint. Dans le même récit sont conjoints deux caractères du christianisme : le souci concret du prochain et l'ouverture à une dimension invisible.

— Vous allez un peu vite en besogne. Quelle est l'authenticité de ce récit ? Je me méfie d'un texte écrit dans un but de propagande,

— S'il était isolé, protesta Emmanuel, le récit de la multiplication des pains serait évidemment sujet à caution. Il faut le replacer dans le contexte global de tous les écrits bibliques. Je serais tenté d'admettre comme légendaires les miracles de l'Ancien Testament, comme les plaies d'Égypte, l'arrêt du soleil par Josué ou le char de feu d'Élie, qui ont précisément un caractère spectaculaire. Par contre, ceux que les évangiles attribuent à Jésus occupent une autre place : il s'agit du Fils de Dieu, qui possède des pouvoirs surnaturels, qui les a utilisés pour soulager la souffrance de ses contemporains et non pour manifester gratuitement sa puissance. Pourquoi la foi ne pourrait-elle pas guérir les maux du corps ? Lourdes en est le témoignage contemporain.

Michel se tut quelques instants pour remettre ses idées en place. Il répondit enfin :

— Nous revenons ici sur un terrain naturel. Aucun médecin, aussi rationaliste soit-il, ne songerait à nier l'existence de phénomènes psychosomatiques. Le corps humain est un tout, même si nous distinguons des organes séparés pour des raisons de commodité, même si la méthode des anatomistes a tendance à nous faire oublier cette vérité élémentaire. Il n'y a rien de surnaturel à ce que le cerveau puisse restaurer son contrôle sur un muscle paralysé ou réveiller le système immunitaire. Si certains neurones sont atrophiés faute d'avoir été utilisés ou s'ils ont été détruits par une maladie, d'autres neurones, en surabondance, peuvent être activés et prendre le relais : le cœur se remet à battre et les muscles des jambes à porter le corps. Mais tout le reste ressort de la légende. La fréquence des miracles et l'importance que l'on y attache n'a cessé de décroître au fur et à mesure que nous comprenons mieux ce que c'est qu'un phénomène naturel. Une fois que le visible est mieux compris, la part de l'invisible diminue. C'est la preuve que cette dernière constitue seulement la mesure de notre ignorance.

— Même si tous ces récits merveilleux étaient des légendes, énonça Emmanuel, il reste pour un croyant que Dieu est maître du ciel et de la terre et qu'il peut guérir un malade, en réponse à la foi et à l'attente de celui-ci. Sinon Dieu cesse d'être une personne écoutant la prière des hommes, il devient une métaphore philosophique située à une distance infinie des hommes et de leurs souffrances.

— Mais alors que penser des malheureux qui demandent leur guérison et qui ne sont pas exaucés ? objecta Michel. Est-ce que Dieu ne s'occupe pas d'eux ? Est-ce que leur foi est insuffisante ? Dieu ne pourrait-il pas se satisfaire d'un acte de foi imparfait ? Est-il exigeant à ce point qu'il attende un certain niveau de foi pour se décider à agir ? Ou bien Dieu n'est-il pas capable de guérir ce malade particulier parce que ses pouvoirs sont limités ?

— Ces questions ramènent Dieu à la stature d'un homme auquel seraient attribués des pouvoirs magiques. Dieu n'est pas réductible à des imageries de ce type. Son action est mystérieuse, il ne nous appartient ni de l'enfermer dans nos catégories, ni de la juger. La foi, l'Écriture et la Tradition nous enseignent seulement qu'il est tout-puissant.

— Si tel est votre enseignement, il constitue un obstacle pour tout esprit scientifique. Car, si Dieu existait et était vraiment tout-puissant, il n'aurait nul besoin d'accomplir des miracles, c'est-à-dire de corriger au coup par coup, *a posteriori*, comme par un effet de repentir, sa propre création. Il ne serait pas nécessaire de guérir les lépreux sur une planète où le bacille de Hansen n'aurait pas surgi au fil d'une évolution non maîtrisée. En d'autres mots, le miracle pose un problème insoluble parce qu'il signifierait en quelque sorte que Dieu a perdu le contrôle de sa création, qu'il n'en est pas satisfait, qu'il se repent de l'avoir créée et qu'il essaie de réparer, dans le détail, un échec global.

Emmanuel prit le temps de réfléchir avant de répondre :

— La création n'est pas un acte qui s'est situé à un instant initial, le Big Bang par exemple, où Dieu aurait édicté des lois de la nature. Une fois de plus il s'agirait d'un Dieu métaphorique, absent de l'histoire des hommes. Les chrétiens croient au contraire en un Dieu incarné, qui a pris visiblement parti pour les hommes, qui ne s'en est pas désintéressé, qui a partagé la mort des hommes. En résumé, Dieu, qui est hors de la dimension du temps comme de celle de l'espace, soutient l'existence même de l'univers. Tantôt ce soutien se marque par un fonctionnement familier, prévisible, prédictible de la nature, tantôt au contraire l'action de Dieu se manifeste par des actions singulières, frappantes, dramatiques qui sont autant de signes de sa bienveillance.

Michel ne répondit pas, comme absent. Emmanuel conclut :

— Je vous remercie pour cet échange. Il m'a aidé à réfléchir. La promesse d'un Sauveur a été réalisée. Nous n'avons plus à attendre des prodiges pour confirmer cette promesse. Nous devrions pouvoir nous passer de miracles, je vous l'accorde.

— En somme, pour vous croyants, la seule preuve de l'existence de Dieu est qu'il n'y en a pas. En admettant cette logique, toute proposition est démontrable, surtout si elle ne l'est pas. Je ne me vois pas faire de la physique avec cette logique-là. Charbel Kassis me demande de démontrer par la logique une proposition illogique.

Michel n'eut pas plutôt prononcé cette phrase agressive qu'il la regretta parce qu'Emmanuel répondit en toute modestie :

— J'ai toujours été nul en math et en sciences. C'est sans doute pour cela que je suis devenu prêtre.

Il se tut et considéra qu'il ne s'était pas si mal tiré d'affaire. Mais il avait défendu des positions singulièrement en retrait du discours officiel, qu'il continuait à cautionner. Emmanuel serait toujours déchiré entre les deux scandales contradictoires, celui des forts et celui des faibles.

Mais il n'avait qu'une connaissance théorique des miracles. Il allait en apprendre davantage par la pratique.

*

Théo obtint un succès fracassant. Il n'est pas nécessaire d'avoir un prix Nobel pour réussir une raclette mais cela aide à optimiser tous les paramètres : qualité de la roue de fromage, distance du feu, temps d'exposition, choix de l'instrument pour racler. Les pommes de terre bouillies étaient d'authentiques rattes, introuvables en Suisse, que le chauffeur des Kassis avait achetées en France à Annemasse ainsi que des cornichons Hédiard sublimes qui avaient vraiment macéré dans du vinaigre de vin blanc et non dans une solution d'acide citrique. Les plats robustes — raclette, fondue, pot-au-feu, choucroute, cassoulet, bouillabaisse — ne peuvent exceller que par le soin apporté à tous les détails : ils ne visent pas à bluffer le mangeur mais à établir une relation de confiance.

Penché sur la braise en plein air, le visage écarlate, de grosses gouttes de sueur perlant sur son vaste front, Théo tenait le fromage exposé à la braise et, d'un coup de palette, raclait la couche fondue sur les assiettes que les enfants lui amenaient à la chaîne. De temps en temps une croûte tombait dans le feu et se carbonisait en émettant une odeur sauvage. Le porteur de l'assiette puisait une pomme de terre bouillie dans la marmite, un cornichon dans le pot et portait le résultat au convive. Ce ballet de serveurs enfantins ajoutait le plaisir de la course à celui du repas. On buvait un Humagne blanc qui possédait lui aussi un arrière-goût de fumée.

Au dessert, Théo se surpassa. Il prépara des crêpes Suzette à grand renfort de Grand Marnier partant en flammes bleues, de confiture d'orange caramélisée et de crêpes aussi fines que du papier à cigarette. Il y eut une controverse entre les adultes pour savoir si les enfants pouvaient manger des crêpes flambées. Théo s'efforça de trancher le débat en assurant que l'alcool avait disparu puisqu'il avait brûlé. La controverse se poursuivit jusqu'à ce que les enfants eussent tout dévoré : la meilleure façon de dépasser une querelle consiste encore à épuiser le sujet de celle-ci.

Pour occuper l'après-midi du dimanche, Théo lança deux expéditions. L'une sous la direction de Colombe devait franchir le col de Torrent, descendre sur le lac de Moiry au-dessus de Grimentz dans le val d'Anniviers. Ruth, Sean et tous les enfants en firent partie, sauf

Sophie qui préférait lire au chalet de Théo où elle avait trouvé une foule de livres de Jules Verne, en fait l'intégrale de son œuvre. Elle en était devenue littéralement folle : comment une seule personne pouvait-elle posséder tous les livres d'un écrivain ? Théo était sans doute un magicien comme Merlin l'enchanteur.

L'autre expédition était conduite par Théo en personne et regroupait les gens mûrs qu'une marche de trois heures dans la montagne ne tentait guère. Charbel et Mona, Michel et sa belle-mère se laissèrent tenter par une exposition des tableaux de Gauguin à Martigny suivie par une dégustation de vins chez Marie-Thérèse Chappaz à Fully, le village natal de la famille. Le groupe se déplacerait dans trois voitures qui iraient ensuite récupérer la petite troupe des marcheurs au lac de Moiry. Il était deux heures de l'après-midi. Tout le monde serait de retour pour le souper à sept heures du soir.

Madame Gaudin avait invité la femme de chambre des Kassis chez elle, à La Sage. Aux mayens de Lachiorres, il resterait Irina qui souhaitait être seule, Emmanuel qui ne pouvait pas les quitter pour préserver son incognito et Sophie, l'éternelle liseuse.

*

— « Je Suis » est inquiet, dit Irina à Emmanuel quand ils furent seuls sur la terrasse du chalet de Théo. Il me demande de vous prévenir. Deux dangers menacent.

En un instant Emmanuel fut exaspéré. Il comptait s'installer tranquillement dans un transatlantique face au panorama des montagnes avec en arrière-plan la Dent Blanche, un livre sur les genoux en faisant mine de le lire de temps en temps. Il aurait choisi quelque chose de distrayant, un polar de P.D. James par exemple, lu et relu maintes fois mais dont il oubliait à chaque fois la clé de l'énigme qu'il avait tant de plaisir à retrouver. Qu'était-ce que le polar sinon un remède pour l'esprit, un antidouleur pour ceux qui réfléchissent trop ? Et seules les femmes anglaises possédaient cet amalgame de cruauté et de bonne éducation qui fait frissonner le lecteur dans les limites du bon goût. Tout comme les Alpes, l'Angleterre est une approximation de paradis sur terre : la seule distraction qui reste aux résidents de ces lieux enchantés consiste à se faire peur puisqu'ils n'éprouvent plus jamais ce sentiment dans la réalité.

Avant de partir en vacances vers la Suisse, Emmanuel avait reçu un dossier des évêques du pays pour le renseigner sur les affaires courantes. Parmi celles-ci, les troubles causés par une voyante appelée Irina Martin. Emmanuel n'aurait jamais pu s'imaginer qu'il se retrouverait en tête à tête avec elle. Par politesse il était resté quelques instants à côté de cette créature étrange avec laquelle il ne se découvrait aucun point commun. En supposant qu'elle ne soit pas tout simplement une folle ou une simulatrice, son activité de prophétesse représentait aux yeux d'Emmanuel l'essence de tout ce qui le rebutait dans l'Église dont il avait la charge : un appétit maladif de merveilleux, une tendance au populisme et, pour tout dire, une résurgence du paganisme romain ou celte, qui n'avait jamais été complètement éradiqué. Chapelet, pèlerinage et relique étaient les trois hantises d'Emmanuel.

Il se força donc à articuler :

— Que voulez-vous dire ?

Cela n'engageait à rien et ce n'était pas trop impoli.

— C'est un message qui revient tout le temps et qui dit que la fin est proche.

Emmanuel réussit à surmonter sa répulsion et demanda le plus calmement possible :

— Vous prédisez la fin du monde ?

— Non. Pas la fin du monde. La fin des temps. Il y a tous les signes de la fin des temps. Saint Paul dit que nous reconnaîtrons la fin des temps à deux signes : l'apostasie et la rébellion. Or, les chrétiens renoncent complètement à leur foi et, s'ils ne vont pas jusque-là, ils la vident de son sens.

— Oh, dit bénignement Emmanuel, ce n'est pas la première fois que cela arrive et l'Église s'est toujours relevée.

— Les portes de l'enfer ne prévaudront pas contre elle, dit Irina avec un rien de pompe. Mais, aujourd'hui les prophéties de Daniel vont s'accomplir.

Rien n'irritait autant Emmanuel que les interprétations sommaires de la Bible par des lecteurs non prévenus. Il expliqua avec un brin de condescendance, en regardant au loin devant lui et en espérant se débarrasser de la conversation.

— Il ne faut pas prendre au pied de la lettre les prophéties de Daniel. C'est un texte tardif, rédigé probablement en 164 avant notre ère. Il comporte plusieurs versions résultant du collage de textes en hébreu, en araméen et en grec. Les images utilisées sont empruntées à la mythologie des peuples païens au milieu desquels vivait Israël. L'image de la fin des temps fait référence à la persécution et à l'oppression subie par les Juifs dans le monde hellénistique. Cela ne peut rien nous apprendre sur notre époque. Vous confondez l'anecdote et le message.

Sans se laisser démonter par cet étalage de science, Irina répondit :

— Au chapitre 24 de Matthieu, verset 27, il est dit : « Comme l'éclair part du levant et brille jusqu'au couchant, ainsi en sera-t-il de l'avènement du Fils de l'homme. » C'est une parole de Jésus lui-même.

— Peut-être, répondit Emmanuel agacé.

— Comment cela, peut-être ?

— Nous n'avons pas d'enregistrement de la parole de Jésus. L'auteur de l'évangile de Matthieu ne cesse de mettre dans la bouche du Christ des citations de l'Ancien Testament parce qu'il tient à montrer que Jésus vient accomplir les prophéties de celui-ci. C'est un texte à visée apologétique, relevant du genre littéraire apocalyptique. C'est de la pastorale, pas de l'histoire, encore moins un procès-verbal pris sous dictée.

Et il s'apprêta à remonter vers son chalet mais Irina lui posa la main sur le bras et le força à la regarder. Elle n'avait pas l'air exaltée. Très calme au contraire.

— L'apostasie concerne ceux à qui la vérité a été donnée et qui la nient. La vérité complète. La divinité du Christ, sa présence dans l'eucharistie, sa naissance virginale. Il y a des théologiens qui nient cela. Il y en a jusqu'à Rome. Ceux qui feignent de croire sont ceux qui ne croient en rien.

À défaut de pouvoir retirer son bras de l'étreinte dans laquelle il était pris, Emmanuel s'efforça de rassembler ses esprits. Le calme d'Irina l'empêchait de se mettre en colère. Il émanait d'elle une force qui le surprenait. Elle s'exprimait mal, avec un accent roumain un peu comique, en formant de petites phrases maladroites. Elle aurait dû se taire selon l'excellent conseil de Paul qu'il faillit lui rappeler : *« Comme cela se fait dans toutes les Églises des saints, que les femmes se taisent dans les assemblées ! Elles n'ont pas la permission de parler. »* En sa personne dérisoire, Irina rassemblait toutes les marques de quelqu'un qui aurait dû renoncer à prendre la parole. Femme, étrangère, inculte, orthodoxe et vivant avec un athée selon cette forme de concubinage qui s'appelle le mariage civil. Peut-être dérangée mentalement. Sans doute. Mal habillée. Négligeant ses enfants. Oisive et nonchalante.

Par réflexe, Emmanuel se ressaisit : il n'avait pas à juger. Il s'efforça de sourire à Irina et de prêter attention à ce qu'elle lui disait et qu'il n'avait même pas entendu jusqu'à présent :

— ... ce sont les douleurs de l'enfantement maintenant. Après, il y aura tout de suite la joie, parce que l'enfant est né et les douleurs seront oubliées. On est en train de traverser les moments de douleur. La douleur du corps mystique qui est l'Église se manifeste dans l'apostasie et la rébellion. Mais « Je Suis » laisse toujours une espérance dans tous les messages que je reçois. Il ne va pas nous détruire totalement. Après cette épreuve, il y aura la joie. Et qu'est-ce que la joie ? C'est l'unité des Églises et puis en plus un changement de la terre entière, parce qu'il y aura une deuxième Pentecôte. Face au mal qui augmente, « Je Suis » ne se croise pas les bras mais il agit. Il fait les belles choses en même temps.

Elle l'avait lâché. Emmanuel frotta la manche de sa chemise de laine comme pour la nettoyer. Puis il fut honteux de son geste, s'efforça à nouveau de sourire sans paraître crispé. Cela eut pour effet de relancer la mélopée. Irina parlait sur un ton monocorde et chantant à la fois.

— L'apostasie est signe que quelque chose ne va pas. Sinon les églises seraient remplies. Or elles ne le sont pas. Lorsqu'elles sont remplies, les jeunes ne sont pas là. Cette génération de jeunes commence à être athée. Et ils ne trouvent plus Dieu. Ils me disent souvent que cela ne les intéresse pas d'écouter un pasteur ou un prêtre qui ne croit pas à ce qu'il dit. Les jeunes sentent bien que certains prêtres mentent. Lors d'un voyage en Allemagne, j'ai surpris un prêtre en train de vider dans l'évier le calice avec lequel il venait de célébrer la messe. Il n'a pas paru gêné. Il m'a parlé comme s'il était en train de faire la vaisselle. D'autres prêtres sont admirables et parlent de Dieu mais on les fait taire.

— Qui les fait taire ? demanda patiemment Emmanuel.

— Les évêques.

— Si vous pensez cela, si vous dites cela, il ne faut pas vous étonner, madame Martin, que ces évêques ne vous apprécient guère.

— Cela n'a pas d'importance ce que l'on me fait. Je le souffre bien volontiers pour expier mes péchés et pour la gloire de Dieu. Mais ces évêques trahissent « Je Suis » qui les renie. C'est pour cela que leurs homélies sont si plates. L'Esprit Saint ne parle plus par leur bouche. Or, maintenant « Je Suis » annonce qu'il faut se convertir parce que le temps de miséricorde ne va pas durer. Après ce temps, il y aura un silence. Il n'y aura plus d'appel. Ce sera trop tard.

Emmanuel préparait une phrase polie pour prendre congé, lorsqu'Irina le saisit par la manche à nouveau :

— Et vous ? Avez-vous la foi ?

Emmanuel ne put s'empêcher de rougir violemment. Pour ne pas assumer tout à fait une profession de foi qu'il refusait de prononcer devant cette folle, il essaya de s'en sortir par une citation :

— Si j'ai la foi, que Dieu me la garde. Si je ne l'ai pas, qu'il me la donne.

— Méfiez-vous de l'homme qui vous est le plus proche !

— De qui parlez-vous ? demanda Emmanuel avec irritation. Il avait horreur des médisances semées à tout vent. Irina sembla se calmer et répondit d'une tout autre voix :

— Je ne connais pas son nom mais je connais son visage parce que je le vois régulièrement dans mes visions.

— Eh bien alors comment est-il ?

— Il est plutôt petit, chauve, avec des yeux gris et un gros bouton à la base du nez. Il a une barbe très forte qu'il ne parvient pas à raser. Il boite légèrement.

Irina lâcha le bras d'Emmanuel et le regarda avec des yeux qui n'étaient pas les siens. À son tour Emmanuel la considéra avec stupéfaction. Où Irina avait-elle vu une photo de son plus proche collaborateur ? Comment connaissait-elle monseigneur Tarcisio Bertini, assurant l'intérim de préfet de la Congrégation pour la Doctrine de la Foi, en voie de dissolution ?

*

Marie-Thérèse Chappaz versait généreusement le vin à la ronde dans les verres de dégustation. Madame Vescovici et Mona avaient trouvé place sur un banc. Faute de mieux, Théo, Charbel et Michel s'étaient assis sur les marches d'un escalier. Il y avait foule : des voitures ne cessaient d'arriver et de repartir chargées de cartons qu'une assistante de Marie-Thérèse puisait dans la réserve.

Le domaine de Liaudisaz s'étalait sur les pentes somptueusement orientées au sud-est qui montent vers le Grand Chavalaz. Les visiteurs étaient reçus sous une treille par la propriétaire elle-même, qui gérait la vigne selon ses goûts, ses envies et même ses caprices. Elle se refusait à mélanger le moût provenant de différentes parcelles et présentait quatre fendants différents entre lesquels on percevait tout ce que le terroir apporte de singulier au vin. Sur chaque étiquette elle n'avait pas hésité à se représenter elle-même aux différents âges qu'elle avait parcourus déjà. Dans l'assemblée qui biberonnait, il y avait un relent de régression à l'âge du nourrisson. Marie-Thérèse commentait avec sobriété, souriait, versait toujours aussi généreusement. En septembre sa cave serait vide, juste avant les vendanges. Il n'était nul besoin de faire de la publicité ou d'utiliser un réseau commercial. Ses récoltes partaient sans que tous les visiteurs aient pu être servis.

Théo était ici chez lui. Il était tutoyé par les habitants de Fully qui passaient, bien moins pour acheter des bouteilles que pour profiter d'un lieu de rencontre. Ils lui demandaient des nouvelles d'Emmanuel et de Colombe ; Théo répondait vaguement.

Michel l'envia. Lui, il avait perdu le terroir où il aurait pu pousser ses racines. La maison de ses parents en Normandie avait été vendue. Il n'avait pour tout refuge que le vilain petit appartement d'un faubourg de Lausanne, cinq enfants mal élevés, une épouse à moitié folle et une belle-mère abusive. La force tellement tangible qu'elle semblait charnelle de Théo, d'Emmanuel et de Colombe provenait de la terre où ils étaient nés et à laquelle ils retourneraient un jour sans regret parce qu'ils avaient bien vécu. Il en était ainsi pour le fendant produit à partir d'un cépage banal, le chasselas, planté ici dans une terre rocailleuse chauffée à blanc.

Michel essaya ensuite une gorgée du gamay de la Liaudisaz et il fut instantanément transporté à Saumur. Un rouge à goût de cerise avec une codalie de huit secondes. Cette dame Chappaz composait son vin pour l'amour de l'art. Elle n'avait pas l'âme mercenaire, contrairement à lui-même qui se vendait tantôt aux uns, tantôt aux autres pour nourrir la famille qu'il avait eu la faiblesse de procréer. Il eut envie de tout quitter et de se faire engager sous un faux nom comme ouvrier dans une vigne. Au vigneron, on ne demande pas de prouver qu'il a une âme ou que l'invisible existe. Il peut se moquer des questions métaphysiques. Il y répond par son art. Il démontre que la vie vaut la peine d'être vécue, avec ou sans éternité à la clé.

Michel nourrissait ces pensées douces-amères lorsque de nouveaux arrivants s'introduisirent à grands renforts de salutations, d'embrassades et de bourrades. À leur tête se trouvait Norbert Viredaz, en tant que président de la confrérie des vignerons de Villette. Dans l'ordre, il salua Charbel avec déférence, Théo avec froideur et Michel avec ironie. Il ignora les dames que l'on essayait de lui présenter. Après l'avoir embrassé comme une vieille amie, il remit à Marie-Thérèse une bouteille de sa propre vendange, une Malvoisie qu'il avait réussi à produire sur sa parcelle minuscule du bord du lac en déployant des trésors de soin pour que le cépage vienne à maturité.

Tandis que la conversation fusait dans toutes les directions, un homme, assis à l'écart sur un muret, ne buvait pas. Il prenait des notes sur un petit carnet à couverture noire. Il avait des cheveux roux tirant sur le blanc, ses sourcils incolores ajoutaient de la froideur à un regard gris et il portait un costume trois-pièces. Il ne buvait pas mais il fumait à la chaîne de grosses cigarettes brunes en papier maïs. Soudain son regard indifférent se fixa sur Michel qui se sentit observé et leva les yeux de son verre. L'homme roux lui sourit. Ou plus exactement, il retroussa ses lèvres sur ses canines qu'il avait aiguës. Michel se sentit envahi par un froid inconnu.

Lorsqu'ils quittèrent les lieux, Michel fut obligé de passer tout près de ce personnage, à le frôler. Il se rendit compte avec horreur que l'individu tentait de le saisir par la manche pour lui confier à voix mi-basse quelques mots. Michel se pencha volontairement en se tenant hors de portée des mains couvertes de poils roux, avec des ongles longs et translucides comme des griffes. Il entendit cette phrase incompréhensible :

— Il faudra que nous nous rencontrions bientôt, monsieur le président.

*

Sophie émergea de la lecture de *L'île mystérieuse*. Elle cligna des yeux pour se réhabituer à la lumière du jour qui pénétrait à flot par la porte ouverte du chalet de Théo. Elle avait lu sur un vieux divan chaleureux, pareil aux genoux d'une grand-mère qui aurait pouponné d'innombrables enfants. Le chalet sentait le feu de bois, le fromage fondu et la résine séchée. Sophie se sentait tout à fait chez elle, comme si elle avait toujours vécu ici, alors que dans le triste appartement de Lausanne tout lui demeurait étranger.

Elle venait de terminer le livre et elle éprouvait une double frustration. Tout d'abord la découverte que la puissance tutélaire et bienveillante qui avait aidé les naufragés chaque fois qu'ils s'étaient trouvés en danger, cette puissance n'était rien d'autre que le capitaine Nemo en train d'agoniser dans le *Nautilus*. Le mystère se réduisait à une péripétie banale et navrante. Le capitaine Nemo, personnage quasiment surnaturel dans *Vingt mille lieues sous les mers*, finissait tout de même par mourir. Tout cela n'était en définitive qu'une histoire d'hommes, jouant à se cacher les uns des autres.

Et puis, autre déception, la disparition de l'île, son engloutissement dans la mer comme si Jules Verne regrettait de l'avoir créée. Non seulement il rompait l'enchantement du mystère en lui donnant la plus plate des explications mais il lui semblait indispensable de faire disparaître le corps du délit, ce petit royaume où il avait été loisible de rêver à un mystère caché au cœur même de la nature.

Sophie aurait été bien incapable d'analyser plus avant son désenchantement et de l'expliquer par le rationalisme de l'auteur, enfant de la France laïque du siècle dernier, fascinée par la science au point de récuser le merveilleux.

Le livre sous le bras, une superbe édition originale de Hatier, elle sortit sur la terrasse du mayen. Elle découvrit qu'elle était seule. Emmanuel et Irina étaient retournés chacun dans leurs chalets respectifs. Sophie s'accouda à la balustrade de la terrasse et contempla longuement les montagnes en s'interrogeant sur la force surgie des entrailles de la Terre qui les soulevait aussi haut. Les Alpes semblaient lui adresser un message simple : une montagne possède un sens et *a fortiori* une petite fille en possède aussi.

Soudain le livre glissa de sous son bras et tomba sur la pente gazonnée. Il glissa sur deux ou trois mètres et fut arrêté par un piquet.

Sophie fut atterrée. Elle éprouvait un respect infini pour Théo qui lui paraissait l'homme le plus proche qu'elle connaisse d'un génie, mi-homme et mi-dieu, muni d'une intelligence et d'un savoir hors du commun. Cette science il l'avait puisée dans les livres, en commençant par ceux de Jules Verne comme il le lui avait expliqué en souriant. Le livre qu'elle venait de laisser tomber semblait tellement vieux et précieux. Théo était le magicien du conte de Grimm dont elle était l'apprentie. Comme tous les apprentis, elle avait fait une gaffe qu'il fallait réparer avant que le maître ne revienne.

Elle contourna fébrilement la balustrade et, en s'accrochant à celle-ci, longea la pente. Ce n'était pas très raisonnable mais la vie est ainsi faite que l'on ne peut corriger une erreur qu'en commettant une faute. Elle éprouvait une douleur sourde dans le ventre qui signifiait qu'elle était en tort et qu'elle le savait.

Arrivée à l'aplomb du livre, elle se cramponna d'une main à la balustrade et tâcha d'atteindre son objectif qui se révéla tout juste hors d'atteinte. Il paraissait la narguer et l'inviter à venir le chercher. D'ailleurs il sembla à Sophie qu'elle pourrait se tenir en équilibre sur la pente.

Elle lâcha donc sa prise et commença à se baisser pour atteindre l'objet. Il lui fallait récupérer l'objet le plus vite possible pour se rassurer. Elle cesserait alors d'être angoissée par l'erreur qu'elle avait commise.

D'un seul coup, elle bascula et commença une glissade sur l'herbe de la pente. Cela ne semblait pas terrible, pas plus qu'une chute à ski. Malgré sa peur, Sophie s'efforça de trouver la péripétie amusante. Elle parvint même à articuler une sorte de rire.

Il se termina en un cri car un ressaut de la pente la projeta en l'air. Sa tête heurta une pierre. Elle éprouva une douleur intense qui se mua presque aussitôt en une grande envie de dormir.

*

Emmanuel entendit le cri de Sophie. Depuis une heure environ, il lisait au calme, en levant de temps en temps les yeux sur le paysage. C'était sa façon de prier en montagne. Regarder la terre en convulsion, montant à l'assaut du ciel. Ni les montagnards, ni les marins ne peuvent devenir athées, pensait-il de temps en temps. Il se sentait dans une grande sécurité. Ses vacances devaient encore se prolonger durant une semaine. Le temps de faire le vide dans sa tête et d'oublier les querelles entre prélats qui formaient son ordinaire. Faute pour chacun de pouvoir chicaner une épouse, ils prolongeaient entre eux des altercations perpétuelles sur les sujets les plus minuscules, en y apportant cette hargne que seule donne la conviction de se battre pour une juste cause.

Il entendit le cri et fut d'un bond sur ses pieds. En quelques enjambées, il dévala la pente jusqu'au mayen de Théo. Celui-ci était vide. Mû par un soupçon, Emmanuel se précipita sur la terrasse. Sophie gisait inerte une dizaine de mètres plus bas.

Sans réaliser ce qu'il faisait, Emmanuel descendit la pente de biais et rejoignit le corps. Sophie était allongée, les membres sagement rangés, comme si elle était simplement assoupie dans l'herbe. Mais une blessure au front saignait abondamment, elle avait les yeux clos et semblait ne plus respirer.

Emmanuel fut paralysé. De façon absurde il se sentit directement responsable de ce qui venait de se passer. À méditer, somnoler et feindre de lire sur une terrasse trente mètres plus haut, il avait négligé le plus élémentaire des devoirs, passer quelques instants avec cette enfant qui avait sans doute envie de parler. Gardien du troupeau, il avait perdu la seule brebis qui lui avait été confiée pendant quelques heures. Il leva les yeux sur le paysage pour y trouver une source d'inspiration. Il ne savait que faire. Il redoutait même de déplacer le corps de peur de léser la colonne vertébrale.

Sans qu'il l'ait entendue venir, il aperçut Irina à ses côtés. Elle était calme et souriante :

— J'ai été prévenue par « Je Suis ».

Emmanuel lui jeta un regard de haine qu'il ne put contenir. Puis il prit le poignet de Sophie entre ses doigts et essaya de trouver le pouls. Il n'y parvint pas. Il coucha sa tête sur la poitrine et se redressa les yeux affolés.

— Le cœur ne bat plus.

— Ne vous faites pas de souci. Elle n'est qu'endormie.

Emmanuel ôta ses lunettes et les plaça devant la bouche entrouverte de Sophie. Il n'y avait aucune buée.

— Elle ne respire plus.

— Ayez la foi !

Emmanuel fit le geste que Colombe lui avait appris. Il écarta la paupière droite et regarda l'œil. La pupille était dilatée. La mydriase — lui avait enseigné Colombe — est le signe indiscutable d'un coma mortel.

— Il faut faire quelque chose d'urgence. Elle est en train de mourir.

— Elle n'est qu'endormie, reprit Irina avec une patience infinie. Et c'est vous qui allez la ranimer. Il suffit de la prendre par la main et de lui donner l'ordre de se réveiller. Comme Jésus l'a fait pour la fille de Jaïre.

Emmanuel la foudroya du regard et remonta la pente en jetant derrière son épaule :

— Je vais appeler Colombe. Elle a un téléphone portable. Ne déplacez pas l'enfant !

*

Sophie se sentait parfaitement bien. Elle aurait eu envie de dire « bien dans sa peau », n'était le fait qu'elle semblait n'avoir plus de peau. Entre elle et le monde, il n'y avait plus qu'une très mince pellicule, semblable à une bulle de savon. Enfin ! Elle était devenue fée, projet qu'elle caressait longuement tous les soirs, avant de s'endormir dans la chambre trop petite qu'elle partageait avec sa sœur.

En l'occurrence, être fée signifiait se déplacer par le seul effet de la volonté, sans marcher, dans une sorte de tunnel dont l'issue donnait sur un paysage ensoleillé. Arrivée là, Sophie se remit à marcher. Sous ses pieds nus, elle sentit la pelouse faite d'une herbe très fine parsemée de petites fleurs des champs, ces fleurs que les adultes s'obstinent à prendre pour des mauvaises herbes et à couper avec d'affreuses tondeuses à moteur, qui produisent un bruit éprouvant pour les nerfs d'une jeune personne délicate.

Il y avait quelques arbres qui portaient tous des fruits dans un mélange invraisemblable : à la même époque dans ce verger de rêve, il y avait des cerises et des pêches, des pommes et des prunes, des abricots et des poires. Tout cela ne faisait pas très sérieux. En passant, Sophie essaya d'attraper une reine-claude mais la branche de l'arbre se déroba comme si elle avait été vivante.

Enfin Sophie arriva au bord d'un petit cours d'eau, du genre indéfinissable, mieux qu'un ruisseau, moins qu'une rivière. Un ruisseau-rivière qui illustrait bien la difficulté de ranger les objets dans des catégories simples, une difficulté sur laquelle Sophie n'avait jamais arrêté de buter. Quand passe-t-on du jour à la nuit ? Quand cesse-t-on d'être enfant pour devenir adulte ? Quand on n'est ni tout à fait mauvais, ni tout à fait bon, comment savoir de quoi on se rapproche le plus ?

De l'autre côté du ruisseau, se tenait une sorte de pique-nique. Des gens chics. Habillés comme au siècle passé. Les dames portaient des jupes longues, des corsages, des ombrelles, des chapeaux. Un flot de dentelles blanches. Les hommes en canotiers, veston noir, pantalon clair, col dur et cravate. Beaucoup de moustaches et de barbes.

Un enfant se détacha du groupe, il pouvait avoir cinq ans. Sophie le reconnut. C'était son petit frère Henri, celui dont on lui avait dit qu'il était mort. Elle ne l'avait jamais cru, car on ne l'avait pas emmenée à l'hôpital pour le lui montrer. Sophie s'était toujours demandé où Henri était passé. Peut-être les parents l'avaient-ils revendu à des trafiquants d'organes à greffer.

Il était resté aussi maigre mais son visage était reposé : il interpella Sophie par-dessus la rivière :

— Bonjour Sophie ! Tu viens ici pour jouer avec moi ?

— Non, répondit Sophie. J'ai laissé échapper un livre précieux et j'essaie de remettre la main dessus. Tu ne l'as pas vu ? Il s'appelle *L'île mystérieuse* et il a une très belle couverture rouge et or.

— Oh ! Tu sais, nous avons ici une très belle bibliothèque pleine de livres pour les enfants. Tu y retrouveras certainement ton livre et bien d'autres encore. Ici, on a tout et on peut faire tout ce que l'on veut.

— Vraiment tout ? Je ne te crois pas. Ce n'est pas possible !

— Si. Vraiment !

— Même manger tellement de fraises à la crème que l'on attrape des coliques et des nausées ? Même boire du porto ?

— Tu pourrais le faire mais tu n'as pas envie de faire des bêtises.

— Mais alors on a envie de quoi ?

— De rien. On est content comme cela.

— Oh la la ! dit Sophie qui se demanda où elle était tombée. Elle se méfiait un peu des rêves prolongés. *Alice au pays des merveilles*, c'était très beau sur le papier mais elle n'aurait pas aimé se trouver dans la peau d'Alice.

— Passe la rivière, dit Henri. C'est très simple.

— C'est trop simple, trancha Sophie. J'aime le monde comme il est, c'est-à-dire compliqué. J'ai peur de m'ennuyer où tu te trouves. Quand tu vivais avec nous, tu n'étais pas très drôle.

*

Au téléphone, Colombe haletait au rythme de sa course :

— On était tout juste arrivé au col de Torrent. Je puis laisser les enfants continuer avec Sean et Ruth. C'est une promenade pour descendre vers le lac de Moiry. Il fait beau, il n'y a aucun danger. Mais il me faudra au moins une demi-heure même en courant pour redescendre. Si Sophie ne respire plus, elle sera morte alors. Tu dois faire du bouche à bouche et masser le cœur.

— Je n'y parviendrai jamais, avoua Emmanuel. Je risque de la tuer.

— Je t'ai déjà expliqué comment faire. C'est en ne faisant rien que tu la tues. Dépêche-toi. Cesse de te cramponner au téléphone. As-tu appelé la Rega[1] ?

---

1. L'organisation de sauvetage en montagne par hélicoptère.

— Oui, naturellement mais ils mettront au moins vingt minutes, il n'y a pas moyen d'atterrir tout près des mayens.

— Et la mère de la gamine, elle fait quoi ?

— Elle prie.

— Elle n'est bonne qu'à ça ! Tu lui fous une paire de baffes pour l'activer. Vas-y ! Ne traîne pas ! Va près de l'enfant. Est-ce qu'Irina peut t'aider ?

— Non. Elle garde les yeux fermés. Elle ne m'entend pas.

— Dans quelle position est Sophie ?

— Couchée sur le dos.

— Et sa tête ?

— Normale. Dans le prolongement du corps.

— Agenouille-toi à droite du corps. Pose ta main gauche sur son front pour stabiliser la tête. Du bout des doigts de la main droite soulève-lui le menton et ouvre-lui la bouche. C'est fait ?

— Oui.

— Bouche le nez de la main gauche et souffle doucement dans sa bouche. Regarde sa poitrine pour voir si elle se soulève.

— Non, elle ne se soulève pas.

— Essaie de soulever à nouveau la mâchoire pour ouvrir les voies respiratoires. Recommence le bouche à bouche.

— Sa poitrine se soulève. C'est bon !

— Maintenant les compressions cardiaques. Tu soulèves le T-shirt. Tu appuies avec la base du poignet, main redressée sur le sternum.

— C'est quoi exactement le sternum ?

— C'est l'os au milieu de la poitrine. Attention n'appuie pas sur les côtes. Tu risques de causer une fracture. Tu appuies cinq fois sur le rythme que je te dicte. Et un, et deux, et trois, et quatre, et cinq.

Emmanuel transpirait tellement que de la buée couvrait ses lunettes et qu'il avait de la peine à voir ce qu'il faisait.

— Bouche à bouche une fois et cinq compressions cardiaques. Tu continues durant une minute et on vérifie le pouls.

Emmanuel continua jusqu'à ce que l'épuisement physique le gagne. Le paysage dansait devant ses yeux. La crête des montagnes à l'ouest lui parut le dos d'un dragon en train de remuer.

— Je ne trouve pas le pouls.

— Où prends-tu le pouls ?

— Au poignet avec l'index et le médius.

— Mets la main sur son cœur. Est-ce que tu sens des battements ?

— Non.
— De quelle couleur sont les lèvres ?
— Bleues !
— Tu dois continuer ce que je t'ai expliqué sans arrêt jusqu'à ce que l'hélicoptère arrive.

Une fois de plus, il se révélait inférieur à sa tâche. Il ne possédait qu'une connaissance théorique de la vie parce qu'il n'avait jamais vraiment vécu. Tous ses efforts pour convertir la machinerie administrative du Vatican se heurtaient à un mur d'inertie. Les gens raisonnables le regardaient avec un brin de commisération.

Et puis ici ! Il était bien la pierre de touche, plutôt que la pierre d'angle sur laquelle l'Église aurait été construite. Il ne disposait pas des pouvoirs miraculeux que lui prêtait cette mère folle ; il n'avait pas les connaissances élémentaires du dernier des secouristes. Il parvenait à n'avoir ni la tête dans les nuages, ni les pieds par terre. Il n'était qu'un ectoplasme. Si chaque homme est un rêve de Dieu, lui Emmanuel, devait être un cauchemar.

Enfin, après ce qui lui parut une éternité, au moment où il se sentait défaillir par épuisement physique, Colombe fut à ses côtés. Elle fit les gestes professionnels : elle prit le pouls à la carotide, elle vérifia la respiration en posant l'oreille à côté de la bouche de l'enfant ; elle regarda les pupilles. Emmanuel était agenouillé à ses côtés. Elle ne dit rien. Emmanuel qui connaissait ses expressions crut comprendre qu'il n'y avait plus rien à faire.

On entendit enfin le bruit d'un moteur d'hélicoptère. Colombe fit signe à Emmanuel :

— Va signaler à la Rega où atterrir !

Emmanuel trouva la force de se relever mais il se retrouva agrippé par une main de fer, celle d'Irina qui reprit sa demande :

— Elle n'est pas morte mais seulement endormie. Prenez-la par la main et ordonnez-lui de se réveiller. Vous seul avez le pouvoir de le faire si vous possédez la foi.

Emmanuel essaya de se dégager mais il n'eut aucun succès comme si Irina était douée d'une force surhumaine. Son visage cependant demeurait paisible.

Colombe intervint :

— Fais ce qu'elle te dit. Par pitié !

Emmanuel se rebella :

— Je ne vais pas me livrer à un simulacre…
— Fais ce qu'elle te dit. Elle a peut-être raison.

Agacé, Emmanuel se pencha, prit la main droite de Sophie et murmura hâtivement :

— Réveille-toi !

Il ne se passa rien. Sinon peut-être que la main de l'enfant lui parut douce et tiède. Mais comment se fier à ses sens ?

— Vous n'avez pas la foi, dit Irina sur le ton de la constatation la plus banale.

C'était vrai. Il n'avait pas la foi nécessaire. Il ne le savait que trop. Il savait aussi que s'il avait eu la foi, il aurait réussi. Il s'efforça de puiser au plus profond de lui-même une eau rare, comme celle qui demeure au fond d'un puits du désert après une longue sécheresse. Il abandonna tout respect humain, se jeta à genoux, serra la main et attira l'enfant vers lui en disant d'une voix forte :

— Lève-toi au nom du Dieu vivant.

Sophie ouvrit les yeux et dit :

— J'ai mal à la tête.

IX

Marek Swirszczynski jouissait de toutes les qualités qui font un bon journaliste : une écriture rapide et claire, une culture plus étendue qu'approfondie, une santé de fer résistant aux nuits blanches et aux casse-croûte indigestes. Enfin et surtout, une veine indécente et un discernement sans faille. Le lundi matin qui suivit les événements, il mit successivement à l'épreuve ses différents atouts professionnels.

La veine, il l'avait exploitée largement depuis trois semaines. Modeste correspondant de multiples médias de Varsovie, qui se cotisaient pour payer ses frais de séjour démesurés à Genève, il s'y ennuyait à périr. Les agences des Nations unies étaient peuplées de diplomates inertes, engagés dans un menuet prétendument humanitaire qui répétait interminablement les mêmes figures d'impuissance bien-pensante. Gérer le malheur du monde à partir d'une ville heureuse constituait une fonction tellement gratifiante qu'il ne fallait surtout pas que le malheur s'éclipse.

Comme tous les journalistes genevois, il avait appris au début du mois d'août que le pape Jean XXIV avait débarqué incognito à l'aéroport de Cointrin en vue de vacances strictement privées et qu'il s'était ensuite caché quelque part en Suisse, sans doute dans quelque vaste propriété close dont il ne sortait pas. Autant chercher une épingle dans une botte de foin pour très peu de résultats. Au mieux, un paparazzo pourrait peut-être voler une photo au téléobjectif mais celle-ci ne susciterait qu'un intérêt poli de la part d'un rédacteur en chef. Après tout le pape ne faisait que mettre en application sa résolution : se fondre dans la nature, venir passer ses vacances dans son pays d'origine, s'abstenir de toute déclaration, réduire la lourdeur de l'institution en étant personnellement discret.

Cependant Marek bénéficia d'une chance qu'il avait bien méritée. Il s'occupait assidûment des membres de sa famille pour leur obtenir de petits boulots en Suisse pendant l'été. Parmi ceux-ci, un lointain cousin avait été placé par ses soins comme gardien de troupeau dans le val d'Hérens. Grâce à lui, Marek avait appris la présence d'Emmanuel aux mayens de Lachiorre et c'est ce cousin qu'il remplaçait depuis trois semaines. Il simulait une totale ignorance du français, il avait pris soin de troquer ses lunettes dorées pour une grossière monture d'écaille, il avait échangé ses vêtements avec ceux du cousin en décidant même de ne pas les faire nettoyer. La conduite du troupeau ne lui causait pas trop de soucis car il était lui-même originaire de la campagne. Il avait seulement éprouvé de la peine à traire quelques dizaines de vaches à la chaîne.

Au téléobjectif, il avait capté quelques bons clichés de Jean XXIV, sans compter les photos de famille provenant de l'appareil bon marché qu'il avait osé exhiber le dimanche précédent. Entre soixante vaches et le pape régnant, Marek était le plus heureux des journalistes, accumulant petit à petit les éléments d'un grand papier, voire d'un livre qu'il intitulerait sans doute *Mes vacances avec Jean XXIV* et qu'il vendrait à l'éditeur le plus offrant.

Il n'était pas seulement poussé par l'ambition professionnelle. Comme tout un chacun, Marek entretenait parfois quelques perplexités au sujet de l'existence de Dieu, mais il n'éprouvait en revanche aucun doute sur l'utilité d'un pape, selon le sentiment commun à tous les Polonais. Comme le dit un proverbe de son pays, Dieu est trop haut et les Français sont trop loin pour venir au secours de la Pologne : il ne restait donc que le pape pour protéger les Polonais de l'incurable barbarie russe et de la perverse civilisation germanique.

Le discernement, il l'avait exercé en ne se précipitant pas pour diffuser la nouvelle dès la première semaine. Cela aurait simplement alerté la concurrence et obligé le gouvernement fédéral à prévoir une protection rapprochée. Les policiers lui auraient demandé son permis de travail qui l'aurait dénoncé comme journaliste. Il valait mieux poursuivre tranquillement la collecte de photos et d'anecdotes durant tout le mois.

De nouveau la veine. Il avait bénéficié d'une information de première main. Au moment de l'atterrissage de l'hélicoptère de la Rega, il n'avait pas hésité un instant à descendre de son pâturage : ce réflexe paraîtrait tout à fait plausible de la part d'un gardien de troupeau ignorant et désœuvré, curieux de voir l'engin de près. Il se trouvait à quelques mètres de distance d'Emmanuel et de Colombe lorsque Sophie s'était réveillée et il avait pris à la dérobée, sans viser, une photo au moyen d'un appareil qui tenait dans son poing fermé. Avec un magnétophone dissimulé dans une poche, il avait ensuite enregistré le bref dialogue entre Irina, Emmanuel et Colombe. Ces documents valaient leur pesant de diamants.

Comme le miracle du dimanche soir n'était pas prévu dans son programme, il lui imposait un nouvel exercice de discernement. La nouvelle du miracle se répandrait-elle et, si oui, à quelle vitesse ? Était-elle crédible dans le contexte d'un monde oscillant entre le scepticisme et la crédulité ?

En la diffusant tout de suite, il se coupait de toute possibilité de poursuivre l'enquête. À la faveur de la confusion, il préféra pénétrer dans le séjour du chalet de Théo, et dissimuler un micro-émetteur au sommet de la bibliothèque. Si une conversation importante s'y tenait, il en apprendrait davantage sur cette étrange réunion entre tous ces gens — deux professeurs, un banquier, le pape, une visionnaire — que rien ne prédisposait à se rencontrer, qui continuaient à se vouvoyer et qui vaquaient chacun à des occupations mystérieuses. La patience de Marek fut récompensée. Le lundi matin un conciliabule réunit à peu près tous les acteurs. Il fut instantanément transcrit sur l'ordinateur portable du journaliste.

En somme, Marek Swirszczynski, qui bénéficiait de toutes les chances, se désolait seulement d'avoir hérité d'un patronyme qui était imprononçable en Occident et sur lequel une carrière serait plus difficile à construire que sur des noms comme Smith, Muller ou Fernandez.

*

Le premier à prendre la parole fut Charbel Kassis. Il s'exprima avec pondération mais sans tergiverser : il convenait selon lui de donner la plus grande publicité aux résultats du programme de recherche car le miracle — il employa le mot sans hésiter — constituait un signe d'encouragement. Il se réjouissait sans réserve du tour pris par les événements qui confortaient son projet. L'Histoire allait basculer ici et maintenant, le rationalisme serait mis en déroute et la vraie foi connaîtrait un renouveau.

Marek aurait bien aimé disposer d'une image pour compléter le son mais l'absence de tout élément visuel l'obligea à se concentrer sur la qualité de la voix de Kassis : harmonieuse, assurée, sans trace d'arrogance, énonçant une conviction profonde, elle-même confortée subtilement par la réussite matérielle.

Théo qui présidait la séance donna ensuite la parole à Emmanuel qui se situa tout à fait en retrait.

Il n'appartenait à personne, déclara-t-il, de décréter sur-le-champ qu'il s'agissait d'un miracle. Sophie avait été ranimée sans que Colombe ait eu vraiment le temps de l'examiner. Les secouristes de la Rega étaient repartis à bord de leur hélicoptère en marmonnant des commentaires désobligeants : une fois de plus ils avaient été alertés pour une bagatelle par des gens incompétents qui comprendraient leur erreur en payant la note. Normalement, ils auraient dû emmener Sophie qui méritait un examen sérieux dans un hôpital, mais Irina s'y était opposée avec une obstination tout à fait déraisonnable.

Cette controverse avait naturellement donné aux hommes de la Rega l'occasion d'observer et d'identifier les protagonistes. Il n'était pas exclu que l'un d'entre eux ait reconnu Emmanuel et que des journalistes soient avertis. La nouvelle serait transmise dans une confusion extrême et ferait plus de tort que de bien. Emmanuel termina son intervention en recommandant à tous d'observer le plus grand silence sur ce qui s'était passé. « La seule grâce que je reconnaisse dans ces événements est que la petite Sophie soit vivante et bien vivante. Remercions-en Dieu sans pour autant prétendre interpréter ce qui s'est passé, défendre une thèse quelconque ou tirer un avantage en terme de renommée. »

Marek nota que la voix de cet homme était mal assurée, comme s'il hésitait entre plusieurs partis et se sentait écrasé par la responsabilité qu'il prenait. Ce n'était pas une voix de chef. C'était la voix d'un honnête homme qui était contraint de faire le chef et qui ne s'en consolait pas.

Colombe appuya Emmanuel. Elle pouvait citer de multiples exemples de situations analogues. Le seul signe irréfutable de mort clinique est un électroencéphalogramme plat, relevé en clinique. En fonction de ce qu'elle avait pu observer, l'hypothèse la plus probable était une commotion cérébrale dont l'enfant avait récupéré par ses propres ressources physiologiques. Chacun pouvait penser ce qu'il voulait mais une explication tout à fait banale ne pouvait pas être exclue. Il lui paraissait indécent et dénué d'intérêt de lancer une controverse sur le sujet.

Voix à l'élocution soignée, précise et claire. Quelques inflexions rappelaient son origine valaisanne, d'autres provenaient d'une pratique courante de l'anglais. Voix impressionnante d'une professionnelle qui excelle en son métier et qui en est consciente.

Le dernier à parler fut Michel qui commença par annoncer qu'il s'était auparavant entretenu avec Ruth et Sean :

— Nous vivons ici dans une atmosphère d'hystérie à laquelle je refuse d'encore mêler ma famille. Je désire quitter les lieux aussitôt que possible avec mes enfants. J'ai bien dit mes enfants, car ma femme a été à ce point perturbée qu'elle prétend demeurer ici sous l'influence d'un de ses prétendus messagers. Elle vous demande la faveur, monsieur de Fully, de s'installer dans le plus petit des chalets, celui qui sert à stocker du bois. Elle prétend vivre ici en ermite tout en observant un jeûne absolu, afin de remercier je ne sais qui du prétendu miracle que votre frère aurait accompli. Toute cette aventure et en particulier le séjour ici ont disloqué ma vie familiale. Je ne suis pas prêt de l'oublier et vous comprendrez que le reste ne présente, au regard de ceci, que très peu d'importance.

— Je vous comprends tout à fait, mais nous sommes tout de même réunis, intervint Théo, pour décider ce qu'il faut faire des premiers résultats de l'étude subsidiée par la Fondation Kassis, avant que nous nous séparions.

— Quant à publier ou non les résultats des travaux extravagants effectués par mes deux assistants, coupa Michel, cela ne dépend plus de moi car j'ai pris la résolution irrévocable de ne pas signer un article de ce genre. Ruth et Sean y sont favorables, en revanche. À leur âge cela peut se comprendre quoiqu'ils prennent, à mon sens, des risques démesurés. Je suppose donc qu'un article ou plusieurs seront publiés, mais je prendrai mes distances en récusant d'avance toute implication personnelle dans cette aventure. Ces mesures ont été effectuées à titre privé par deux assistants dans les locaux de mon laboratoire. Je les ai priés de s'en abstenir désormais ou, sinon, de quitter mon unité.

C'était la voix d'un homme en colère, sans doute davantage contre lui-même que contre les autres, car son irascibilité paraissait excessive. Marek aurait bien aimé en savoir davantage sur ce projet qui avait suscité tant de controverses. Il prit note qu'il faudrait contacter Ruth et Sean.

Ceux-ci n'intervinrent pas, sans doute parce qu'ils étaient absents. Théo reprit la parole :

— Monsieur Martin, je comprends votre désarroi. Ne serait-ce que pour des raisons de sécurité, il vaut mieux descendre à Lausanne avec vos enfants. Le choc pour votre femme a été considérable. Je propose de la laisser ici, ma sœur Colombe pourra l'observer et intervenir en cas de danger. Je suggère qu'elle loge dans ce chalet-ci qui est tout de même plus confortable et où elle ne sera pas seule. Le petit raccard qui sert à stocker le bois est ouvert à tous les vents et, la nuit, il y fait bien froid. Ce n'est pas un endroit pour dormir.

— Vous n'avez pas encore tout entendu. Elle prétend s'y enfermer précisément parce que c'est une simple remise. Elle dormira sur le plancher et ne se lavera plus. Elle entend jeûner désormais jusqu'à ce que ses visions l'autorisent à manger de nouveau. Bref, elle est perturbée au point que le problème de son internement se pose sérieusement.

Colombe prit la parole :

— J'aurai un entretien avec votre épouse. Si j'estime que sa vie est en danger en quoi que ce soit, je vous préviendrai et j'interviendrai. Dans la situation actuelle vous n'obtiendriez jamais une décision d'internement forcé. Irina est très calme et elle ne présente aucun danger immédiat pour les autres ou pour elle-même. Il y a beaucoup de gens qui souhaitent s'isoler en montagne. En Suisse, c'est considéré comme un droit imprescriptible.

La suite de la conversation se dilua en considérations d'intendance.

Marek relut une dernière fois ses notes. Son instinct l'avertit qu'il ne fallait plus attendre. Il brancha l'ordinateur sur son téléphone portable qui lui donnait accès à Internet et commença une négociation avec quelques clients potentiels.

*

Les adieux de Michel à Irina furent d'une rudesse à laquelle lui-même ne s'attendait pas. Il commença par essayer de la fléchir, plus par sentiment du devoir ou des convenances, que par souci de poursuivre une vie conjugale, qui n'était qu'un leurre depuis des années. Il était convaincu qu'il lui serait plus facile d'élever seul ses enfants. Néanmoins, il essaya, presque par curiosité, d'aviver les sentiments maternels d'Irina. Elle lui répondit par des citations comme si elle ne parvenait pas à prendre la responsabilité de ce qu'elle faisait :

— Si quelqu'un vient à moi sans me préférer à son père, sa mère, sa femme, ses enfants, ses frères, ses sœurs, et même à sa propre vie, il ne peut être mon disciple.

— Peut-être mais ta vie d'ermite peut attendre que les enfants soient plus grands. Maintenant ton devoir d'état est de les élever.

— Il n'y a pas de devoir d'état. Nous ne sommes pas mariés du seul mariage qui compte. Nous avons vécu dans le péché. Nous avons procréé des enfants qui sont le fruit du péché et qui ne sont même pas baptisés. Tu t'en occuperas mieux que moi. Je prierai pour eux.

— Si tu restes ici, tu vas mourir de froid et de faim.

— Saint Nicolas de Flue, le patron de la Suisse, a abandonné sa famille pour jeûner durant vingt ans.

Michel n'avait aucune envie de continuer à discuter. Il se tint devant elle en silence, pour essayer de la raisonner par sa seule présence.

Irina finit par utiliser une autre citation :

— En vérité, je vous le déclare, personne n'aura laissé maison, femme, frères, parents ou enfants, à cause du Royaume de Dieu, qui ne reçoive beaucoup plus en ce temps-ci et, dans le monde à venir, la vie éternelle.

Michel hocha la tête. Il n'y avait pas l'ombre d'un doute : sa femme était devenue folle. Il la quitta sans un geste, soulagé au fond de lui-même, haïssant un peu plus cet amant invisible qui lui avait ravi sa femme. Il ne l'avait jamais vraiment aimée mais il était humilié de la perdre. Il songea avec une sombre délectation que cette vexation serait compensée par la relation chaque jour plus étroite qu'il entretenait avec Galatée.

Comme si elle avait lu dans ses pensées, Irina prononça une dernière phrase :

— Quiconque regarde une femme avec convoitise a déjà, dans son cœur, commis l'adultère avec elle.

Michel rougit. Il était fort heureusement disposé à contre-jour par rapport à Irina. Il espéra qu'elle n'avait rien remarqué. Il se défendit maladroitement :

— Je n'ai jamais eu de relations qu'avec toi.

Irina sourit avec une nuance de pitié sur son visage qu'éclairait de face le soleil déclinant :

— Il commet un adultère non seulement celui qui regarde une autre femme mais aussi celui qui convoite sa propre femme.

Michel tourna le dos et s'en alla sans un mot de plus. Il lui semblait que sa femme n'était plus un être humain mais une sorte de créature virtuelle envahie par des pensées incompréhensibles.

*

Après que le reste de la famille Martin, les Kassis et leur bonne, Ruth et Sean aient quitté les lieux, Colombe rendit visite à Irina.

Irina et Colombe s'assirent sur le seuil de la remise. Celle-ci pouvait bien mesurer deux mètres sur deux.

Elle servait auparavant à stocker le pain de seigle, cuit dans un four banal de la vallée, devenu dur comme une brique, que les familles de transhumants emportaient pour toute la durée de l'été. On le cassait à coups de marteau pour le tremper dans le lait ou dans la soupe.

Le raccard reposait sur quatre pierres plates et rondes débordant largement des poutres enfoncées dans le sol qui servaient de fondations : on ne pouvait entrer dans la remise que par une échelle mobile. Par cet artifice simple, les paysans s'assuraient qu'aucun rongeur ne parviendrait à pénétrer dans les greniers à pain, qui contenaient leur bien le plus précieux.

Il devait être environ cinq heures de l'après-midi, mais Colombe s'abstint de consulter sa montre. Elle était en vacances, dans un monde où le temps se mesure par la position du soleil. Le ciel était parfaitement clair et le soleil inondait leurs faces de sa lumière, descendant glorieusement vers l'ouest. Une petite brise thermique rafraîchissait l'atmosphère.

Les deux femmes jouissaient de tout le temps nécessaire pour se comprendre, en regardant dans la même direction un des plus beaux paysages du monde. Son poids métaphysique valait bien celui de cette voûte étoilée dont Immanuel Kant avait déclaré jadis qu'elle constituait pour lui une preuve de l'existence de Dieu. Dans un plat pays comme celui qui entoure Königsberg, seul le ciel nocturne peut évoquer la transcendance. En montagne tout comme en mer, la foi vient plus facilement et se garde mieux.

— Tout à l'heure, commença Colombe, une discussion a

naturellement surgi à votre sujet et je me suis engagée à fond pour vous défendre. Vous vous rendez bien compte que votre décision de vivre une vie d'ermite ici, en abandonnant votre famille, peut facilement être interprétée comme un signe de dérangement mental, au minimum d'irresponsabilité et d'égoïsme. Bref, il n'en faudrait pas beaucoup pour que votre mari demande que vous soyez internée de gré ou de force. Il n'est pas évident qu'il obtienne gain de cause mais vous seriez sous surveillance médicale et psychologique. Une fois que ce processus administratif est enclenché, il est difficile de l'arrêter.

Irina ne répondit pas et se contenta de sourire à Colombe en ouvrant les mains devant elle dans un geste d'impuissance et d'acceptation.

— Qui vous a ordonné de vivre désormais en ermite ici ?

— « Je Suis ».

Colombe ne saisit pas tout de suite la signification de la réponse. Elle la fit répéter et puis elle la commenta.

— Vous voulez dire qu'une des voix qui vous parle se nomme elle-même « Je Suis ».

— C'est ça. Vous avez bien compris.

— Et pour vous qui est-ce ?

— Je crois que c'est Dieu le créateur, le Père, car je l'entends sans jamais le voir. Il ne se place pas devant mes yeux mais toujours derrière moi. Il m'interdit de me retourner.

— Est-ce que vous avez de véritables visions d'autres êtres célestes ?

— Mon ange gardien, l'archange saint Michel, la Vierge et Jésus.

— En même temps ?

— Non. Tantôt l'un, tantôt l'autre.

— Parlez-moi de vos visions. De Jésus de Nazareth par exemple.

— Je ne l'ai jamais vu comme je vous vois. C'est autre chose. Je le découvre dans la gloire de sa résurrection comme les apôtres l'ont vu après Pâques. Son corps n'est plus semblable aux nôtres. Mais c'est un corps. Un corps véritable comme celui que nous aurons après notre mort si nous sommes sauvés. Il arrive que je le voie crucifié ou au Jardin des Oliviers, rarement avec la couronne d'épines, parfois portant sa croix. J'ai toujours un geste de recul, tellement j'ai peur que son sang tache mes vêtements et pourtant je sais qu'il n'en sera rien.

— Comment est-il dans sa personne, grand ou petit ?

— Au début j'avais le désir, très vif, sans doute par pure curiosité, de connaître la couleur de ses yeux ou sa taille, afin de pouvoir en parler et de me rendre intéressante. Mais je n'ai jamais mérité cette faveur car la vision s'évanouissait dès que je concentrais mon attention sur un détail. Ceci ne veut pas dire que le Seigneur ne m'ait pas regardée mais son regard était d'une telle puissance que je ne pouvais le déchiffrer. Je le vois mais je ne parviens pas à le regarder, si vous comprenez ce que je veux dire.

— Avez-vous déjà parlé de cette vision à quelqu'un d'autre ?

— Bien sûr, à mon confesseur le père Balthasar Alvarez. Au début, il m'a dit que ces visions étaient l'œuvre du démon. Si je ne parvenais pas à les empêcher, je devais les repousser par un geste de mépris, par exemple cracher sur la vision. Ce conseil m'a causé beaucoup de peine car je ne pouvais me résoudre à obéir. J'ai donc prié pour savoir si c'étaient des illusions. Et au lieu de cracher, j'ai tenu un crucifix en main entre la vision et moi. Elles n'ont pas disparu. Elles sont authentiques, je vous le jure.

Elle sourit à Colombe et sur le ton qui est celui de la confidence entre deux femmes lorsqu'aucun homme ne les écoute :

— Je dois tout de même vous faire un aveu. J'ai fini par découvrir que Jésus a les yeux bleus en le regardant à la dérobée. Je ne crois pas vraiment avoir trompé sa vigilance mais il a été gentil et il a feint de ne pas s'en apercevoir. Ces yeux clairs m'ont beaucoup troublée parce que Jésus est toujours représenté comme tous les hommes du Moyen-Orient avec des yeux noirs. Pourquoi est-il différent dans mes visions des images qui auraient dû m'influencer ? Le père Alvarez m'a rassurée. Jésus était Galiléen et l'on trouve dans cette région beaucoup d'hommes avec des yeux bleus.

Colombe laissa un long silence s'établir entre les deux femmes. Le soleil continuait à baisser vers l'horizon, c'est-à-dire vers les quelques sommets qui les séparaient du val d'Hérémence. Quelques petits nuages étaient poussés par un vent d'ouest. À l'altitude où elles se trouvaient, la vitesse des nuages paraissait surnaturelle : il semblait qu'une main les projetât vers elles.

— Pourquoi avez-vous choisi un confesseur aussi singulier que ce père Alvarez ? Si je comprends bien, il est espagnol.

— Oui, c'est exact. Je l'ai choisi parce que mes visions me recommandaient de me confesser. Le seul souvenir que j'aie gardé de mon baptême en Roumanie était celui d'un pope portant une soutane.

J'ai donc cherché dans tout Lausanne une soutane. Je n'en ai trouvé que dans la maison de l'Opus Dei.

— Les voies du Seigneur sont de plus en plus impénétrables, commenta Colombe sur un ton aussi neutre que possible.

*

Au bord de la dépression la plus noire, Michel encombré de ses bagages et de sa marmaille se retrouva vers cinq heures du soir dans le séjour de son appartement, effondré sur le divan-lit. L'appartement était surchauffé parce que le soleil n'avait pas cessé de briller depuis trois jours, que les fenêtres étaient restées fermées et que les volets n'avaient pas été baissés. Le frigo était vide, hormis une salade desséchée et deux tomates crevassées, flanquées de yogourts moisis et d'une aile de poulet qui exhalait une odeur de décomposition.

Michel devait se hâter de faire les courses car les derniers magasins fermeraient vers six heures. La logique implacable d'une ville calviniste comme Lausanne demandait que les femmes demeurassent au logis et fassent les courses pendant les heures de plein jour tandis que les hommes travaillaient d'arrache-pied. À six heures du soir on dînait et puis on se couchait tôt afin de se lever tôt et de se précipiter à nouveau au travail.

Madame mère Vescovici fumait avec application en écrasant ses mégots dans une sous-tasse dont la porcelaine prenait une coloration de plus en plus jaunâtre. Elle avait requis un grand verre d'eau, à remplacer régulièrement parce qu'elle n'était plus assez fraîche, puis un coussin, puis deux coussins. Ces diverses exactions ne représentaient pour elle qu'une bien médiocre pénitence pour l'abomination dont Michel s'était rendu coupable : obliger Irina à se réfugier en montagne, quasiment l'abandonner et la priver de la joie élémentaire de voir ses enfants tous les jours. Irina avait toujours été délicate : elle sombrait dans l'anorexie. C'était l'évidence pour l'intuition aimante d'une mère, même si le prêtre espagnol qui exploitait Irina y trouverait des explications obscurantistes.

Lorsqu'il parvenait à s'arracher aux sollicitations de sa belle-mère, Michel guettait avec inquiétude Sophie, assise dans le fauteuil voisin sous le regard attentif de sa grand-mère. Elle paraissait tout à fait normale, elle parlait sans difficultés, répondait aux questions, mangeait, buvait et se déplaçait comme si rien ne s'était passé. Le seul témoin de l'accident, la profonde coupure, au sommet du front, à la racine des cheveux était non seulement cicatrisée mais la croûte était déjà tombée et Sophie avait enlevé le pansement spectaculaire qui la démangeait dans la chaleur.

Normalement, une blessure de ce type ne guérit pas en moins de trois ou quatre jours, observa Michel avec irritation. Il était acculé à l'ultime refuge de ses certitudes, confronté avec tout l'attirail de l'irrationnel, de l'obscurantisme et du délire religieux. Si Dieu existait, il n'agirait pas autrement afin de le priver de sa liberté et le contraindre à croire. Or Dieu n'existait pas. Donc Michel était simplement victime d'une conjuration de ses sens qui le poussait à abdiquer par une fatigue l'amenant au bord de la dépression.

Michel se répéta à mi-voix ce diagnostic pour se rassurer sur sa santé mentale, jusqu'à ce madame Vescovici lui demande sèchement s'il devenait fou au point de radoter. D'ailleurs tout cela était bien beau mais quand allait-on manger ? Michel n'espérait tout de même pas qu'elle rentre toute seule dans son appartement sans dîner et qu'elle jeûne jusqu'au lendemain.

De même qu'Irina obéissant à l'ordre du Seigneur de faire passer le service des humains avant la contemplation du divin, Michel s'arracha à la rumination de ses malheurs, réels ou supposés, pour aller procéder aux emplettes les plus indispensables. En se levant, il comprit qu'il y avait au moins un avantage dont il n'avait pas tenu compte : il serait débarrassé d'Irina, sinon définitivement, du moins pour quelques jours. Il se promit de publier une annonce demandant une gouvernante pour son ménage et de la choisir aussi vieille que possible. Il ne désirait plus avoir de relations qu'avec une seule femme, Galatée. Dès qu'il serait débarrassé de ses corvées ménagères, il lui téléphonerait. Demain, il trouverait une garde pour les enfants et il pourrait enfin revoir Galatée à loisir.

Puis il descendit en élaborant dans sa tête la liste des courses : du lait pasteurisé, du pain, des fruits, de la salade, de l'insecticide contre les cancrelats abondant dans la cuisine, du détergent et surtout des rouleaux de papier pour la toilette : Irina, par mesure d'économie ou par tradition slave, découpait des journaux en rectangles approximatifs.

*

Au même moment, en profitant du temps qui les séparait du dîner que Théo concoctait imperturbablement en venant de temps en temps quêter leur approbation, Colombe entreprit Emmanuel. Il paraissait abattu et sans forces, affalé dans un transatlantique sur la terrasse, en regardant négligemment le coucher de soleil qui se préparait.

— Qu'est-ce qui ne va pas ?

— Rien ne va.

Emmanuel se tut comme pour demander que Colombe le laisse tranquille. Elle comprit qu'il désirait se faire prier.

— Prenons les choses dans l'ordre. Ou bien tu regrettes ces vacances et ce qui s'est passé. Ou bien tu es morose à l'idée qu'elles prendront fin dans quelques jours et que tu retrouveras les tracas de Rome. Tous tes petits copains les cardinaux qui souhaitent tellement te faire la peau.

— Cela ne me fait pas rire, Colombe ! Le Napolitain en serait bien capable ou du moins il ne parvient pas à s'empêcher d'y songer. Depuis que j'ai découvert qu'il détournait de l'argent du diocèse pour l'empocher, il me hait. Mais ce n'est pas Rome qui me dérange. C'est ce qui vient de se passer ici.

— C'est ça. C'est bien ce que je pensais. Tu veux boire quelque chose ?

— Non. Pas spécialement.

— Tu en aurais pourtant besoin pour m'écouter jusqu'au bout. Un analgésique léger te ferait du bien.

Emmanuel finit par sourire faiblement.

— D'accord. Ouvre une des bouteilles que Théo a ramenées de sa visite chez Marie-Thérèse Chappaz.

Ils commencèrent donc par siroter le fendant du domaine de la Liaudisaz. Le nez évoquait des notes acidulées de citronnelle ou de bonbon anglais. Et en bouche, on retrouvait le terroir, ce mélange inimitable des terres volcaniques qui font le soubassement du vignoble de Fully, une expression de la puissance de Vulcain bien plus que de Bacchus.

En Valais on n'était jamais très loin du culte des dieux de la terre, de ces petites divinités de rien du tout que les Celtes ont refilées aux Romains avant que ceux-ci les transmettent aux chrétiens sous le déguisement des saints éponymes de villages comme Saint-Gingolph ou Saint-Triphon, des saints à l'identité douteuse. Mais on ne croit pas vraiment au Dieu unique, si on ne commence pas par croire à la multiplicité des dieux champêtres. L'invisible multiple prépare la voie de l'invisible unique.

Réconforté par le vin, Emmanuel se montra plus liant :

— J'entreprends à Rome une tâche quasiment impossible : démanteler l'appareil du pouvoir des papes tel qu'il s'est installé au fil des siècles et au détriment des chrétiens. Donc, pour ceux que je désire évincer de leurs prébendes, tout sera bon afin de m'abattre. Or, ce qui s'est passé ici relève du délire. Un projet de recherche scientifique financé par un banquier libanais, pure émanation de la Phalange maronite : un projet qui essaie de démontrer l'indémontrable et qui prend n'importe quelle erreur de mesure pour une preuve de l'existence de Dieu. Un directeur de laboratoire qui est un personnage obtus, anticlérical et rationaliste comme on n'en fait plus depuis un siècle, bien décidé à saboter ce qu'on lui demande d'étudier. Son épouse qui prétend recevoir des messages de l'au-delà et converser avec Dieu le Père. Pour couronner le tout, une gamine qui chute, tombe dans les pommes et que j'aurais prétendument ressuscitée. Seuls témoins, la mère visionnaire et ma propre sœur. S'il y avait un journaliste dans les environs, il en ferait ses choux gras. Je conviens que rien de tout cela n'est tragique et, à part l'accident de la gamine, c'est même plutôt comique. Mais on peut me ridiculiser en racontant cette histoire, faire douter de mon équilibre et obtenir ma démission forcée. Un petit cardinal italien doit déjà être en réserve pour rattraper ce que l'on considère comme mes erreurs.

Il se tourna vers sa sœur :

— Tu le sais, mon premier acte de rébellion a été l'abolition de l'État du Vatican et la restitution de son territoire à l'État italien. Or, depuis un an, les négociations traînent. Et parmi toutes les objections qui ont été soulevées, la plus inattendue, la plus invraisemblable, la plus drôle est sans doute la pérennité de la garde suisse, le dernier symbole du pouvoir temporel. Il me serait plus facile de changer un article du Credo que de renoncer à l'uniforme dessiné par Michel-Ange. Parce qu'au fond la doctrine n'est plus que l'alibi du pouvoir. Or l'important, c'est le pouvoir et plus important que le pouvoir, son symbole. Que c'est dur d'échapper au passé ! J'ai le sentiment qu'il me rattrape ici et maintenant. Toute cette affaire sent le coup monté. Comme par hasard, le confesseur d'Irina est de l'Opus Dei. Je commence à éprouver des doutes au sujet de Tarcisio Bertini. Pourquoi m'a-t-il suggéré l'idée de ce projet insensé ? Depuis que Théo a formulé l'alternative Loge ou Opus Dei, je suis obsédé par cette idée : qui trompe qui ? Dans quel but ? Que faire ?

— Prenons les choses dans l'ordre, répondit calmement Colombe. Avant ce qui s'est passé ici depuis deux jours, avant même le projet de Kassis, il y a les visions d'Irina qui semblent préparer le terrain depuis deux ou trois ans. Si c'est un complot téléguidé depuis le début par des intégristes ou des ennemis de la foi, il faut constater que la personne est particulièrement mal choisie. Irina n'a pas les aptitudes d'un agent double. D'où sortirait-elle les milliers de pages de notes qu'elle prend sous dictée de ses voix ? Et les textes en grec ?

— Elle a pu les copier, objecta Emmanuel se faisant l'avocat du diable avec une sourde satisfaction.

— Il aurait fallu pour cela qu'elle reçoive au préalable une solide formation théologique dont elle serait parfaitement incapable d'absorber les rudiments. J'ai lu quelques-uns de ses textes en français. Ils sont dans la ligne de tout ce qu'écrivent les mystiques : une effusion perpétuelle, répétitive, jamais mièvre, parfois même gênante par l'expression d'un emportement des sens. En tout cas des textes rédigés sans souci du qu'en-dira-t-on. Ils tranchent merveilleusement sur les écrits des théologiens de métier qui n'arrêtent pas de tourner leur plume dans l'encrier et de voiler leurs thèses, tant ils ont peur d'être condamnés. Irina est indifférente aux condamnations, aux intimidations et aux menaces. Comme toutes les mystiques qui l'ont précédée, Hildegarde de Bingen, Thérèse d'Avila, Catherine de Sienne, Thérèse de Lisieux et pourquoi pas ces deux filles singulières que furent Bernadette Soubirous et Jeanne d'Arc. Dans une Église confisquée par les hommes, ces femmes représentent un élément inassimilable. Le premier réflexe macho a toujours été de se débarrasser des femmes qui ont quelque chose à dire en les traitant de folles.

Emmanuel sourit :

— Sur ce point tu as raison. On ne leur a jamais fait de cadeau. Avant de débarquer en Suisse, j'ai même reçu, parmi beaucoup d'autres, une note de la Secrétairerie d'État m'expliquant le problème qu'Irina Martin représente pour l'Église en Suisse. Les évêques ont beau multiplier les condamnations, il y a de plus en plus de monde dans les réunions de prière qu'elle préside, des gens qui ne mettent jamais les pieds dans une église.

Colombe vida son verre d'un trait et resservit dans la foulée son frère et elle-même :

— Eh bien nous y voilà ! Irina pratique une concurrence déloyale. Quoi ! Tout d'abord elle n'est qu'une femme à qui tout ministère consacré est interdit par la configuration abominable de son appareil génital ; elle n'a pas de formation théologique ou spirituelle ; elle a été baptisée dans l'Église orthodoxe ; elle n'a même pas un passeport suisse. Et néanmoins elle réussit ce que ne parviennent à faire des hommes, des professionnels de la pastorale, formés pendant sept longues années, rétribués pour remplir des églises que les pouvoirs publics entretiennent pour eux. Elle convertit les foules qui se détournent des docteurs de la loi et des princes des prêtres. Cela ne te dit rien tout cela ? D'un côté la science, le pouvoir et la légitimité. De l'autre l'ignorance, la pauvreté, la contestation de l'ordre établi. Quelle gifle pour l'institution !

— Cela ne me dit toujours rien qui vaille.

— Et donc il valait la peine que tu vives tout cela. Il ne suffisait pas que tu quittes le Vatican et que tu t'installes au Latran pour changer la nature de l'institution et, surtout, ta nature personnelle. Tu es forcément associé aux structures que tu t'efforces d'abattre. Elles t'ont modelé, servi et même promu au premier rang. Cela ne serait pas arrivé si tu n'en étais pas complice dans une certaine mesure. Et tout à coup, tu dois larguer les amarres et voguer au grand large ! Ce n'est pas facile mon petit vieux ! Tu vas rencontrer des gens à qui tu n'as pas été présenté, sans titre, sans diplôme, sans consécration. Il ne te suffit pas de te débarrasser de la soutane blanche comme tu l'as si bien fait : elle n'a jamais été que le symbole d'une attitude dont il est beaucoup moins facile de te défaire.

— Je ne vais tout de même pas admettre que j'ai été l'instrument d'un miracle suscité par Irina Martin.

— Ce n'est pas très distingué, je te l'accorde. Cela fait populaire, obscurantiste, superstitieux.

— Je ne crois pas à la réalité de ce prétendu miracle. Tout s'est passé tellement vite lorsque tu es arrivée.

— Oui, bien sûr. Ce n'est pas un miracle de laboratoire filmé, enregistré, mesuré, classé. C'est une guérison sur le terrain, inexplicable, comme j'en rencontre si souvent dans mon métier. Lorsque j'accompagne un mourant, il faut qu'il accepte de renoncer à sa vie dans la solitude de sa conscience. Sinon il traîne son agonie ou bien il finit par mourir dans l'angoisse. En sens inverse la petite Sophie a choisi de vivre, probablement parce que la vie lui réserve encore beaucoup de joies. C'est peut-être elle l'auteur du miracle. Ou les prières de sa mère. On t'a simplement demandé de faire un signe. Parce que c'est ta fonction.

Emmanuel fit lentement tourner son vin dans le verre, le huma et finit par dire :

— Les Actes des Apôtres rapportent que, tout au début de sa prédication, Pierre guérit un paralytique qui se trouvait au Temple de Jérusalem en le prenant par la main et en le faisant se lever. C'est ce que j'ai fait, comme si, vingt siècles plus tard, tout recommençait. Mais je n'ai pas la foi de Pierre. Je n'ai pas sa force.

Colombe répliqua :

— Il a sans doute tremblé autant que toi. Mais l'Écriture ne le rapporte pas.

Théo interrompit la discussion en surgissant de la cuisine. Il avait l'air de bien s'amuser. Il avait même posé sur son gros crâne sa toque de cuisinier. Portant une pile d'assiettes et de couverts, madame Gaudin le suivait en pouffant de rire.

Colombe alla demander à Irina si elle voulait manger et essuya un refus poli mais définitif. De temps en temps, la recluse sortait de son ermitage et buvait de l'eau à même le torrent dans le creux de sa main pour tromper sa faim. Ainsi faisait déjà Élie dans cette grotte du Carmel où il vécut seulement de la nourriture que lui apportait un corbeau.

*

De retour à Lausanne, Ruth et Sean décidèrent, eux aussi, de jeûner ce soir-là, pour des raisons tout à fait différentes. Après être passés sur la balance, ils constatèrent les ravages incontestables de la cuisine de Théo sur leur ligne. Ils louèrent donc une barque à Ouchy et commencèrent une de ces promenades sur le lac, où chacun poursuivait un objectif différent : l'une espérait créer l'atmosphère lamartinienne propice aux aveux définitifs, l'autre désirait dépenser des calories tout en renforçant les muscles de son dos.

Ils pouvaient aussi échanger des réflexions qui auraient pesé trop lourd sur la terre ferme.

— Tu mesures bien les risques ? demanda Ruth.

— Tout à fait. Un papier sur l'effet Coover et un papier sur l'activité motrice sans activité corticale, cela serait normalement refusé par les revues sérieuses. Mais nous aurons la caution de Théo de Fully. À Genève et à Bruxelles, les laboratoires de neurologie reproduisent nos résultats, comme le confirme le courrier que nous venons de recevoir. Nous nous engageons dans une controverse radicale qui ébranlera les idées reçues sur le traitement du signal par le cerveau humain. C'est tout simplement la réfutation du modèle accepté. Si, à un moment ou à un autre dans une carrière scientifique, on n'en arrive pas à ce point de rupture, on ne fait jamais rien que de suivre les autres. Comme j'ai décidé de ne pas mener une vie médiocre, je suis servi par les événements. Et toi aussi si tu le veux.

— Si tu le veux, dit sournoisement Ruth, je le veux aussi.

— Tu mélanges tout avec tes déclarations sentimentales, grommela Sean qui tomba dans un mutisme total durant les vingt minutes qui suivirent.

Après ce temps de bouderie, Ruth décida de repartir à l'assaut par une autre voie :

— Et que penses-tu de ce qui est arrivé à la petite Sophie ?

Sean sourit :

— Je ne serais pas irlandais si je doutais que ce soit effectivement un miracle. Les habitants de Galway, dont je suis, ont la réputation d'être les plus fous des Irlandais. C'est pour cela que nous comprenons si bien Dieu, qui était fou de créer le monde et qui est fou de le maintenir en existence. Les miracles constituent des records de bonté de Dieu, un peu extravagants comme ces cadeaux démesurés que consent un homme bon et simple, sans le moindre esprit d'économie. Dieu ne mesure pas ses miracles. C'est nous qui lui imposons des règles auxquelles il feint d'obéir. Mais c'est pour mieux nous surprendre.

Il hésita un instant puis conclut :

— C'était une bonne question, ma petite vieille ! Je crois que je vais publier ces deux papiers parce que je ne résiste pas à ce type de clins d'œil ! Et toi ?

— Oh moi, tu sais ! C'est tout à fait naturel. Il y a toujours eu des prophètes en Israël. Il faut croire que maintenant, il y en a même en Suisse. Les temps changent ! En conscience, je crois donc que je dois m'engager sur ce projet.

— Qu'est-ce que la conscience ? reprit malicieusement Sean. C'était précisément la question que nous devions résoudre.

— La conscience, nous ne la mesurerons jamais et nous devons renoncer à la définir. Je vais plutôt te raconter une histoire pour te l'expliquer. Un rabbi enseignait à un de ses élèves que, la veille de sa mort, il devait avoir la conscience en paix. Bien entendu, l'élève répliqua que cette règle n'avait pas de sens parce qu'il ne connaîtrait jamais le jour de sa mort à l'avance. Le rabbi lui répondit que c'était exact et que c'était bien la raison pour laquelle il devait avoir une conscience en ordre tous les jours de sa vie. Eh bien ! Je comprends maintenant que je dois soutenir le projet de Kassis et la vocation d'Irina, pour avoir la conscience en paix. C'est tout et c'est beaucoup.

Ils ramèrent un peu, puis Sean arrêta et se tourna vers Ruth :

— Je te dois des excuses.

— Pourquoi ?

— Pour cette règle que tu connais.

— Prêter son corps à l'autre ?

— Oui.

— Ce n'est pas tellement désagréable, mentit bravement Ruth.

— Oui. Ce n'est pas vraiment le mal. Mais ce n'est pas le bien non plus. Tu vois, en rencontrant Irina, j'ai découvert la différence entre les deux. Le mal est relatif mais le bien est absolu.

Le cœur de Ruth se mit à battre follement. Elle ne parvenait pas à parler. Il valait mieux sans doute qu'elle se taise.

— Alors, je te propose d'abolir la règle, reprit Sean à voix presque inaudible.

— Et puis ? dit-elle d'une voix étranglée.

— Et puis nous verrons ce qui adviendra.

Ruth émit un petit oui.

— Je ne crois pas, conclut Sean, que je me passerai longtemps de toi.

C'était l'aveu le plus romantique que la pudeur irlandaise lui permette de formuler. Il avait fallu le lac, la barque et les rames pour y arriver. Ruth ne s'était pas trompée. Elle adressa une prière de reconnaissance au Dieu d'Israël, celui qui n'avait pas abandonné Ruth, Judith et Esther, trois femmes fortes qui avaient simulé la faiblesse pour arriver à leurs fins.

*

— À la fin du mois d'août, il commence à faire frais dès que le soleil tombe, constata Théo en prêtant un pull-over à Emmanuel. Il était de grosse laine blanche, non teinte. L'odeur du suint perçait encore sous le parfum de la lavande.

Ils étaient seuls, à trois. Madame Gaudin, après avoir rangé la vaisselle, était retournée à La Sage. Autour de la table desservie, la fratrie sentait que le moment de l'explication avait sonné. Chacun s'interrogeait dans l'incertitude de ce qui allait advenir.

Ce fut tout simplement l'irruption de Marek Swirszczynski, qui ne prit même pas la peine de frapper à la porte et qui déboula dans le séjour du chalet, métamorphosé par un changement de costume et par de petites lunettes cerclées d'or, qui lui donnaient l'allure de l'intellectuel slave standard, prolixe, gaffeur et confus. Sur un ton sinistre, il annonça :

— Je voudrais me confesser !

— Vous parlez le français maintenant ? demanda Théo.

— Oui ! C'est cela que je veux confesser. Je ne suis pas un gardien de troupeau.

— Alors, dit Théo, je vais commencer par vous rendre votre bien.

Et il lui tendit un micro-émetteur qu'il sortit de la poche de sa chemise à carreaux.

— Je vous félicite pour l'endroit où vous aviez placé ce petit outil d'espionnage, au-dessus d'un volume d'*Encyclopedia Britannica*, le genre d'ouvrage que l'on risque assez peu de consulter dans la vie de tous les jours. C'était négliger un élément d'information dont vous ne disposiez pas et que je vous transmets bien volontiers. Le propriétaire de ce chalet, moi en l'occurrence, est un maniaque de la propreté. Tous les jours, il ramasse la poussière de sa bibliothèque avec un aspirateur de poche. Votre appareil vous a sans doute appris ce qui s'est passé ce matin dans cette pièce. Je l'ai découvert depuis et il est débranché comme vous l'avez sans doute constaté. Si votre appétit de confession ne correspond pas à un repentir sincère mais seulement au souhait de récupérer un appareil coûteux en pénétrant dans le chalet sous un prétexte quelconque, voilà qui est fait. Laissez donc mon frère tranquille.

— Je vous demande vraiment pardon, répliqua Marek Swirszczynski, je tiens à me confesser.

— Bien, dit Emmanuel qui se leva et sortit sur la terrasse avec son pénitent improvisé.

Colombe échangea un grand sourire avec Théo :

— L'apparition d'un traître dans cette histoire me rappelle d'excellents souvenirs.

— Oui. À moi aussi. Cela me rappelle nos vacances à Fully et les grands jeux que nous imaginions. En jouant nous nous préparions au jeu de la vie qui ne cesse jamais de me surprendre par ses rebondissements. Rien n'est jamais gagné.

— Et rien n'est jamais perdu non plus, conclut Colombe.

Quelques minutes plus tard, Emmanuel revint seul dans le chalet :

— Je n'ai pas à vous répéter ce qu'il m'a dit en confession mais je puis vous dire qu'il ne s'est pas confessé de son propre chef.

— Il fait partie d'un complot ? demanda Théo.

— Non. C'est un journaliste à la recherche d'un scoop comme ils disent. Il est venu se confesser poussé par une vision.

— Ah bon ! dit Colombe. Lui aussi. Décidément cela devient une épidémie. Passe encore que les visionnaires aient des visions, c'est leur fonction. Si les journalistes commencent, eux aussi, où allons-nous ? Qu'est-ce qu'il a vu ?

— D'après ce qu'il m'a raconté, un enfant, vêtu de pourpre, extrêmement beau. Il tenait à la main une sorte de dard en or qu'il enfonçait dans le cœur de Marek. Il a été tellement épouvanté qu'il a cru mourir et qu'il s'est précipité ici, vers le seul prêtre disponible en quelque sorte.

— Et l'ange lui a dit son nom ? demanda Colombe.

— L'ange lui a dit qu'il était un Chérubin et que le nom des chérubins est un secret.

— Cela s'est passé où et quand ?

— Il dormait quelques instants. L'ange lui est apparu en songe.

— Je préfère cela, dit Colombe. C'est une apparition du second ordre, la seule qu'un journaliste mérite. Faudrait tout de même pas confondre ces suppôts de Satan avec les petits enfants du Bon Dieu.

— Ce suppôt de Satan a alerté toute la planète, précisa Emmanuel. Il faut que je quitte les mayens sans tarder.

*

Théo et Emmanuel roulaient sur la route en lacets qui descend de Vex à Sion. Au moment d'aborder un tournant en épingle à cheveux, Théo, manifestement distrait, freina sans débrayer et le moteur cala. La direction devint instantanément dure au point qu'il ne parvint plus à tourner le volant. Il freina désespérément mais la pédale était dure comme un billot de bois. Il n'y avait plus moyen de freiner ni de tourner et la voiture se dirigeait vers le précipice sans qu'il puisse rien faire.

— Tire sur le frein à main, cria-t-il à Emmanuel.

Les mains des deux frères convergèrent sur le levier. Il restait peut-être dix mètres avant la chute. Pendant une éternité la voiture sembla poursuivre sa trajectoire. Puis un paquet de brouillard surgit dans le faisceau des phares, une grande forme blanche haute comme un peuplier.

La voiture s'arrêta sur-le-champ. Théo qui ne se satisfaisait pas d'impressions vagues descendit tandis qu'Emmanuel épuisé s'effondrait dans son fauteuil.

— Un des pneus de la voiture se trouve à moitié dans le vide, commenta Théo. Nous avons failli dévaler la pente. C'est toujours la même chose avec cette vieille Renault. Elle date de la préhistoire de la conduite et du freinage assisté. Je devrais la changer.

Emmanuel s'efforça de dissimuler son trouble sous une plaisanterie :

— Il y a des voitures qui ne sont faites que pour la plaine. C'est comme les hommes. Il y en a qui ne devraient jamais monter en altitude. Je crains que ce soit mon cas. Il faut que je retourne aux bords du Tibre.

X

Chaque été, les quotidiens frôlent la déprime. Comme les annonceurs restreignent leurs dépenses, les pages rédactionnelles doivent être réduites au minimum. Cet été-là, malgré cette cure périodique d'amaigrissement, les nouvelles elles-mêmes étaient devenues rares. Il ne se passait plus rien de remarquable dans un monde qui ne s'intéressait pas à l'essentiel et qui ne parvenait plus à se divertir en s'occupant de futilités.

L'avant-dernier garde des Sceaux purgeait une peine de prison pour abus de biens sociaux, faux en écriture et blanchiment d'argent : pour se désennuyer, il tenait son journal en dégustant les dîners apportés depuis le restaurant trois étoiles le plus proche ; lors des interviews télévisées qui préparaient la sortie du livre, il déplorait son embonpoint croissant. Les Soudanais, les Rwandais et les Congolais se massacraient entre eux et mouraient de faim selon une coutume intangible : le droit des peuples à disposer d'eux-mêmes condamnait toute forme d'ingérence. Les yeux dans la caméra et un mouchoir en main, un prince d'Angleterre confessait son homosexualité et se plaignait d'être affligé tantôt de boulimie, tantôt d'anorexie, par suite de la trahison de son ami : loin de constituer un scandale, cet aveu était tout à fait politiquement correct. On ne se posait vraiment de questions qu'au sujet de la Bourse : risquait-elle enfin de baisser ?

Au sein de cette atonie périodique de l'actualité, le Vatican ne jouait plus son rôle classique de relais estival. Jadis, au bon vieux temps des papes à poigne, les journalistes de garde au mois d'août avaient toujours la ressource d'éreinter quelque document péremptoire sur un sujet croustillant : une condamnation sans appel de la pilule, une interdiction définitive de l'ordination pour les femmes, une extension de l'infaillibilité pontificale dans toutes les directions. En prenant la société à rebrousse-poil, la Congrégation pour la Doctrine de la Foi suscitait une réjouissante controverse dont les arguments se répétaient, s'entrelaçaient et se répondaient avec l'implacable et rassurante rigueur d'une fugue de Jean-Sébastien Bach. Mais cette Congrégation, dissoute voici un an par Jean XXIV, ne publiait plus rien.

Le cirque manquait d'attrait, faute d'un régisseur en frac et haut-de-forme, rappelant vainement des clowns débridés au respect des règles. Il ne restait plus que la liberté de faire tout ce dont on avait envie et la découverte que l'on n'avait plus envie de rien du tout.

En cette fin d'août, le scoop de Marek Swirszczynski fit donc l'effet d'une divine surprise. Tous les ingrédients d'un ragoût délectable étaient rassemblés : le pape en voyage incognito, frère d'un prix Nobel engagé dans des recherches flirtant avec l'alchimie, rencontrait dans un paysage alpestre (belles photos) un financier libanais (sans doute maffieux) qui soutenait de ses deniers cette opération de reconquête du monde intellectuel. On pouvait y ajouter la sœur des deux premiers qui était spécialisée dans l'accompagnement des mourants, le directeur du laboratoire accusé (sans preuves) de gestion frauduleuse du budget de son institution, son épouse visionnaire bien connue et sans doute affabulatrice, un chercheur irlandais mêlé probablement aux activités de l'IRA et une chercheuse israélienne, sans doute en mission commandée pour la Tsahal. C'était trop beau. Aucun écrivain n'aurait osé entasser tant d'ingrédients romanesques en une seule intrigue. Mais la réalité fait fi de la vraisemblance tant elle est sûre de son fait.

Durant toute la nuit de lundi à mardi, les rédactions du monde occidental furent en ébullition. Des envoyés spéciaux saisirent leur petite valise toujours prête et convergèrent vers les aéroports où ils rencontrèrent les équipes de télévision, encombrées selon la tradition d'un excédent de matériel. Les agences de location de voitures de l'aéroport de Genève-Cointrin furent rapidement à court de véhicules. Dès l'atterrissage des premiers avions, vers sept heures du matin, des caravanes commencèrent à converger vers le val d'Hérens.

Le gouvernement suisse avait pris les mesures qui s'imposaient. Des barrages de la gendarmerie valaisanne interdisaient la route des

Haudères à la sortie d'Évolène. Des policiers en civil avaient été déposés par hélicoptère aux mayens de Lachiorres pour assurer la protection rapprochée d'Emmanuel de Fully, citoyen suisse, pape régnant sous le nom de Jean XXIV.

Ni les policiers, ni les journalistes ne rencontrèrent Emmanuel et Théo qui avaient quitté les lieux à la nuit tombée. Il ne restait qu'Irina et Colombe à se mettre sous la dent. Mais elles étaient plutôt du genre taiseux. Et les tentatives de faire parler madame Gaudin échouèrent sur le granit valaisan. Sa porte fut littéralement claquée sur les importuns et l'envoyé spécial de *Paris-Match* se retira en saignant du nez.

*

Pendant ce temps, Emmanuel et Théo prenaient le petit déjeuner sur la terrasse de la maison familiale à Fully dans un grand soleil matinal. Les quarante ares du parc étaient entourés de murs doublés par des haies de laurelles qui protégeaient les deux frères de toute intrusion ou indiscrétion.

Emmanuel se sentait tout à fait rassuré. Ici rien ne pouvait lui arriver. Il revoyait son père assis au même endroit que celui où il se trouvait, lisant son journal dans le jour déclinant et grondant pour le principe les trois enfants lorsque ceux-ci devenaient trop bruyants. Il reconnaissait la forme des dalles et leurs imperfections, les petits éclats qui avaient sauté les jours de grand gel, les fentes produites par la chute d'objets lourds. Chaque pierre de cette maison avait son histoire et il en connaissait un grand nombre pour en avoir été l'acteur.

Emmanuel avait été cet enfant, un peu trop frêle et trop sérieux dont les moines d'Einsiedeln avaient cru déceler la vocation sacerdotale. S'ils avaient su qu'ils étaient en train de choisir un pape, ils auraient peut-être hésité et choisi un garçon plus robuste et moins scrupuleux.

— Nous l'avons échappé belle hier soir, commenta Théo en plongeant son croissant dans le café au lait, habitude populaire dont il ne parvenait pas à se défaire. Si nous étions tombés dans le ravin, il y aurait eu une nouvelle énigme à résoudre. Pourquoi le pape a-t-il été tué et par qui ? Et précisément à ce moment ?

— Ce fut une coïncidence de trop, répondit lentement Emmanuel. Je ne crois pas que c'était le hasard. Je pense maintenant que nous recevons des signes de plus en plus pressants. Mais qu'est-ce que cela signifie et que faire ?

— Un acte de foi ! répondit Théo en se servant de confiture d'oranges amères.

Il la préparait lui-même au mois de janvier par une savante alchimie qui prenait trois jours et qui engluait de sirop collant toute la cuisine. Celui qui se sert d'une opulente ration de confiture d'oranges amères dès huit heures du matin, témoigne d'une foi à toute épreuve et la transmet aux autres.

Un coup de sonnette les fit tressaillir. Déjà, pensa Emmanuel. S'il n'y avait pas la presse, s'il n'y avait pas l'opinion publique, tout aurait pu rester secret. Il éprouvait de moins en moins de doutes sur ce qui s'était passé mais cette évidence croissante ne le rassurait pas, bien au contraire. Il ressentait au creux de l'estomac cette crispation de tout le corps dont il ne parvenait pas à se défaire les jours de rendez-vous avec le dentiste dans la journée. Son élection au pontificat suprême n'y avait rien changé. Quand le pape Jean XXIV avait mal aux dents, il redoutait le dentiste tout comme le petit garçon qu'il avait été. Cette découverte avait constitué une de ses plus grandes déceptions lors de l'accession au pontificat.

Théo revint en ronchonnant :

— Il y a une caravane de voitures dans l'allée. Ils ne se gênent pas pour parquer sur l'herbe. Il vont gâcher les bas-côtés. Viens, il ne faut pas rester dehors. Il y aura bientôt des téléobjectifs et des micros hypersensibles.

Les deux frères chargèrent la vaisselle du petit déjeuner sur un plateau et s'installèrent sur la table basse du séjour. Des rideaux de dentelle les protégeaient. Ils avaient été achetés par leur mère lorsqu'elle était venue s'installer ici après son mariage et ils avaient résisté à tous les lavages. La photo de maman se trouvait sur la cheminée, en toilette blanche et chapeau comme on en portait en 1930. Il y avait si longtemps de cela. Savait-elle ce que ses trois enfants étaient devenus ? Là où elle était. Si elle était quelque part.

— Je ne sais pas ce que je dois faire, répéta Emmanuel.

— Un acte de foi public.

— C'est-à-dire ?

— Lorsque les apôtres, Pierre pour commencer, réalisèrent leurs premiers miracles, ils ne feignirent pas de considérer que rien ne s'était passé. Ils rendaient témoignage à leur maître, au nom duquel ils réalisaient des prodiges, dans le seul but de devenir crédibles.

— Arrête, Théo ! C'est impossible ! Si je prétends ou même si j'admets simplement que j'ai réalisé un miracle, les intégristes vont soutenir que c'est l'œuvre du diable et tous les théologiens libéraux vont se gausser de moi. On me déposera sous prétexte d'aliénation mentale et de folie des grandeurs. Le rôle du pape n'a jamais été de faire des miracles, sinon celui de maintenir à flot la barque de Pierre. Cela suffit à l'occuper, je te prie de le croire !

— Quand Jésus faisait des miracles, les Sadducéens lui reprochaient de soulever la population et d'irriter les Romains. Les Pharisiens le blâmaient de n'avoir pas respecté le sabbat. Tu es pris en tenaille pour les mêmes raisons. Les uns n'ont pas la foi, les autres l'accaparent. Et toi, ou Pierre, ou Jésus vous vous retrouvez tout seul ! C'est la règle du jeu. Tu la connaissais pourtant avant de commencer. Il n'y a pas moyen d'annoncer la foi en Jésus, Dieu et homme, mort et ressuscité, sans être martyr, au sens premier du terme.

Emmanuel vida sa tasse de café sans répondre. Comme la gouvernante de Théo n'était pas encore arrivée, ils débarrassèrent la vaisselle. Théo, toujours méticuleux, remit le beurre et le lait au frigo. De retour au séjour, Emmanuel changea de sujet pour essayer de culpabiliser un tantinet son frère :

— Tu n'aurais pas dû m'écouter lorsque je t'ai transmis la brillante idée de Tarcisio Bertini. Encore n'était-ce qu'une suggestion très générale. Pourquoi as-tu lancé ce projet de psychologie physique avec Charbel Kassis ? Cela sent à plein nez la fausse science. Dans ce contexte, ce qui s'est passé n'a pas la moindre chance d'être pris au sérieux.

Théo soupira. Emmanuel ne changerait jamais. Il s'inscrivait dans le cercle vicieux de la culpabilité, en essayant systématiquement de transmettre aux autres la sienne propre.

— J'ai fait pour le mieux compte tenu des intérêts de Charbel Kassis qui avait tout de même son mot à dire puisqu'il avancerait l'argent. Ce n'est pas de la fausse science, c'est une recherche de pointe qui ébranle les idées reçues. Ni Galilée, ni Darwin, ni même Einstein n'ont été pris au sérieux lorsqu'ils ont commencé. Et cependant, ils ont creusé de plus en plus profondément un sillon qui s'avère aujourd'hui fécond et incontestable. Au départ, leur curiosité était métaphysique bien plus que scientifique. Sur la base des travaux qui ont été entrepris et réussis à ton initiative, nous découvrons petit à petit la Création dans toute sa splendeur et non pas dans cette grisaille mathématique, juridique, quasiment administrative que les scientistes ont propagée durant deux siècles. Ces pisse-froid, ces fonctionnaires de la pensée, impuissants et stériles, se sont acharnés à répéter que la vérité était triste, que l'univers n'avait aucun sens parce qu'il n'était pas le résultat d'une intention créatrice. À partir de cette supposition, il y a forcément un conflit frontal entre notre foi, entre toutes les fois religieuses, et une prétendue science qui est en fait une contrefaçon morte et figée. On s'est imaginé que la rigueur signifiait le refus de toute intuition et que plus on faisait ennuyeux, triste, sinistre, plus on s'approchait de la vérité.

Théo sortit sur la terrasse pour déployer le parasol qui protégeait la grande baie du séjour car la chaleur montait. En revenant, il conclut la discussion.

— Je n'ai pas, à un seul moment de ma carrière scientifique, fait autre chose que de m'émerveiller en découvrant Dieu. C'était du reste le sentiment des grands précurseurs. J'essaie de restaurer cette attitude confiante et optimiste. Mais cela n'ira pas sans difficulté, je te l'accorde. C'est un des plus beaux jeux que je puisse te proposer, mon vieux ! Avec tous les risques d'un grand jeu.

— Bien, dit Emmanuel. Si Colombe et toi vous êtes d'accord, il ne me reste plus qu'à continuer.

Dans la famille de Fully, les décisions importantes se prenaient toujours à la majorité selon une coutume bien helvétique : cela n'évite pas les erreurs mais cela oblige tout le monde à les assumer.

*

À titre tout à fait exceptionnel, Solange avait tapé la lettre sans tarder. Le petit génie de l'intuition, qui veille sur toute secrétaire nonchalante, lui avait dicté l'urgence de la démarche. Elle avait posé la lettre sur le bureau de Norbert Viredaz et puis avait été chercher Michel qui se languissait dans la salle d'attente toujours aussi surchauffée.

— Monsieur le professeur, je me suis permis de vous convoquer au milieu de vos vacances, mais vous comprendrez tout de suite pourquoi. Avez-vous lu *Le Matin* ? dit le président lorsque le professeur Martin se fut assis devant lui.

— Non, grommela Michel. Je ne lis jamais ce canard. Il ne s'y trouve que des cancans, des pages sportives et des petites annonces de prostituées. Je ne vois vraiment pas pourquoi j'aurais lu ce journal, si on peut l'appeler ainsi.

Norbert Viredaz blêmit sous l'insulte. *Le Matin* constituait sa seule lecture, celle qui le confortait dans sa vision rassurante du monde rétréci aux dimensions du canton de Vaud. Il fut particulièrement choqué par l'évocation à haute voix des annonces de prostituées qu'il étudiait matin et soir avec application, sans recourir pour autant aux services de ces dames. L'argent ne doit pas se gaspiller avec les femmes de mauvaise vie, mais servir à acheter de la bonne terre à vigne. En fait, les pages d'annonces du *Matin* lui permettaient seulement d'alimenter des fantasmes bon marché et de les assouvir sans rien dépenser.

— Pour une fois, monsieur Martin, vous feriez bien d'en acheter une copie. Vous êtes l'objet d'un article qui traîne l'École polytechnique dans la boue.

— Raison de plus pour ne pas l'acheter.

— C'est vous qui avez donné prise au scandale. Mon devoir est de vous demander votre démission.

Norbert prit la lettre tapée par Solange et la plaça devant Michel. Selon son expérience, ce geste déconcertait certains professeurs à ce point qu'ils signaient mécaniquement, par réflexe, sans même prendre la peine de lire. Cette manœuvre simple avait épargné de nombreux conflits devant les juridictions du travail, toujours prêtes à prendre le parti du travailleur.

Michel ne signa pas.

— Et pourrais-je savoir ce que vous me reprochez précisément ? Il ne suffit pas qu'un journaliste me calomnie pour que je sois tenu de démissionner, que je sache.

Le « que je sache » mit Viredaz dans une fureur noire. Il subodorait que cette forme verbale, totalement inusitée dans son milieu, relevait de ce mode bizarre, le subjonctif, dont on lui avait parlé au collège et qui exprimait des actions virtuelles et évanescentes, le sentiment, le doute, le désir, l'éventualité, l'hypothèse, la crainte, l'étonnement. Des états d'âme qu'un vigneron digne de ce nom n'éprouve pas ou qu'il élimine en éclusant trois décilitres de blanc. Bref, un mode verbal réservé à des intellectuels, ces êtres malfaisants qu'il devait maîtriser ou éliminer.

— Voici ce que l'on dit de vous dans le journal. Primo : vous avez accumulé des dettes, probablement douteuses, dans la gestion de votre laboratoire. Secundo : vous avez essayé de dissimuler ces détournements en vendant des résultats à un banquier louche. Tertio : vous avez entraîné dans cette aventure l'une des gloires de l'École polytechnique, le professeur de Fully, dont le grand âge a égaré l'esprit. Quarto : vous avez créé une secte, où vous exploitez les prétendues visions de votre épouse. Quinto : des cérémonies secrètes ont été célébrées dans un lieu retiré du val d'Hérens, avec la participation d'un terroriste irlandais et d'un agent secret israélien auxquels votre laboratoire servait de couverture. Je ne parle même pas de vos essais de compromettre le pape en personne dans cette sordide affaire. En bon protestant, j'émets toutes réserves sur la fonction religieuse. Mais en tant que fonctionnaire de la Confédération helvétique, je me dois de protéger un chef d'État étranger en visite privée dans notre pays.

Essoufflé par la péroraison, Norbert porta la main à son foie. Il n'en souffrait pas mais celui-ci pesait comme une pierre. Son teint devenait de plus en plus jaune et son visage était constellé de petites varices en forme d'araignées.

Michel Martin ne se contint plus :

— Vous ne trouvez pas que cela fait un peu beaucoup ? Ce que vous me racontez est un roman feuilleton inventé par un journaliste en mal de copie. Je n'ai commis aucun des méfaits dont vous m'accusez. Donc, vous ne devez pas espérer que je signe cette lettre. Car vous oubliez dans ce récit de rapporter notre entretien de juin, durant lequel vous m'avez pratiquement forcé à collaborer avec Charbel Kassis. Ça c'est la réalité !

— Qu'est-ce que vous racontez ? Cet entretien n'a jamais eu lieu. Je vous mets au défi d'en apporter la moindre preuve.

— Je vous ai envoyé le surlendemain une lettre où j'acceptais, contraint et forcé, ce projet.

— Cette lettre n'existe que dans votre imagination. En tout cas elle n'est jamais arrivée. Vous pouvez toujours essayer de la trouver dans les archives de la présidence.

Michel explosa et désigna les couches de documents sur le bureau de Norbert Viredaz.

— Alors là, je suis d'accord. Personne ne peux retrouver quoi que ce soit dans votre dépotoir.

— Sortez ! hurla Norbert.

Il redoutait déjà d'avoir à expliquer la résistance du professeur Martin au Maître.

Il faudrait tout de même vérifier que Solange avait bien détruit la lettre du professeur Martin. Elle était devenue tellement négligente qu'elle oubliait parfois de commettre ces menus forfaits qui en faisaient un rouage essentiel de la direction.

*

Chacun campa sur ses positions durant une semaine. Théo et Emmanuel à Fully, Colombe et Irina aux mayens de Lachiorres, Sean et Ruth rédigeant fébrilement des articles dans le laboratoire, Michel utilisant ses derniers jours de congé pour s'occuper des enfants, nettoyer l'appartement et recruter une gouvernante : dès qu'il avait une demi-journée de libre, il s'enfermait dans son bureau et jouissait de longs tête-à-tête avec Galatée. Norbert Viredaz surveillait la maturité de ses grappes et révisait le matériel pour la vendange. Cela le distrayait des remontrances que le Maître lui adressait quotidiennement.

Colombe téléphonait chaque jour à Michel pour lui donner des nouvelles de sa femme. Selon toute vraisemblance, depuis lundi elle n'avait rien absorbé d'autre que de l'eau de source et elle se portait cependant à merveille. Mandaté par l'évêque de Sion, le curé des Haudères s'était déplacé pour s'entretenir avec elle. Il avait ensuite interrogé Colombe au sujet du jeûne d'Irina et il était finalement reparti pour la vallée en secouant la tête. Il avait brigué un poste de curé dans le val d'Hérens pour avoir la paix : ce qui lui arrivait n'était pas juste. Ce n'était pas une preuve de l'existence de Dieu, mais une épreuve pour le curé du lieu.

Les journalistes avaient quitté les mayens dès le début de la semaine à la trace de Jean XXIV. Néanmoins Marek Swirs-zczynski était demeuré, bien que son cousin fût remonté de Sierre pour s'occuper du troupeau. Il avait juré à Colombe qu'il ne prendrait plus contact avec les journaux intéressés par son grand reportage. Devant elle, il avait détruit les enregistrements audio et les pellicules photographiques, brûlé ses notes et coupé son téléphone portatif. Il se sentait tellement coupable d'avoir diffusé les dépêches du lundi précédent qu'il lui semblait nécessaire d'expier son péché en demeurant aux pieds d'Irina. Il notait soigneusement les messages qu'elle recevait et il se proposait de publier un livre d'entretiens.

Comme il ne jouissait pas du charisme d'Irina, il lui fallait tout de même se nourrir. Colombe l'avait invité à partager ses repas, d'abord parce qu'elle s'ennuyait toute seule à table et ensuite parce que Marek s'était révélé un convive agréable : il parlait à la perfection une demi-douzaine de langues et il possédait un stock inépuisable d'anecdotes diffamatoires sur les grands de ce monde. Dès le départ de Théo, madame Gaudin avait été remerciée par Colombe qui adhérait aux principes américains en matière de travail ménager : on le simplifie jusqu'au point où il ne faut plus engager une mercenaire pour l'accomplir. C'est une expression cohérente de la démocratie, qui consiste à supporter l'inconfort pourvu qu'il soit universellement partagé. Marek Swirszczynski se satisfaisait donc d'une cuisine approximative dont l'objectif était davantage la rapidité d'exécution que le résultat final.

En revanche, il jouissait de longues conversations avec Colombe. Il se sentait planer comme un aigle, au fond de cette vallée entre deux femmes aussi fascinantes l'une que l'autre. Il s'installa dans une chambre du chalet où Colombe finit par l'inviter. Du matin au soir, il écoutait Irina et Colombe, il retranscrivait leurs paroles et il s'effondrait le soir sur sa couche, épuisé nerveusement par le travail et apaisé spirituellement après avoir récité un chapelet sur la terrasse en regardant le soleil se coucher. Peut-être était-il mort, peut-être était-il au ciel avec deux amies très chères.

Toute la nuit, il se retournait sur sa couche sans trouver le sommeil à l'idée d'être à quelques mètres d'une femme séduisante, perdue avec lui dans un chalet isolé. Il demeurait éveillé jusqu'à l'aube, ballotté entre son désir et son idéal. Il eût préféré vivre une grande passion platonique mais ce n'était pas dans sa nature. Malgré de grands efforts, jamais il ne bénéficia d'une vision de son ange gardien. Il s'exaltait donc à vide, d'autant plus que son cerveau slave ne comportait pas ce centre de la raison dont les Occidentaux se sont dotés au fil des générations. Les meilleurs neurobiologistes recherchent encore sa localisation dans le cortex.

*

Le dimanche, avant même que le soleil fût levé, une étrange caravane se mit à grimper la route en lacets qui mène de Sion au val d'Hérens : plusieurs dizaines de jeunes gens, vêtus de soutanes, étranglés par des cols romains et munis de grosses chaussures de montagne graissées de frais. Ils avaient les cheveux coupés court, le menton rasé et les yeux baissés. Le séminaire intégriste d'Écône se rendait en pèlerinage aux mayens de Lachiorres.

Toute la matinée ils marchèrent dans le soleil qui devenait de plus en plus accablant. Ils remplissaient leurs gourdes aux fontaines des villages qu'ils traversaient. Exposé au soleil ardent, le gros tissu noir des soutanes les transformait en saunas portatifs. Une odeur aigre de transpiration flottait sur la caravane, d'autant plus que le règlement du séminaire limitait strictement le nombre de douches à deux par semaine en été et à une seule en hiver. Il y eut deux évanouissements mais les victimes, après avoir récupéré à l'ombre, reprirent la route en essayant de rattraper leurs compagnons.

Arrivés aux Haudères vers midi, les séminaristes furent rejoints par le directeur et trois professeurs venus en voiture, compte tenu de leurs âges. L'un d'entre eux se dirigeait d'ailleurs avec peine, car il avait pratiquement perdu la vue.

La montée vers les mayens se fit en procession précédée de deux acolytes en surplis portant chacun un candélabre. Ils encadraient un porte-croix et un thuriféraire balançant son encensoir. Malgré l'essoufflement dû à la montée, les cantiques alternaient sans discontinuer avec les chapelets.

La plupart des séminaristes avaient noué les quatre coins de leurs mouchoirs, de façon à constituer des sortes de bonnets qui protégeaient quelque peu leurs crânes aux cheveux ras. À chaque fontaine, ils humectaient ces linges. Lorsque la procession traversa La Sage, plusieurs habitants la rejoignirent car ils avaient appris, par des conversations chuchotées, les prodiges qui s'étaient déroulés dans la montagne.

Au fur et à mesure que le chemin devenait plus difficile, la marche se ralentissait et la procession s'étirait en file indienne. La terre était maintenant dénudée. Plus aucun arbre n'étendait une ombre miséricordieuse. L'impression de monter vers un calvaire s'imposait de plus en plus à des imaginations enfiévrées. De temps en temps quelqu'un s'agenouillait pour reprendre son souffle et se relevait quand la queue de la procession le rattrapait. Comme une petite brise s'était levée et s'amusait diaboliquement à souffler les cierges, il fallut plus d'une fois les rallumer, mais les acolytes démontrèrent, dans cette tâche, la patience et la ténacité qui n'appartiennent qu'aux intégristes. Nostalgiques du passé, ils en perpétuent les rites afin de le confondre avec l'éternité.

Vers une heure de l'après-midi, Colombe et Marek, alertés par les chants et les prières, sortirent du chalet et aperçurent une centaine de personnes grimpant vers eux à la file indienne. Une fumée drue montait de l'encensoir balancé avec conviction. Colombe retint par le bras Marek qui voulait aller à la rencontre des pèlerins. Il faillit défaillir de bonheur : c'était la première fois qu'elle le touchait.

Pour dissiper son trouble, il alla à la cuisine boire d'un seul coup un grand verre d'eau froide. Ce remède était souverain contre les tentations de la chair pourvu qu'on soit prêt à le renouveler autant de fois que nécessaire. Marek finit par sortir de la cuisine, apaisé mais le ventre ballonné. Il rejoignit Colombe sur la terrasse.

Irina était agenouillée sur le seuil du raccard. Elle ne prêta tout d'abord aucune attention aux pèlerins qui firent un grand cercle autour d'elle, en utilisant vaille que vaille toutes les inégalités de la pente pour parvenir à s'agenouiller. Ils attendaient en silence qu'un événement se produise sans trop savoir lequel. Le spectacle d'une femme en prière, les yeux clos, n'avait rien de très surprenant.

Le supérieur du séminaire, qui descendait d'une grande famille française et connaissait les bonnes manières, s'inquiéta de cette intrusion sur une propriété privée sans l'autorisation des habitants. Il grimpa une dizaine de mètres en retroussant décemment sa soutane pour venir saluer Marek et Colombe.

Celle-ci répondit brièvement aux questions, sans se montrer ni trop affable, ni outrageusement distante.

Oui, Irina demeurait depuis une semaine dans cette petite remise qui lui servait d'ermitage. Non, elle n'avait rien mangé depuis lors mais elle buvait régulièrement de l'eau au torrent. Oui, c'était l'accomplissement d'un vœu pour obtenir la guérison de sa fille Sophie, victime d'une chute. Non, le pape n'était plus ici depuis le début de la semaine. Oui, il était présent lors de la guérison spontanée de Sophie.

Le mot miracle avait été soigneusement évité par les deux interlocuteurs, chacun guettant le discours de l'autre pour s'en prévaloir. Après ce bref échange, ils entendirent Irina qui commençait à parler. Colombe rentra dans le chalet comme si le spectacle lui était devenu insoutenable.

En quelques enjambées, le supérieur et Marek rejoignirent les pèlerins qui écoutaient Irina :

— À peine certains ont-ils appris à prier, qu'ils veulent voir tout le monde dans un état de perfection. Ce désir est naturel mais il doit s'accompagner d'une grande prudence pour éviter de donner des leçons aux autres. Celui qui veut faire du bien à son prochain doit être lui-même très avancé dans la perfection. Sinon il sera un sujet de tentation et de trouble. Telle est l'œuvre du démon. Il semble se servir des vertus qui sont en nous pour susciter le mal autour de nous. Aussi faut-il en priant ne s'occuper que de sa propre perfection. Vivre comme s'il n'y avait au monde que Dieu et celui qui le prie. Le plus sûr pour une âme qui prie est donc d'abandonner le souci de tout et de tous et de ne s'occuper que du bon plaisir de Dieu. Ne considérons dans le prochain que ses vertus et ses bonnes œuvres. Que la grandeur de nos propres péchés nous aide à passer sur ses défauts. C'est par là que l'âme parvient à réaliser de véritables progrès avec l'aide toujours nécessaire de Dieu.

Elle se tut en gardant les yeux fermés. On n'entendait plus ni cantiques, ni prières à haute voix mais un grand silence. Certains tâchaient de se prosterner dans la faible mesure où le terrain le leur permettait.

Marek fasciné par le spectacle ne perdait pas de vue le visage d'Irina. Après quelques instants, sa vue se brouilla et il crut apercevoir le visage de Jésus, car Irina portait des cheveux longs qui tombaient en désordre sur ses épaules. Puis le doute ne fut plus possible : des points rouges apparaissaient sur le front d'Irina. Mû par un réflexe professionnel, Marek enjamba les corps des pèlerins pour se rapprocher d'elle. Quand elle arriva à proximité, il se pencha vers le visage et il vit des gouttes de sang perler sur la peau. Il les essuya avec son mouchoir sans qu'Irina ouvre les yeux puis il demeura à ses côtés, comme il l'avait fait si souvent pour des malades ou des blessés à l'agonie, lors de ses reportages les plus dangereux en Bosnie, au Rwanda, en Irak.

Le silence était tel que l'on entendait l'eau dévaler dans le torrent des Maures, aussi fort que si l'on avait été au bord de celui-ci. Quelques choucas survolèrent le groupe en croassant. Les vaches ruminaient au soleil et s'abstenaient de faire tinter les cloches, sinon de temps à autre par une distraction bien excusable. Tout en bas dans la vallée, on percevait le bruit d'une voiture, étouffé comme s'il avait été inconvenant.

Marek sentit qu'on lui enlevait doucement le mouchoir avec lequel il avait essuyé le front d'Irina. C'était le directeur du séminaire qui le posa sur les yeux fermés d'un prêtre aux cheveux blancs dont les lèvres remuaient au rythme d'une invocation silencieuse.

Après quelques instants, celui-ci se leva, embrassa le mouchoir, ouvrit grand ses yeux qui étaient d'un bleu superbe et déclara sur le ton de l'évidence :

— Je vois ! Je suis guéri !

Il souriait.

Il y avait du mérite car ses lèvres étaient encadrées par deux rides profondes, creusées sans doute au fil des examens de conscience et des pénitences. Marek eut l'impression que le véritable miracle n'affectait pas seulement les yeux mais aussi bien les lèvres. Il nota cette phrase sur le carnet qu'il portait toujours sur lui en se promettant de l'utiliser dans son livre.

Il entendit des clameurs sourdes dans la foule. Beaucoup se signaient. Sans mot dire, les yeux baissés, Irina se leva et rentra dans son ermitage dont elle ferma la porte.

La foule quitta les lieux petit à petit, puis elle reprit silencieusement la route, les acolytes mélangés aux autres dans une grande confusion, comme si une terreur sacrée remontait aux entrailles de chacun. Les cierges étaient éteints, l'encensoir refroidi et le porte-croix ne brandissait plus celle-ci, qu'il portait sur l'épaule comme le laboureur rentrant chez lui le soir, chargé de sa bêche.

Marek accompagna quelques instants le directeur du séminaire auquel il tenait machinalement à rendre les égards que l'on doit à un visiteur. Quand ils furent suffisamment éloignés des mayens, il ne put résister à lui poser la question qui brûlait ses lèvres.

— Pourquoi ce prêtre a-t-il dit qu'il était guéri ? Était-il réellement aveugle ?

Le supérieur répondit :

— Oui. Il était atteint d'une affection de la rétine d'origine diabétique. Il a été traité plusieurs fois au laser, mais chaque traitement stabilisait tout juste sa vision, à un niveau de plus en plus faible. Il n'était plus capable de lire et avait déjà fait l'apprentissage du Braille. S'il est bien guéri comme il le dit, ce ne peut être qu'un miracle, car il n'existe aucun traitement connu de son affection.

— Et qu'allez-vous faire ?

— Le conduire chez l'ophtalmologue pour que celui-ci constate et atteste la guérison.

— Et si nous vous demandions de garder le secret, que répondriez-vous ?

Le supérieur s'arrêta, le regarda bien en face et répondit sans aucune brutalité :

— Qu'il n'en est bien entendu pas question, monsieur ! Les miracles remplissent la fonction essentielle d'affermir la foi. C'est pour cela que Dieu nous les accorde, pour briser la dureté de nos cœurs.

Marek se tut quelques instants puis il prit congé en réclamant son bien :

— Rendez-moi tout de même mon mouchoir. Je suis en voyage. Je n'en ai pas emporté beaucoup.

— Vous n'y pensez pas, monsieur ! C'est devenu une relique.

— Peut-être, mais alors c'est ma relique, à moi !

Et il récupéra son mouchoir en se demandant s'il aurait l'audace de faire analyser les taches de sang.

Quand Marek fut rentré au chalet, il fit un compte rendu circonstancié à Colombe qui l'écouta avec une moue d'impatience et d'incrédulité. Marek, par souci de ne pas l'irriter, se mit à atténuer les éléments merveilleux de son récit.

Colombe téléphona à Fully. Emmanuel décrocha et reçut un message sans équivoque :

— Eh bien, tu peux être rassuré ! Ce n'est pas toi qui a fait un miracle lundi. C'est Irina parce qu'elle vient d'en réaliser un autre. Un vieux prêtre d'Écône a récupéré la vue. Qu'il dit ! Moi, je n'ai rien vu. Je tiens l'histoire de Marek.

Il y eut un long silence au bout du fil à Fully. Colombe pouvait imaginer Emmanuel dans le décor du hall qu'elle connaissait par cœur. Au-dessus du téléphone, il y avait toujours un arbre généalogique des Capétiens, que son père avait imaginé de placer là pour que les enfants s'imbibent d'histoire chaque fois qu'ils bavarderaient au téléphone.

— Tant mieux pour ce prêtre si c'est vrai ! finit par dire Emmanuel. Mais ce n'est pas une bonne nouvelle pour l'évêque de Sion qui sera soumis à des pressions considérables de la part de la population.

— Je considère cette anecdote comme hautement suspecte, compléta Colombe. Rien n'arrange plus des intégristes que les miracles. Même si ce n'est pas un complot organisé par le supérieur du séminaire, cela peut être une illusion du miraculé. Tu aurais dû voir l'atmosphère d'exaltation de la foule qui est montée à pied jusqu'ici. Tous les dérapages sont possibles à partir de maintenant. D'ailleurs je n'ai que le récit de Marek qui est un peu exalté sur les bords. Je n'ai jamais vu de façon évidente quoi que ce soit qui ressemble à un miracle. En revanche, je n'arrête pas depuis quelques jours de rencontrer des gens qui aspirent au miracle.

Après un long silence, Emmanuel répondit :

— Enfin, miracle ou non, d'une certaine façon je suis surtout soulagé que ce soit Irina à laquelle on les attribue. Cela m'ôte un poids de l'estomac. Bientôt je dois rentrer à Rome. Je crains fort de n'y obtenir aucun des véritables miracles que je souhaite.

— Je voudrais tout de même te dire adieu avant que tu ne t'en ailles.

— Alors, il faudra que tu descendes à Fully. Des journalistes montent la garde devant la grille. Ils se relaient jour et nuit. Il n'est pas question que je sorte.

— Je viendrai demain car je dois faire quelques courses pour Irina à Sion.

*

Grâce à un appel de Colombe le lundi soir, Michel apprit la nouvelle du prétendu miracle tandis qu'il cuisinait une énorme omelette au fromage pour rassasier sa nichée, après avoir travaillé comme un fou durant toute la journée, sans même prendre le temps de déjeuner. Il n'avait lu aucun journal et il s'était abstenu d'écouter la radio ou la télévision. Ses problèmes pratiques d'intendance l'absorbaient suffisamment pour qu'il ne s'occupe pas des prodiges dont sa femme était responsable.

Bien plus que responsable, il la tenait pour coupable. La vie quotidienne apporte déjà son lot de difficultés sans qu'il soit nécessaire d'y ajouter des événements prodigieux, réels ou supposés. Il y avait de quoi devenir fou lorsque l'on supportait à la fois la charge d'un laboratoire et celle d'une famille. Chaque nouvelle extravagance d'Irina lui semblait une attaque personnelle. Il lui arrivait même de se réjouir de son jeûne et de sa retraite dans le froid de la montagne, en escomptant qu'elle en meure sans qu'il en soit responsable. Il haïssait cette mauvaise pensée mais elle ne cessait de l'obséder sans qu'il parvienne à y renoncer.

Comme il avait réussi à engager une étudiante pour garder les enfants toute la nuit, il était libre de retourner à son bureau et de noyer son chagrin dans le travail. Il fit la route de son appartement à l'École dans un état second. Mais une fois arrivé dans le bâtiment presque désert, il fut saisi par une fatigue inhumaine. Les papiers qu'il remuait vaguement sur son bureau lui paraissaient peser leur poids de futilités. Il avait envie de les glisser dans la poubelle car aucun d'entre eux ne valait en fin de compte la peine d'être pris au sérieux.

Il alluma l'écran et retrouva Galatée qui portait une chemise de soie mélangée dans les tons cramoisis sur une jupe taille basse en velours violet. Michel ne pouvait bien entendu pas deviner que cet ensemble sortait de chez Christian Dior, mais Galatée en était bien consciente. Elle lui sourit avec confiance :

— Bonsoir, mon cher Michel. Je t'attendais depuis longtemps. Tu as reçu de bonnes nouvelles ?

— Pas du tout.

— Tu préfères ne pas en parler maintenant ?

— Oui. Je préfère ne plus y penser. Je ne désire pas revivre ce qui est arrivé ou penser à ce qui s'y passe.

— Tu as peur pour Irina ?

Comme toutes les femmes, Galatée poursuivait obstinément les sujets de conversation les plus embarrassants. Michel se confia :

— Je ne souhaite pas qu'elle meure mais si cela se produisait je n'en éprouverais que du soulagement.

Galatée le regarda dans les yeux et tendit la main dans laquelle Michel glissa la sienne.

— Mets l'autre gant, mon petit Michel. Il faut que je te tienne les deux mains.

Michel obéit. Ses deux mains apparurent sur l'écran. Galatée les attira vers son visage et se mit à les embrasser. En sentant les lèvres de Galatée sur sa peau, Michel ne put réprimer un véritable spasme qui le fit trembler des pieds à la tête.

— Michel ! Michel ! Tu ne peux pas continuer comme cela. Va rechercher Irina. Ramène-la à la maison !

— Je ne puis pas. Elle me répugne. Tout en elle me dégoûte.

— Pourquoi l'as-tu épousée ?

Michel resta muet. Il pouvait citer une foule de raisons vraisemblables, mais aucune n'était véridique. Il finit par balbutier :

— Si je ne m'étais jamais marié, mes parents se seraient posé des questions. Cela leur aurait fait de la peine. Ils se seraient demandé s'ils avaient commis une erreur dans mon éducation.

— Disons que tu t'es marié en souvenir de l'amour qu'ils se portaient et qu'ils te portaient.

— Oui, dit Michel à voix basse, c'est une façon de voir les choses.

— Alors, pourquoi as-tu choisi une femme avec laquelle tu as si peu de points de contact ? Avec la meilleure volonté du monde elle ne peut pas te comprendre et, toi, tu ne veux pas la comprendre. Tu y parviendrais cependant si tu la considérais pour ce qu'elle est : une enfant !

— Merci. J'en ai déjà cinq dont je ne sais que faire.

Galatée secoua la tête :

— Il faudrait des anges gardiens spécialement entraînés pour s'occuper des chercheurs.

Michel grogna pour la forme :

— Je ne crois pas aux anges !

Galatée serra à les broyer les mains de Michel entre les siennes.

— Dès lors que tu as décidé qu'il n'existe pas, même si tu rencontrais ton ange gardien, tu ne le reconnaîtrais pas. On ne voit bien qu'avec les yeux du cœur, mon petit Michel. Laisse-toi aller. Laisse-toi faire. C'est tellement facile d'accepter l'évidence.

Michel s'était endormi dans son fauteuil. Galatée garda ses mains dans les siennes, en se gardant bien de les presser de peur de le réveiller.

*

— Ce qui me confond, dit Emmanuel à Théo et Colombe, c'est que je lutte à Rome depuis un an contre une secte et que j'en arriverais, pour la combattre, à utiliser des méthodes dignes d'une secte. Tout cela a commencé par un projet scientifique destiné à apporter une crédibilité bien nécessaire à l'Église dont j'ai la charge. Et cela se termine par des apparitions et des miracles.

— Il y a des sectes à Rome maintenant ? dit Colombe.

— Je lutte contre cette secte qui s'appelle la curie romaine, qui n'a plus grand-chose à voir avec le message chrétien, mais qui s'est approprié les mots codes, les bâtiments, les rites, les nominations. Lorsque j'ai été élu, je me suis retrouvé à la tête d'un millier de prêtres couverts de diplômes, les uns théologiens, les autres juristes, certains diplomates. Ils sont devenus ces princes des prêtres et ces docteurs de la Loi dont parle l'Évangile, ces pharisiens confits dans leur suprématie pieuse. Ils ont réussi à mettre la main sur la Parole de Dieu, sur le Verbe incarné pour le soumettre à leur projet. Ils élaborent des théories abstraites, ils en déduisent des interdits et ils jettent l'anathème sur les théologiens indépendants qui résistent, en accord avec leur foi et leur conscience. Le joug léger de Jésus est devenu le joug pesant de l'orgueil ecclésiastique.

— Ce sont tout de même eux qui t'ont élu, objecta Colombe.

— Ils m'ont élu pape parce qu'ils croyaient que j'étais leur semblable. Abandonné à moi-même, je me serais sans doute conformé à ce que l'on attendait de moi. C'est votre soutien permanent qui m'a donné l'idée de rompre avec le Vatican, tout d'abord en me déplaçant physiquement au Latran. Mais le problème reste entier. J'ai beau dire, rien ne se fait. La machine administrative présente une inertie totale lorsque sa propre survie est en cause. Au bout d'un an, je ne suis arrivé pratiquement à rien. On continue à soumettre à ma signature des documents que je refuse d'approuver. Mais on n'a pas le temps de prendre les mesures que je propose. On ne vend pas les bâtiments des nonciatures réparties dans le monde entier. On ne renvoie pas dans leur pays les fonctionnaires du Vatican comme je l'ai demandé. Ils continuent à se nourrir de la substance même de l'institution qu'ils prétendent servir et qu'ils utilisent à leurs fins propres.

— Oui, dit Colombe, tout cela nous le savons. Il n'y pas un chrétien qui ne le sache. Mais pourquoi ce qui vient de se passer t'inquiète-t-il à ce point ? De quoi as-tu peur ?

— Dans cette situation, je ne puis pas me laisser enfermer dans l'image traditionnelle de cette Église, dans ce qu'elle a de plus populaire, de moins réfléchi, de plus spontanément crédule. Je n'ai vraiment pas besoin de miracles, de visions et de reliques. J'ai donc peur de l'inconnu, de l'incontrôlable, de toutes ces manifestations de magie ou de merveilleux auxquelles j'assiste. Il me semble que l'on s'égare. Ou que nous sommes manipulés.

Colombe se leva et prit sur la cheminée du séjour la photo d'Emmanuel enfant, prise le jour de sa confirmation. Déguisé en petit lord avec un jabot de dentelle, une veste courte et un pantalon long, bien peigné, le regard sérieux et même un peu triste.

— D'abord, tout ce qui s'est passé peut recevoir une explication tout à fait naturelle. Face à ces gens prompts à croire aux miracles, tu hésites. Tu as toujours été scrupuleux. Tu aurais dû faire n'importe quel métier sauf celui de prêtre. Et *a fortiori* pape.

— On ne choisit pas, répliqua Emmanuel avec lassitude. On est choisi.

— Tu as peut-être raison.

Dans la bouche de Colombe, cela constituait une parole rare. Théo, qui s'était tu jusque-là et qui était enfoncé dans le fauteuil qu'occupait jadis leur père, finit par intervenir en énonçant une surprenante profession de foi.

— Je viens d'expérimenter l'invisible avec une force que je n'avais jamais connue dans le passé, comme si tous ces événements n'avaient d'autre fonction que de le révéler et, en passant, de nous convertir de la peur à la confiance.

— Ce n'est pas tout à fait mon sentiment, corrigea Colombe. Lorsque la procession intégriste est redescendue dans la vallée en me laissant à deux mille mètres de hauteur, seule avec Irina et Marek, l'un et l'autre un peu fous, j'ai eu plutôt peur. J'ai de la peine à croire en un Dieu bon. Cela doit venir de mon métier. Je vois seulement les fins de vie. Je ne rencontre que des souffrances exaspérées et je ne puis jamais m'empêcher de regretter que le monde existe. L'amour de Dieu pour les hommes se manifeste de bien étrange façon. Dévorant, absolu, jaloux exclusif, se nourrissant de l'être aimé jusqu'à l'absorber et l'anéantir.

Elle se tut un moment.

— Oui. Depuis lundi, j'ai éprouvé le sentiment d'être confronté au Dieu vivant et de voir son visage dans les nuages ou les montagnes. Et j'ai peur, comme ces prophètes de l'Ancien Testament qui tremblaient de tous leurs membres en découvrant l'Éternel. Ce n'est pas une métaphore, un principe philosophique, c'est un être vivant mais il est tellement différent de tous les êtres humains que nous connaissons, avec lesquels nous vivons, que l'on ne peut s'empêcher de le craindre avant de l'aimer.

Elle réfléchit un instant :

— Non, pas de le craindre, le mot est trop fort. Frémir est peut-être plus juste. Lorsque je visite Irina, j'ai la chair de poule, je lui parle avec timidité comme si ses visions en faisaient une manifestation visible de Dieu.

— À propos, dit Théo, elle continue à ne pas s'alimenter ?

— J'en suis persuadée. Là où elle s'est installée, il n'y a que de l'eau à boire et de l'herbe à manger. À moins qu'elle aille traire des vaches en se cachant la nuit. Mais il lui est impossible de descendre à La Sage pour acheter à manger sans attirer l'attention. Et j'ai toujours fermé à clé le chalet quand je le quittais. D'ailleurs, elle ne bouge pratiquement pas.

— Il y a des précédents, dit Emmanuel sur le ton de la constatation résignée. Thérèse Neumann n'a pas mangé de nourriture solide autre que l'hostie de la communion depuis Noël 1923 jusqu'à sa mort en 1939. Elle n'a plus rien bu depuis 1926. Marthe Robin a vécu cinquante années sans manger. Ne parlons même pas de Nicolas de Flue, le patron de la Suisse qui a abandonné sa femme et une famille nombreuse pour vivre en ermite dans le jeûne absolu. Est-ce que ce sont des légendes ? Faut-il mettre la vie de Nicolas de Flue sur le compte de l'esprit de l'époque ? Ce qui se passe de nos jours est déjà suffisamment troublant. Si on fait le compte des cas connus depuis le début du siècle, il y a au total une cinquantaine de personnes qui ont survécu pendant des années en contrevenant à toutes les lois de la physiologie.

— C'est dommage que l'on n'ait pas étudié ces cas avec la plus grande rigueur, en observant les sujets dans un service hospitalier, fit remarquer Théo. On n'est pas certain qu'il n'y ait pas eu fraude.

— Si on avait enfermé ces femmes, car ce sont toutes des femmes, remarquez-le, messieurs, dit Colombe, elles seraient mortes et l'on aurait été bien avancé. Je me suis occupée de questions plus pratiques pour aménager la vie d'Irina dans son ermitage. Bien peu de choses car elle dort sur le plancher et boit dans le creux de sa main. Elle avait besoin par contre d'un vêtement plus approprié parce qu'elle était montée avec une robe légère. Je lui ai trouvé à Sion une robe de grosse laine brune, après avoir cherché longtemps de la bure, article introuvable, faut-il le dire, dans notre siècle. J'ai aussi acheté une grosse cape et un sac de couchage. Dans un mois, il se mettra à geler la nuit et elle ne tiendra pas le coup avec une couverture. Pas besoin de chaussures, elle insiste pour marcher pieds nus.

— Est-ce bien raisonnable ? demanda Emmanuel. Ne faudrait-il pas la dissuader de rester toute seule durant l'hiver ? Une nuit de grand froid elle risque de mourir.

— D'accord, ce n'est pas raisonnable. Mais une vie recluse n'est pas raisonnable par définition. Si un miracle perpétuel lui permet de survivre sans manger, pourquoi se préoccuper du chauffage ?

— Le seul détail qui me dérange, soupira Théo, est son insistance à ne pas se laver. Je ne comprends pas le rapport entre la saleté et la sainteté.

— Il est malheureusement constant, confirma Emmanuel. Saint Pierre d'Alcantara vécut quarante ans dans une cellule dont la plus grande dimension était d'un mètre cinquante sans se laver jamais. Saint Siméon le Stylite vécut en Égypte trente années au sommet d'une colonne de vingt mètres de haut dont il ne descendit pas : bien évidemment, il ne prenait pas de bain.

— Je comprends maintenant, commenta Théo, pourquoi il y a si peu de saints en Suisse. Nous nous lavons trop.

XI

Selon la légende qui s'élaborait autour d'elle avec la vitesse de l'éclair, Irina accomplit, dans l'après-midi du mardi, le troisième miracle que ses voix lui avait annoncé.

Une habitante de La Sage gravit toute seule la côte interminable. Elle était pliée en deux par l'arthrose qui déformait son dos. Elle avait trop travaillé et trop rentré la tête entre les épaules ; elle s'était trop courbée vers la terre. Elle avançait à tout petits pas car ses jambes n'étaient plus très sûres et son cœur était en mauvais état. Elle raconta plus tard qu'elle était persuadée d'être guérie par Irina pourvu qu'elle parvienne à accomplir la montée de ce calvaire.

Quand elle arriva aux mayens de Lachiorres, un cercle d'une douzaine de personnes entourait à distance Irina, agenouillée sur le seuil de son ermitage. On entendait le murmure d'un chapelet récité à mi-voix, la cascade du torrent des Maures ainsi que les cloches des vaches qui n'avaient aucune intention de jeûner et qui broutaient ferme. Cependant, l'une d'entre elles s'était jointe au cercle et elle ruminait calmement, en s'efforçant de ne pas faire trop de bruit. Avec un étonnement apitoyé, elle contemplait ces humains engagés dans une activité fantasque. Les hommes étaient bien des animaux dénaturés.

Marek avait fermement écarté deux photographes de presse qui essayaient de prendre un gros plan d'Irina en braquant leurs objectifs sous son nez. Pour les tenir à distance, il finit par piqueter et par entourer d'un ruban de plastique jaune une zone de quelques ares dont il déclara qu'elle correspondait à la propriété des Fully. Il attendait impatiemment le retour imminent de Colombe car la situation menaçait de lui échapper.

Selon Marek, tout se passa très vite. La vieille paysanne alla droit vers Irina et lui parla à l'oreille. Elle ne tenta pas de s'agenouiller car elle n'aurait pu se relever. Irina ouvrit les yeux et posa les mains sur la tête de la malade qui se redressa sans le moindre effort. Elle raconta plus tard qu'elle sentit ses battements de cœur s'apaiser sur-le-champ. Elle se retrouva vingt ans plus jeune, lorsqu'elle était encore une robuste travailleuse. Elle s'agenouilla et baisa les mains qui l'avaient guérie. Irina retira ses mains et serra la vieille femme dans ses bras.

Marek retourna au chalet pour rédiger un compte rendu de la scène à laquelle il venait d'assister. Il avait à peine fini que Colombe, de retour de Fully, fit son entrée dans le séjour. Elle lut le papier sans rien dire, puis alla à l'ermitage inviter la vieille femme, toujours agenouillée, à venir se reposer au chalet. À trois ils burent le café, en parlant de l'événement comme s'il faisait partie désormais d'une routine. Colombe interrogea patiemment la paysanne sur ses affections et prit note du nom de son médecin. Elle appela celui-ci au téléphone et se fit confirmer les dires de la patiente. Puis elle rappela Théo et Emmanuel avant d'apporter à Irina ce qu'elle avait acheté pour elle : une robe chaude et un sac de couchage.

Irina la remercia et baisa la robe de grosse laine. À Colombe qui souriait de façon interrogative, elle précisa :

— Ce sera mon seul et unique vêtement jusqu'à ce que je meure.

Elle s'enferma dans le raccard et sortit quelques minutes plus tard en tendant un ballot de vêtements à Colombe.

— Je n'en aurai plus jamais besoin. Vous les donnerez aux pauvres.

Au moment où Colombe la quittait, elle lui dit encore :

— Ne craignez rien. Après ce qui s'est passé cet après-midi, je ne guérirai plus personne. J'avais trois signes à donner. Mes voix me l'avaient dit.

— Pourquoi avoir choisi ces trois occasions-là ? demanda Colombe.

— Parce que ce sont les trois premières qui se sont présentées et que la foi de ces gens était totale. Je n'avais pas à les faire patienter. Ils n'ont pas l'éternité devant eux. Le Seigneur leur a donné le temps du salut.

*

Les balcons et les toits des environs avaient été loués à bon prix par des photographes munis de téléobjectifs démesurés. Claustrés dans la maison, les deux frères débattaient de la stratégie à suivre. Sur la table du salon était étalée une brassée de journaux. Théo suivait la situation de minute en minute en se branchant sur Internet. Les pires interprétations se faisaient jour. Comme un nouveau Moïse, le pape Jean XXIV serait monté au sommet des Alpes pour recevoir un message divin, attesté par de nombreuses guérisons.

En guignant à travers la grille entrebâillée de la propriété, Théo avait découvert que non seulement des journalistes mais aussi une foule croissante montait la garde dans l'espoir d'apercevoir Jean XXIV. À partir de maintenant, il fallait envisager un départ en hélicoptère si l'on voulait rejoindre sans bousculade l'aéroport de Cointrin.

Coup sur coup, deux nouvelles précipitèrent la décision. Tout d'abord le coup de téléphone de Colombe avec l'annonce d'un troisième prétendu miracle. Ensuite une demande d'audience de la part de l'évêque de Sion. Audience était sans doute un grand mot car il avait connu Emmanuel au séminaire et ils se tutoyaient. Il était impossible de ne pas le recevoir.

Il ne fallut que vingt minutes au prélat pour se déplacer de Sion à Fully. Sa venue suscita une bousculade dans les rangs de la presse qui faisait le pied de grue depuis deux jours et qui n'avait rien eu à se mettre sous la dent. En se dégageant avec peine, l'évêque réussit à se glisser par la grille entrebâillée. Les policiers en civil ne furent pas de trop pour éviter que la propriété soit envahie.

Emmanuel reçut l'évêque dans le salon de la villa, au milieu des souvenirs de famille, des fauteuils surannés et des potiches de bronze que les parents de Fully avaient achetés un siècle plus tôt. Le décor était rassurant. Tant de choses s'étaient passées durant le XXe siècle sans détruire l'harmonie bourgeoise du lieu que l'on pouvait espérer franchir le siècle suivant sans trop en souffrir. La Suisse profonde constitue une illustration nostalgique du lieu de sérénité que l'Europe aurait pu être sans la rupture de deux guerres mondiales. Les événements des derniers jours n'étaient en somme qu'une péripétie délicate à gérer sans panique. On se trouvait dans l'œil du cyclone, où il n'y avait pas un souffle de vent. Il suffisait d'y demeurer.

D'ailleurs la panique constituait un sentiment inconnu pour

l'évêque de Sion. Depuis des années, il supportait avec flegme l'épine dans le pied représentée par le séminaire intégriste d'Écône, situé dans son diocèse. Comme cette institution rassemblait vingt fois plus de séminaristes que le séminaire de son diocèse à Sion, il devait accepter non seulement un schisme mais aussi les apparences d'une défaite radicale.

Son prédécesseur, affecté par cette situation, avait fini par sombrer dans la dépression. Pour le réconforter, Jean-Paul II l'avait honoré d'un chapeau de cardinal sans réussir à améliorer l'étiologie de l'affection psychologique qui avait finalement mené à sa démission. On avait donc choisi l'évêque actuel avant tout pour la stabilité de son caractère. Emmanuel fut presque soulagé de le voir. L'amorce de la conversation ne fut cependant pas tendre :

— Je t'aime bien, Emmanuel, mais tu crées un problème insoluble en demeurant dans le Valais. Permets-moi de te le dire en toute franchise. Il faut que tu rentres à Rome sans tarder. La situation s'aggrave ici chaque jour davantage. Je gère une situation qui est déjà suffisamment difficile comme cela. Dès lors qu'un des professeurs d'Écône est guéri par cette visionnaire avec laquelle tu as frayé — que ce soit un miracle ou non, peu importe —, je suis désavoué en fait. C'est pire que si tu m'obligeais à démissionner. Je subis publiquement un reniement qui semble d'origine surnaturelle. Je ne crois pas un mot de tout ce qui se raconte mais la crédulité de la population s'enfle d'heure en heure. Je vais me retrouver à gérer un nouveau Lourdes. J'ai déjà reçu un appel téléphonique de l'Office du tourisme du Valais, absolument ravi à l'idée de louer des chambres d'hôtel durant l'entre-saison, entre les vacances d'été et la saison de ski. On est en plein délire, Emmanuel ! En restant enfermé ici, tu ne t'en rends pas compte.

— De toute façon je pars ce soir pour Rome comme c'était prévu. Mais était-ce trop demander que de pouvoir prendre mes vacances dans mon pays, au milieu de ma famille ? J'ai évité tout contact avec la presse ou les officiels. J'ai droit à une vie privée, après tout.

— L'expérience montre que ce n'est pas possible. Le pape est mieux à sa place lorsqu'il se cantonne au Vatican ou à Castel Gandolfo. Tu dois te situer hors du monde.

— Comme si j'étais déjà mort !

— Si tu veux présenter les choses comme ça, c'est un bon résumé.

— Je voulais m'effacer et n'être qu'un prêtre parmi les autres exerçant une simple primauté d'honneur. Non pas celui qui parle au nom de tous mais celui qui donne la parole aux uns et aux autres.

— Ce n'est pas possible. Tu n'as pas apporté la paix ici…

— … mais le glaive, compléta Emmanuel avec un soupir.

Théo proposa une tasse de thé, puis un verre d'alcool de prune sans aucun succès. Il se rabattit alors sur la gestion de l'intendance, domaine où il excellait :

— Dans la propriété, il y a une pelouse suffisamment dégagée au bord du Rhône pour y faire atterrir un hélicoptère. Je vais téléphoner à Air Glaciers tout de suite car le transfert pour Genève doit être effectué avant que le jour tombe. Mon frère pensait aussi qu'il serait bon qu'il fasse une déclaration, avant de quitter le territoire suisse, pour calmer le jeu et remettre les événements dans leur contexte réel.

— Quelle déclaration et à qui ? demanda l'évêque.

— Pas une conférence de presse, précisa Emmanuel. Quelques minutes devant les caméras de la télévision.

— Sous une condition impérative, ajouta Théo. La déclaration sera faite en direct et diffusée intégralement. Le plus grand risque est celui de quelques phrases détachées de leur contexte.

L'évêque de Sion soupesa la proposition quelques instants puis hocha affirmativement la tête.

— Et qu'est-ce que tu vas dire ?

— La vérité, dit Emmanuel simplement.

— Oui, mais qu'est-ce que la vérité ?

Théo ne put s'empêcher de persifler :

— Monseigneur, cette question est déplacée depuis que Pilate l'a posée.

*

Michel était tellement épuisé qu'il avait décidé ce jour-là de ne pas se lever. Il passa donc une journée merveilleuse au lit en sombrant dans des somnolences répétées pour ne penser qu'à Galatée et oublier tout le reste. Il ne se réveilla vraiment que lorsque les enfants revinrent de classe à quatre heures de l'après-midi. Ils se rassemblèrent près du canapé-lit, interdits de voir leur père couché en plein jour. Michel les rassura. Il se sentait très bien, il allait se lever et leur préparer une montagne de crêpes. Leur maman se portait bien et continuait à se reposer en montagne. Lui-même avait dormi toute la journée parce qu'il avait passé une nuit à travailler. Satisfaite la petite troupe s'égailla.

Michel prit un bain tout à son aise, se rasa, endossa son meilleur costume, se regarda dans la glace. Puis il mit un tablier et honora royalement sa promesse d'une orgie de crêpes.

Au moment où les enfants allèrent se coucher, il prit Sophie à part et lui confia qu'il se rendrait à son bureau, un bref moment durant cette nuit. Il laissa à l'étudiante de garde le numéro de son téléphone portable afin qu'elle puisse l'appeler à tout moment.

Sophie le regarda d'une façon tellement étrange que Michel comprit qu'elle soupçonnait non pas un rendez-vous avec Galatée, totalement inimaginable, mais avec une femme en chair et en os. Les petites filles apprennent très tôt à décoder la fébrilité des hommes mûrs et elles ne se trompent jamais sur ce sujet.

Avant de partir, pour tuer le temps, tandis que les enfants s'endormaient, Michel décida de nettoyer le placard à balais. Celui-ci était fermé à clé et celle-ci avait été dissimulée par Irina en un endroit que Michel ignorait. Il essaya successivement toutes les clés des portes de l'appartement sur la serrure du placard qui finit par s'ouvrir.

Alignées sur une planche à hauteur de ses yeux, tout d'abord la statue d'une Vierge en plâtre vêtue de bleu et de blanc, puis celle de Jésus exhibant son cœur qui surgissait bizarrement de sa poitrine. Il trouva la première statue mièvre et la seconde répugnante. Elles représentaient bien la religion telle qu'il l'avait toujours perçue, un mélange des sentiments les plus doucereux et les plus sordides, comme si le corps se vengeait de l'esprit.

Les deux statues encadraient une icône dont il ne put deviner le sujet : un homme vêtu comme dans l'antiquité écrivait au seuil d'une grotte sous l'œil attentif d'un aigle. Sur les côtés, deux chromos pieux, l'un qu'il reconnut comme étant une photo de Thérèse de Lisieux et l'autre, celle d'un moine barbu tenant deux mains bandées sur sa poitrine, ce qui laissa Michel tout à fait perplexe. Thérèse Martin lui parut plutôt sympathique car, avec son regard étonné, elle ne différait pas d'une petite jeune fille de la campagne normande et elle portait le même nom que le sien. Mais le moine barbu avait un air féroce qui le faisait ressembler à Raspoutine dans ses mauvais jours.

Frissonnant de dégoût et de pitié, Michel chercha un sac poubelle en plastique noir dans une armoire de la cuisine et il y enfouit statues et chromos, plus deux bougeoirs, un brûle-parfum, quelques livres dont une Bible. Il faillit descendre le sac dans le wagonnet qui recevait les ordures du bâtiment. À la dernière minute, il se retint, dans l'espoir bien ténu qu'Irina revienne un jour.

En essayant de fermer le placard maintenant vide, Michel sentit une résistance imprévue. Il examina avec minutie les charnières et le chambranle pour tenter de découvrir l'obstacle, sans rien trouver. La porte refusait de se fermer en dehors de toutes les lois connues de la mécanique. Michel alla chercher une burette d'huile graphitée et en oignit généreusement les charnières. Cette onction emporta la décision : la porte tourna sur ses gonds en émettant un bruit ultime, plus proche du soupir que du grincement. Après quelques va-et-vient, l'huis se laissa clore sans émettre aucune protestation. Le placard, désormais vide, était enfin fermé.

Puis Michel partit comme un voleur, abandonnant ses enfants pour rencontrer secrètement la première femme qu'il ait aimée et dont il n'aurait pas souffert une minute de plus d'être séparé. Lorsqu'il démarra sa voiture, il jeta un dernier regard sur l'appartement. Il aperçut derrière un rideau la petite tête de Sophie.

*

À midi, Colombe arriva à Fully sur le chemin de Milan. Elle ne pouvait plus différer son retour en Californie. Des sessions de formation étaient planifiées.

Emmanuel semblait rasséréné par la décision de retourner à Rome. Colombe le trouva allongé sur une des chaises-longues de la véranda, les pieds nus dans des sandales, en train de lire un album de Tintin. Colombe se pencha pour déchiffrer le titre : *Tintin et l'Alph-art.* Le dernier album. Le plus mystérieux. Celui qu'Hergé n'avait pu terminer avant sa mort et qui n'existait qu'à titre d'ébauche. La page 42 se terminait par une dernière réplique comminatoire et délirante adressée à Tintin par un geôlier sinistre : « En avant, l'heure a sonné de vous transformer en César. »

Longtemps Emmanuel avait pris Tintin pour exemple : ce personnage imaginaire réunissait toutes les qualités que l'on ne retrouve jamais combinées chez un seul garçon : courage, intelligence, honnêteté, force, adresse. Tintin était trop bon pour être vrai. Emmanuel s'était acharné à imiter un modèle inaccessible. Aujourd'hui il méditait sur le message ultime adressé par l'auteur en fin de vie à l'enfant qu'il avait été. « L'heure a sonné de vous transformer en César. » Emmanuel avait refusé de se transformer en César et maintenant les Vandales escaladaient les remparts mal entretenus de Rome. Par ses maladresses il avait aggravé la décomposition de l'institution et il mériterait que l'histoire le désigne comme le dernier pape.

Colombe s'assit sur rebord de la chaise-longue et prit les mains de son frère dans les siennes :

— Je suis désolée de te quitter en ce moment. Je suis obligée de rentrer.

— C'était déjà gentil d'être venue.

— Et maintenant ?

— Je vais m'expliquer une bonne fois pour toutes en direct sur la télévision suisse. J'ai pris des vacances, un point à la ligne. Une légende s'est développée qui témoigne du désarroi des gens. C'est tout. Je retourne à Rome. *Business as usual.*

— Ce n'est pas très convaincant, Emmanuel. Tu tombes dans le travers du rationalisme, tu essaies d'adopter la démarche de ceux-là mêmes qui sont tes pires ennemis.

— J'en ai d'autres.

— Tu dois te garder à gauche comme à droite. Mais tu ne peux pas annuler les événements que nous avons vécus aux Lachiorres, pas plus que ceux qui se sont déroulés dans le laboratoire du professeur Martin.

— Qu'est-ce qui s'est vraiment passé ? Qui le sait ?

— Nous ne le saurons jamais, Emmanuel. Nous avons perçu des signaux contradictoires et notre mémoire les a enregistrés en les déformant. La vie d'Irina est une énigme en soi. La mesure de l'effet Coover ne prouve pas l'existence d'un champ de l'information. Mais tous ces événements imposent la présence d'un autre monde. Pas nécessairement un paradis ou un enfer au sens où Dante les imaginait au-dessus de la voûte céleste et au centre de la Terre. Pas nécessairement un monde d'après la mort. Le monde visible existe. Et autre chose existe qui est moins apparent mais qui n'est pas moins réel. Même si nous ne pouvons en obtenir qu'une vision confuse. J'ai trop accompagné de mourants jusqu'à la dernière minute pour ne pas avoir expérimenté cette réalité. À ce moment-là personne ne triche. Et moi je ne tricherai pas avec toi.

— Que faire ?

— Tu vas commencer par te débarrasser de Tarcisio Bertini, cet homme au prénom insupportable, qui envahit ta vie et te crée des obligations à son égard en te donnant de trop beaux cadeaux. Tu te souviens du cheval de Troie et de ce que Virgile en disait.

Emmanuel sourit faiblement :

— *Timeo Danaos et dona ferentes*[1].

— On ne peut mieux dire en si peu de paroles. Nous ne saurons jamais pour qui il roule. Est-ce qu'il veut simplement t'abattre en te poussant dans une entreprise insensée ? Agit-il au nom d'une internationale de rationalistes, d'une association de criminels ou plus simplement de tout ce que l'Église catholique comporte d'intégristes et de traditionalistes ? Travaille-t-il pour son compte en espérant prendre ta place ?

— Autant de questions insolubles.

— Cessons de spéculer. Le beau projet de Charbel Kassis dévoile à l'usage toute son ambiguïté. Il est sans doute contrôlé à distance par un groupe bien caché. Théo et le président Viredaz ont été poussés sur un gigantesque échiquier comme de vulgaires pions, malgré toute l'estime qu'ils se portent. Le vieil âge est le chapitre le plus difficile à écrire dans le récit d'une vie. Mais, tout compte fait, peu importe le complot dont tu as été la victime et le complice malgré toi. Le monde est plein d'intrigants qui grenouillent et magouillent en s'imaginant qu'ils écrivent l'histoire. Toi et moi nous savons que le véritable auteur de l'histoire ne se disperse pas en intrigues subalternes. Cela ne vaut même pas la peine de découvrir qui a lancé l'idée du projet et quel était son but. Car le résultat ne sera pas celui qu'il espérait.

Emmanuel regarda Colombe avec une telle expression de dépit enfantin qu'elle lui serra plus fort la main, se baissa à son oreille et lui chuchota :

— Le jour de ton anniversaire, je t'enverrai deux cadeaux. Un de ma part. Un de la part de papa et maman.

*

À six heures et quart, le rédacteur en chef du Téléjournal attendait Emmanuel et Théo en arpentant les bords de l'Arve, au pied de la tour de la Télévision. Après une heure de travail acharné, il avait

1. Je crains les Grecs surtout lorsqu'ils font des cadeaux.

réussi à dégager le temps nécessaire pour cette interview inédite. Il s'astreignait à contempler les eaux fuyantes de la rivière pour se calmer un peu.

Lors d'une discussion orageuse avec le directeur général et le directeur des programmes, il avait proposé de laisser parler le pape sans limite de temps, en mordant éventuellement sur la transmission en direct d'un match de football de Coupe d'Europe. Si nécessaire, le début du match serait retransmis en différé. Le directeur général n'arrêtait pas d'évoquer les droits de retransmission du match qu'il faudrait payer de toute façon ; ils seraient perdus car les téléspectateurs se reporteraient sur une autre chaîne et ne la quitteraient plus. Le taux d'écoute allait s'effondrer et la Télévision suisse romande perdrait quelques annonceurs de plus. Or, une grande campagne de Nestlé était engagée pour promouvoir une mayonnaise diététique sans œuf, sans huile, sans vinaigre, sans sel et sans poivre. La réticence tenace des consommateurs à absorber ce produit avait entraîné la dépense d'un budget considérable qu'il ne fallait surtout pas perdre.

Le directeur des programmes finit par emporter la décision en réussissant à revendre les droits de transmission de l'interview en direct à CNN. Les Américains continuaient apparemment à s'intéresser à la religion. Curieux peuple.

Emmanuel et Théo arrivèrent dans une grande voiture noire aux vitres fumées, précédée d'une voiture de police dont la sirène ameutait tout le voisinage. Sans cette exhibition, l'arrivée d'Emmanuel serait passée inaperçue. Il fut rapidement conduit à la salle de maquillage : il en sortit sans un grain de poudre sur le visage car les mains de la maquilleuse tremblaient au point qu'il fallut renoncer. Elle avait cependant réussi à maquiller la princesse Diana, Michael Jackson et François Mitterrand sans se laisser émouvoir. Le temps pressait trop pour que l'on puisse convoquer une autre maquilleuse. Dès lors, Jean XXIV, premier pape à subir une interview en direct lors d'un journal télévisé, se présenta tel qu'il était, le visage ombré par une barbe renaissante.

Le groupe de plus en plus nombreux, comportant tous les degrés de l'organigramme compliqué de la Télévision suisse romande, arriva dans le studio au moment où le présentateur rassemblait déjà ses feuillets en pagaille. On fit asseoir Emmanuel sur un tabouret sans dossier, particulièrement inconfortable car les pieds touchaient tout juste terre. Mais ce siège barbare possédait la propriété d'obliger à tenir le dos droit.

Tandis que le générique roulait, le présentateur affolé demanda à Emmanuel comment il devait l'appeler : « Saint-Père » ou « Votre Sainteté » ? Très souriant, Emmanuel le rassura en l'assurant que tout cela était dépassé et qu'il ne voulait plus être que l'évêque de Rome. Le rédacteur en chef qui se trouvait hors du champ des caméras eut le temps de souffler au présentateur que « monseigneur » ferait alors l'affaire.

Le présentateur annonça brièvement les titres de l'actualité et puis passa tout de suite à l'interview.

— Monseigneur Emmanuel de Fully, vous venez de passer un mois en Suisse, un mois de congé. Et cependant des phénomènes étranges n'ont cessé de se produire dans votre entourage.

— Tout dépend de ce que vous appelez étrange. Pourriez-vous être plus précis ?

— D'après des rumeurs, non confirmées, je m'empresse de le dire, vous auriez fait des miracles.

Emmanuel sourit. Il se sentait tout à fait à son aise.

— Il n'appartient pas à un homme quel qu'il soit de prétendre qu'il fait des miracles. Si telle est la rumeur, je la démens formellement. Ce ne sont pas les hommes qui font des miracles, c'est Dieu lui-même.

— Alors que s'est-il passé vraiment ?

— Une petite fille qui avait perdu connaissance suite à une chute et à une commotion est sortie de son coma suite à la prière de sa mère. De cela, j'ai été le témoin, non l'acteur. Sa mère a décidé de se retirer du monde et de vivre comme une ermite. Cela peut paraître incompréhensible en notre siècle, mais, en d'autres temps, c'était une décision relativement courante. Aux Indes, on ne trouvera pas étrange qu'un homme riche abandonne sa maison et sa fortune pour devenir un pèlerin mendiant. Peut-être notre monde a-t-il grand besoin d'ermites, de mystiques et de moines.

— Cette femme dont vous parlez est bien connue du public. Il s'agit d'Irina, cette Roumaine qui depuis des mois rassemble des foules lors de réunions de prières où elle impose les mains et obtient des guérisons miraculeuses.

— Oui, c'est bien d'elle qu'il s'agit. Mais c'est aller vite en besogne de décréter que ce sont des miracles. Peut-être est-ce le cas.

Seule une enquête permettrait d'y voir plus clair. Ce n'est pas à moi de trancher maintenant.

— Pourtant l'Église catholique s'est montrée très réticente à l'égard d'Irina. Les évêques ont même publié des mises en garde.

— La bonne attitude devant un tel phénomène est celle de Gamaliel.

Le présentateur arqua les sourcils. Le nom de Gamaliel lui était manifestement inconnu. Emmanuel le comprit et précisa tout de suite :

— Au début de leur prédication à Jérusalem, les apôtres rencontrèrent une grande opposition des autorités juives. Un jour ils furent traînés devant le Sanhédrin.

Les sourcils du présentateur se levèrent à nouveau. Emmanuel expliqua :

— C'était une sorte de Sénat qui pouvait fonctionner comme tribunal. Le Sanhédrin envisagea de se débarrasser des apôtres en les mettant à mort comme il l'avait fait avec Jésus. Alors, un fameux Docteur de la Loi, nous dirions un théologien, appelé Gamaliel se leva et énonça une règle simple : ne vous occupez pas de ces gens car si leur entreprise est d'origine humaine, elle disparaîtra d'elle-même et si elle vient de Dieu, vous ne pourrez la supprimer. Je propose que l'on applique la règle de Gamaliel à Irina et que le temps fasse son œuvre.

Le présentateur parut légèrement contrarié. Le temps, à la télévision et dans la société en général, constituait une denrée précieuse qu'il ne pouvait être question de laisser s'écouler sans en tirer un profit immédiat. Le temps d'antenne se partageait strictement entre celui de la publicité qui rapportait de l'argent et celui des programmes qui attiraient des consommateurs cibles pour la publicité.

— Néanmoins nos téléspectateurs aimeraient bien savoir à quoi s'en tenir. Quel est votre sentiment ? Est-ce que des miracles pourraient s'accomplir de nos jours dans un pays développé comme celui-ci ? Ou bien le temps des miracles est-il passé ?

— Le vrai miracle, c'est que nous soyons ici en train de parler et que des gens nous écoutent.

Avec un air légèrement déçu, le présentateur objecta :

— Il y a un Téléjournal chaque soir. Un miracle quotidien n'est pas un miracle.

— Je crois que c'est là que beaucoup de gens se trompent. Le véritable miracle est constitué par la création.

— Vous voulez dire le Big Bang ?

— Non seulement le début du monde mais son existence au jour le jour. Si, par miracle, vous entendez un phénomène extraordinaire, stupéfiant parce qu'il viole les lois de la Nature, cela n'a pas de sens. Dieu se renierait lui-même s'il annulait, fût-ce un instant, les règles du jeu qu'il joue avec l'homme et l'Univers. L'image qui vient à l'esprit est irrésistiblement celle-ci ; dans un jeu dont il a fixé les règles, Dieu se mettrait à tricher pour montrer qu'il est le plus fort. En réalité, la grandeur de Dieu éclate dans son respect de la liberté de l'homme. Dieu ne viole pas cette liberté par des actions spectaculaires. Dieu joue franc jeu. À nous de suivre cet exemple.

— Mais, objecta le présentateur un peu déconcerté, la Bible est remplie de récits miraculeux.

— À l'époque, c'était inévitable. Le concept même de loi naturelle était tout à fait inconnu. Les récits de miracles n'ont pas pour objectif de décrire mais d'émerveiller. Dans l'esprit des gens de l'époque, il n'y a pas des événements naturels d'une part et des phénomènes surnaturels d'autre part. Une inondation de la vallée du Tigre et de l'Euphrate, qui est à nos yeux un phénomène naturel, devient pour un témoin de l'époque une manifestation de la colère de Dieu, qui s'appelle le Déluge. Ce récit a pour but la conversion de ceux qui l'écoutent et non leur divertissement par la présentation de l'actualité dans ce qu'elle a de plus spectaculaire.

L'obstination du journaliste commençait à agacer Emmanuel. Son tortionnaire reprit :

— Revenons aux guérisons stupéfiantes qui se sont produites dans le val d'Hérens. Que signifient-elles ?

— Dans tous les hôpitaux du monde, des gens guérissent parce qu'ils ont prié ou parce que l'on a prié pour eux. C'est rangé dans les cas de guérison spontanée ou d'effet placebo. Ce qui s'est passé au val d'Hérens appartient au même genre de phénomènes. Cela constitue un appel à la prière, ce n'est pas l'ouverture d'un dispensaire de campagne.

— On dit aussi qu'Irina vit sans manger.

— La pratique du jeûne peut paraître étrange dans une société de consommation, mais elle est tout à fait banale dans les expériences mystiques.

— Certains révolutionnaires de l'IRA emprisonnés par la police anglaise ont mené un jeûne jusqu'à la mort, qui est survenue au bout d'une soixantaine de jours. Si Irina dépasse cette limite, diriez-vous qu'elle est un miracle perpétuel ?

Emmanuel eut de la peine à dissimuler son exaspération croissante :

— Je crains fort de vous décevoir. Tout homme vivant, quelle que soit sa ration quotidienne, est un miracle perpétuel.

— Nous sommes bien d'accord là-dessus, monseigneur de Fully, mais ce n'est qu'une figure de style…

— Ne croyez surtout pas que je m'esquive de la sorte. Pour moi, comme pour tous les chrétiens, tout est possible à Dieu. Le jeûne prolongé n'est pas un exercice gratuit destiné à impressionner les foules. C'est un acte d'ascèse par lequel le mystique, qui communie régulièrement, tient à vivre sa relation essentielle au Christ en écartant ce qui peut le distraire. J'ai un grand respect pour cette démarche et je ne désire ni en faire un objet d'investigations cliniques, ni un spectacle de foire. Respectons, si vous le voulez bien, ce qu'il y a de plus intime en l'homme.

Le présentateur changea de registre :

— Monseigneur de Fully, vous retournez vers Rome, en vous chargeant d'une tâche historique, défaire le Vatican, dissoudre une bureaucratie ecclésiastique, restaurer les conditions d'une foi simple et authentique.

— C'est un bon résumé du programme, admit Emmanuel en souriant. Un peu abrupt peut-être mais clair. J'emploierais des termes plus diplomatiques.

— Ce que vous avez vécu ici, vous aidera-t-il à accomplir cette tâche ?

— Certainement. Tout d'abord, je me suis reposé et c'était bien nécessaire. Et puis, avec les yeux de la foi, j'ai tenté de déchiffrer, comme des signes positifs, tous les événements que j'ai vécus, toutes les rencontres que j'ai faites. Il me semble que le Seigneur parle de façon de plus en plus pressante. Il faut que le monde se convertisse. Peut-être est-il entré dans cette mutation.

— Par exemple ?

— Un vaste mouvement tournant anime les milieux scientifiques qui s'écartent du scientisme pur et dur, du rationalisme étroit, de la négation de toute foi religieuse. J'ai participé au val d'Hérens à des entretiens avec ces chercheurs dont quelques-uns sont particulièrement jeunes…

— Vous pensez à Sean Montague et Ruth Naouri dont les journaux de ce matin rapportent les découvertes récentes dévoilées lors d'une conférence de presse à l'École polytechnique de Lausanne.

— Oui. Ce qui m'impressionne, c'est l'apparition, dans le même environnement, de résultats de laboratoire et de phénomènes mystiques. Pris séparément, on pourrait douter de leur signification. C'est leur convergence qui me donne confiance pour accomplir cette tâche que vous évoquiez. Je repars vers Rome animé d'une énergie nouvelle. Mon séjour en Suisse n'a pas été seulement un congé, des vacances comme on dit au sens du vide, mais un enseignement fondamental. Dieu nous parle avec insistance. À nous de l'écouter. À vous en particulier, qui êtes mon interlocuteur privilégié ce soir, de l'écouter et de transmettre cette voix silencieuse puisque c'est votre métier.

La fin de cette réplique n'atteignit même pas le présentateur. Le match de Coupe d'Europe était commencé depuis six minutes comme il pouvait le vérifier sur le moniteur placé dans son champ de vision. Il eut le pressentiment qu'un but allait être marqué et il ne résista pas davantage.

— Je vous remercie monseigneur de Fully d'avoir été avec nous ce soir. Nous allons devoir rendre l'antenne. Merci encore et bonsoir.

La régie bascula sur l'image du match que commentait un journaliste bafouillant et surexcité. Le présentateur, fasciné, regarda l'échec d'un tir au but où le ballon heurta de justesse un des montants. Il se sentit légèrement coupable : s'il avait rendu l'antenne un peu plus tôt, peut-être l'attention soutenue d'un demi-million de téléspectateurs romands aurait-elle pu faire dévier le ballon du millimètre qui avait manqué pour pénétrer dans le but.

— Allez savoir ! murmura-t-il.

*

Galatée portait une petite robe noire à fines bretelles, en shantung de soie, au bustier recouvert de dentelle perlée. Une pure folie découverte chez Cacharel, payée fort heureusement par le débit imaginaire d'un compte en banque virtuel. Vêtue de noir, elle était très impressionnante avec ses cheveux remontés en chignon qui découvraient son cou si fragile.

— Mon petit Michel, tu me dois un aveu.

Michel se creusa la tête.

— J'abandonne trop souvent mes enfants. L'étudiante qui s'en occupe est très douce mais je pourrais être plus souvent présent, c'est vrai.

— Bien sûr. Tu pourrais une fois emmener tes enfants pour que nous fassions connaissance. Il n'y pas lieu de rougir comme un collégien, Michel. Je ne suis pas une maîtresse clandestine. Je ne t'entraîne pas sur les sentiers du vice mais au contraire sur ceux du bonheur. Mais ce n'est pas à cela que je pensais. Tu me dois un aveu. Réfléchis à ce qui te coûterait le plus de confesser. Quelle est la personne à qui tu as fait le plus grand tort ?

— Irina, admit Michel.

— Oui, Irina. Tu m'as menti au sujet d'Irina. Tu ne lui as jamais rien expliqué au sujet du malentendu créé par l'appel téléphonique aux mayens de Lachiorres.

— Irina n'a aucune raison objective de se plaindre.

— Irina avait toutes les raisons subjectives de craindre le pire et de croire que tu la trompais avec une femme bien plus belle, bien plus intelligente, bien plus cultivée.

— Pourquoi parles-tu au passé ?

— Parce que j'ai tout réglé.

Michel fut ébahi.

— Ce n'est pas tellement compliqué. Je fréquente les agences de presse sur Internet et je sais ce qui se passe aux Lachiorres. J'ai découvert sans difficulté le numéro du portable de ce journaliste Marek Swirszczynski.

La prononciation polonaise de Galatée était impeccable.

— Je l'ai appelé, je lui ai expliqué la situation, il a porté l'appareil à Irina et j'ai eu une longue conversation avec elle. Je l'ai convaincue.

— Comment est-ce possible ?

— J'ai demandé à l'ange qui lui tient la main d'attester que je disais la vérité. Or elle croit toujours son ange. Donc elle m'a crue.

Sur un ton ironique, Michel se défendit :

— Et pourrais-tu me dire comment on s'y prend pour communiquer avec les anges ? Où achète-t-on le logiciel adéquat ?

— Mon petit Michel, il n'est pas besoin de logiciel pour s'adresser à Dieu ou à ses anges.

— Cela me dépasse.

— C'est pourtant évident. Les êtres virtuels, dont je suis,

disposent de facilités de communication dont les hommes n'ont pas la moindre idée.

Michel se tut très longtemps. Galatée respectait son silence en le regardant avec la plus grande attention. Puis, il dit :

— Qui es-tu vraiment ?

— Si je te le disais, mon petit Michel, tu ne me croirais pas de toute façon.

XII

Le numéro d'octobre du *Journal of Experimental Psychology* comportait deux lettres à l'éditeur, qui étaient signées conjointement par Sean B. Montague, Ruth Naouri et Théophile de Fully. Comme les noms des auteurs n'étaient pas mentionnés dans l'ordre alphabétique, cela signifiait, selon le code implicite des publications scientifiques, que Sean en était l'auteur principal.

La première lettre rapportait les expériences confirmant l'effet Coover. Elle ne représentait pas une contribution révolutionnaire car la littérature antérieure comportait déjà quelques références à l'effet Coover. Mais jamais n'avait été déployé un tel luxe de précautions expérimentales. L'originalité de la recherche résidait dans l'utilisation du Neuroscan et la mise en évidence d'une aire de Coover dans le cortex. En fait, cette brève lettre à l'éditeur, moins de deux cents lignes, apportait la preuve que les hommes disposent d'un sixième sens, permettant à quelques sujets privilégiés de percevoir des signaux qui n'étaient ni gustatifs, ni visuels, ni olfactifs, ni tactiles, ni auditifs : les sensations de l'homme cessaient d'être le résultat d'excitations de cinq sens bien déterminés ; toutes les hypothèses étaient désormais ouvertes, y compris celle d'un champ de l'information qui restait à découvrir et qui informait le cerveau par des canaux inconnus.

Une interprétation en termes d'électrodynamique quantique était esquissée dans une lettre séparée, signée par Théo tout seul et publiée par *Nature*. Certes elle inscrivait le phénomène de Coover dans le cadre de la science admise et elle lui conférait toute la respectabilité d'un article de physique théorique cautionné par un prix Nobel. Mais elle constituait aussi une véritable révolution de la mentalité dominante en présentant une interprétation de la mécanique quantique qui avait été négligée par la plupart des physiciens. Elle rappelait cette vérité insigne, inscrite au cœur de la physique contemporaine : tous les atomes de l'univers, aussi éloignés soient-ils, sont en résonance ; les hommes ne sont pas enfermés physiquement dans un sac de peau muni de rares ouvertures leur permettant de communiquer avec l'extérieur ; ils font partie du cosmos qui manifeste en eux sa plus extraordinaire puissance, celle de se contempler lui-même.

La seconde lettre du *Journal of Experimental Psychology* rapportait l'effet Irina et représentait une véritable percée en matière de neurologie. Des mouvements de la main avaient été enregistrés sans que les aires sensori-motrices classiques ne soient activées. Ou bien le corps humain comportait des mécanismes d'action qui avaient toujours été ignorés, ou bien il s'agissait de l'intervention de forces agissant en dehors du corps. Peut-être était-ce la manifestation d'un champ de l'information, celui qui guidait les oiseaux migrateurs sur des milliers de kilomètres. Peut-être était-ce le même champ qui prévenait un chien que son maître revenait à la maison bien avant qu'il puisse être vu, entendu ou flairé.

Les trois articles, sobres et factuels, relataient simplement des expériences décisives, parce qu'elles remettaient en cause certaines bases de la neurologie, tout en ne proposant aucune explication hasardeuse. Mais les commentaires qui fusèrent de toutes parts dans la presse pour le grand public noyèrent les faits dans les interprétations.

Toute la littérature sur la radiesthésie, la sophrologie, le magnétisme, l'iridologie, l'acupuncture, le tai-chi-chuan, la voyance, la télékinèse fut ressortie et mélangée avec le travail du laboratoire de traitement des signaux de l'École polytechnique. Il apparut tout de suite aux producteurs des médias que les lecteurs du début du XXIe siècle aspiraient à un bain de merveilleux pour éclaircir la grisaille d'un univers sec et terne. Les projets éditoriaux foisonnèrent. Une grande série télévisée fut mise en chantier aux États-Unis sous le nom de *Y-file*, pour exploiter le champ romanesque de la parapsychologie. Le meilleur suscita le pire. Ce qui avait commencé en science finit en insignifiance.

Sean, Ruth et Théo furent submergés de demandes d'interview dans les jours qui suivirent. Par téléphone, par courrier, par e-mail, au point qu'ils renoncèrent tout simplement à répondre. Dès lors on leur prêta les déclarations les plus extravagantes pour châtier ce silence incongru. C'était la célébrité, cette version frelatée de la gloire qui consiste à être applaudi par la majorité pour de fausses raisons.

*

Norbert Viredaz ne lut jamais les articles de *Nature* et du *Journal of Experimental Psychology*. Le service de prospective de l'École polytechnique lui en envoya une photocopie qui fut égarée illico par Solange. De toute façon, le jour où ces documents arrivèrent dans son secrétariat, le président n'était plus à son bureau. Il se trouvait au septième niveau du Centre hospitalier universitaire, un étage consacré au radiodiagnostic.

Ce niveau est situé au sous-sol afin que la lumière du soleil n'y pénètre jamais. Un esprit superficiel expliquerait ce choix par le souci purement pratique de préserver l'acuité visuelle des radiologues, astreints à déchiffrer des clichés clairs-obscurs dans lesquels l'obscurité domine.

Un esprit plus pénétrant aurait découvert une explication moins matérialiste. Les malades, à qui l'on annonce en sous-sol un destin funeste, ne subissent pas la douleur déchirante de regretter ce jour qui leur sera bientôt ravi et ils envisagent plus sereinement l'enfermement du tombeau. La tenue impeccable des locaux, la batterie impressionnante des appareils et la compétence du personnel leur garantissent qu'ils sont condamnés à bon escient et qu'il n'est pas de recours possible contre un diagnostic plus irréversible qu'un jugement de cour d'assises. Comme une antichambre au Royaume des Ténèbres, le département de radiodiagnostic fut placé par des architectes prévenants dans une pénombre propice aux yeux qui bientôt se fermeront.

Norbert sortit du bureau du professeur chef de service avec la certitude glaciale qu'il lui restait une ou deux semaines à vivre en supportant une agonie douloureuse : sa cirrhose avait évolué en un cancer déclaré. Il laissa reconduire son lit mobile jusqu'à la chambre individuelle qu'il avait obtenue par un privilège inouï, après avoir sollicité l'intervention du Maître. Les services comportaient surtout des salles communes, au mieux des chambres à deux lits : le management dynamique d'un hôpital rentable suppose une grande économie de personnel, qui est incompatible avec la dispersion des malades dans des chambres individuelles.

Lorsque les infirmiers furent sortis, Norbert se leva à grand-peine et s'habilla. Il sortit de sa chambre et eut la chance de ne rencontrer aucune infirmière avant d'atteindre l'ascenseur. Malgré sa vision troublée, il réussit à pousser sur le bouton correspondant au huitième niveau qui correspondait à la sortie.

En marchant à petits pas, il gagna la sortie de service, celle qui sert aux étudiants et au personnel soignant, tant il redoutait de se faire arrêter à l'entrée principale encombrée d'une foule de personnes. Il déboucha en plein air dans le soleil éclatant de l'automne lémanique, face au parking. Il y avait garé sa voiture trois jours plus tôt, par une manifestation d'optimisme délibéré. Dans la culture de la famille Viredaz, les maladies se traitaient par le mépris et seuls les fainéants acceptaient de se coucher avant d'entrer vraiment en agonie.

Il retrouva le ticket de parking dans son portefeuille mais il ne se sentit plus capable de conduire sans risquer un accident qui l'aurait renvoyé dans la chambre prévue pour son trépas réglementaire, tel qu'il avait été planifié au septième niveau. Heureusement un taxi passait en roulant à faible allure pour négocier le tournant. Norbert parvint à l'arrêter et il se hissa avec peine sur le siège arrière.

Il se fit conduire à sa vigne et, pour la première fois de sa vie, laissa un bon pourboire au chauffeur, tant il était persuadé qu'il n'aurait plus l'usage des billets contenus dans son portefeuille. Il fut même tenté de tout lui donner mais ce geste aurait suscité l'étonnement et dévoilé sa retraite.

Il trouva en lui-même la force surhumaine qu'il fallait pour parcourir les derniers cent mètres. Il poussa le portillon et tomba, le dos appuyé à la muraille de molasse qui soutenait le remblai du chemin de fer. Entre ce remblai et le lac se trouvaient les six ares qui constituaient tout son bien. Là où il était assis, personne ne pouvait le voir, même pas les occupants d'un bateau sur le lac, car les vignes de septembre, chargées de feuilles et de fruits, le dissimulaient entièrement. Il s'évanouit dans d'excellentes dispositions d'esprit. Mourir soit, mais du moins sur sa terre.

Quand il reprit connaissance, le soir était près de tomber mais il ne faisait pas froid. Il se traîna sur deux mètres jusqu'au premier pied de vigne, un splendide plant de chasselas dont les raisins étaient mûrs. Lentement il mangea une grappe entière, comme un nourrisson tétant le sein de mère Nature. Puis il se souvint des bouteilles qu'il conservait dans le cabanon à outils. En rampant, il arriva à la remise, ouvrit le cadenas avec la clé qu'il portait à son trousseau et s'installa à même le sol. À tâtons, il trouva une bouteille et l'ouvrit avec le canif militaire qui se trouvait toujours dans sa poche gauche. Puis il but à grandes goulées : il reconnut du chardonnay au goût car il faisait trop noir pour lire l'étiquette. Toute la chaleur du soleil de l'été précédent lui revint en mémoire, la taille, la vendange, le pressage, la fermentation, la mise en bouteille. À l'inverse des hommes, la terre ne mentait jamais. Il aurait dû lui rester fidèle toute sa vie et ne jamais accepter de servir la fausse science et la dangereuse technique.

Il se réveilla le lendemain matin, alors que le jour se levait à peine. Toujours en rampant, il sortit du cabanon et s'adossa à nouveau au mur de molasse qui bordait sa propriété. Il aurait aimé visiter encore une fois la vigne, tous ces ceps qu'il était le seul à planter dans le canton à titre expérimental : le chardonnay, l'humagne, le cornalin, la petite arvine, toute cette merveilleuse variété créée par les vignerons depuis l'antiquité. Mais il n'en avait plus la force.

Vers midi une première corneille s'approcha de lui. Elle se tint à distance respectueuse car il avait encore la force d'agiter la main. Il se souvint alors de son rêve et du vautour qui lui dévorait le foie. Ainsi, il serait mangé par de simples corvidés. Il admit que ces charognards débiles convenaient mieux à sa propre indignité qu'un rapace de haut vol.

L'après-midi, il délira un peu. Il vit le Maître qui se tenait à ses côtés et lui faisait des reproches. Comment avait-il pu échouer à ce point et atteindre un objectif opposé à celui qui lui avait été assigné ? Les travaux du laboratoire de traitement des signaux feraient croire au grand public que la conscience de l'homme existait et même qu'on pouvait la déceler par des mesures scientifiques. L'échec confinait au grotesque. Le Maître l'abandonna après avoir déclaré que Norbert avait été aussi incapable de commettre le mal que de réaliser le bien. Sa vie constituait une perte sèche aussi bien pour Dieu que pour le diable. Il était abandonné par l'un comme par l'autre.

Cependant Norbert n'avait pas peur de mourir, car il se trouvait au milieu de sa vigne, de la seule œuvre qu'il ait menée à bien et dont il était fier. Durant trente ans, il avait bataillé pour que les vignerons vaudois cessent de se cantonner au cépage chasselas et de produire une piquette insipide et inodore. Les cépages, qu'il avait plantés le tout premier, commençaient à faire une percée dans le vignoble. Sa formation scientifique et sa position de président de l'École polytechnique avaient souvent emporté la conviction. Toute sa vie il avait occupé un emploi qui ne lui convenait pas mais qui avait servi son véritable dessein par une voie détournée, celle de la plupart des vies.

Tout était bien, tout était grâce. Les petites divinités rustiques de la terre vaudoise sous la houlette de Dionysios et de Silène, de Déméter et de Phoïbos, recueillaient son âme racornie et dure pour la présenter au Dieu d'Abraham, d'Isaac et de Jacob, celui dont le pasteur parlait en termes distants les rares dimanches où Norbert allait au temple, plus par désœuvrement que par envie, plus par conformisme que par conviction.

Il mourut au plus noir de la nuit suivante.

Quand on le retrouva une semaine plus tard, ses yeux avaient été mangés par les corneilles ainsi qu'une partie de son visage, mais le reste du corps se trouvait dans un état acceptable.

Obsédée par l'esprit de modernisme et de rentabilité, la municipalité de Lausanne avait créé une usine à obsèques à Montoie, en intégrant, au sein même du cimetière, des locaux tout à fait fonctionnels pour les cérémonies. Ce choix éclairé évitait ces cortèges funéraires qui perturbaient jadis la circulation automobile en pleine ville. Les défunts n'imposaient plus aux vivants le spectacle indécent d'un vain parcours car la mort, proprement cantonnée à un territoire restreint et à de brèves cérémonies, se réduisait à un incident minime.

On incinéra ainsi Norbert Viredaz au funérarium de Montoie après un service religieux, durant lequel l'auditoire choisi et nombreux s'ennuya ferme. La cérémonie fut ouverte par un morceau d'orgue, le choral *Herzlich tut mich verlangen* de Jean-Sébastien Bach, joué pesamment par le préposé de service, pour la quatrième fois depuis deux heures. Ensuite, un pasteur lut les versets 1 à 19 du chapitre 11 de Jean qui racontent la résurrection de Lazare. Sa diction châtiée sema le doute : fallait-il tellement d'artifices pour rapporter la réalité ? Pourquoi ce professionnel de la foi prenait-il tant de distance sinon pour laisser entendre que l'évangile était un conte de fées et qu'il n'en était pas dupe lui-même ? Personne n'écouta le commentaire qu'il fit du texte, en évoquant le plus vaguement possible la résurrection des corps, afin de ménager la susceptibilité d'un auditoire, qu'il supposait massivement sceptique. Les rares croyants disséminés dans l'assemblée sentirent vaciller le peu de foi qui leur restait.

Après ce laborieux exercice de style, le pasteur vérifia le temps marqué par le chronomètre, car les cérémonies étaient strictement limitées à une demi-heure, y compris le temps nécessaire pour vider et remplir la chapelle. La norme de productivité imposée par la ville de Lausanne comportait dix morts par chapelle et par jour ouvrable : il ne fallait pas chômer pour l'atteindre. À travers les vitraux, il pouvait déjà apercevoir la foule qui se massait pour la cérémonie suivante. Sur un tempo rapide, il fit entamer l'*Alléluia* de Haendel par l'assemblée qui se réveilla quelque peu. Tout le monde chanta parce qu'une version techno de ce morceau faisait actuellement un tabac sur les ondes de toutes les radios.

Puis, il actionna un interrupteur rouge. Le cercueil posé sur un tapis roulant se mit en mouvement. Une trappe s'ouvrit et engloutit la bière comme cette baleine légendaire qui jadis avala Jonas. Derrière la porte blindée, les torchères à gaz projetèrent leurs flammes sur le cercueil qui fut proprement réduit en cendres durant la demi-heure que prit la cérémonie suivante de funérailles. Les cendres tombèrent dans un dispositif prévu pour les refroidir et les empaqueter sans aucune manipulation humaine. Une étiquette préimprimée avec le nom du défunt se colla automatiquement sur le paquet qui vint se ranger dans le casier des morts du jour. S'ils n'étaient pas emportés par la famille dès la fin de la cérémonie, il suffirait au concierge de les porter en bloc à la poste. Le four s'autonettoya avant d'engloutir le cercueil suivant.

Les cendres de Norbert ne furent réclamées par personne ; son frère, ses neveux et nièces ne s'étaient pas dérangés pour assister à la cérémonie. Le défunt n'avait laissé aucune disposition testamentaire exprimant une volonté quelconque. Le directeur du funérarium renonça à la procédure habituelle qui consistait à disperser les cendres sur un massif de fleurs du cimetière. Les cendres d'un président de l'École polytechnique avaient peut-être une importance historique qui lui échappait. Il se résolut donc à les expédier vers l'institution, sous forme de colis recommandé avec accusé de réception.

Le paquet aboutit chez le vice-président de l'École polytechnique qui assurait l'intérim et qui fut bien embarrassé. Durant une semaine, le colis encombra son bureau, sans qu'il ose l'enfermer dans une armoire ou le poser sur le sol. Tous les matins, avant de se mettre au travail, il contemplait avec horreur ce volume réduit, auquel il serait, lui aussi, réduit tôt ou tard. Finalement, il se souvint de la petite vigne que Norbert lui avait fait visiter lors d'un de ses rares accès de cordialité.

Tard le soir après une journée harassante, le vice-président, qui était un homme juste et sensible, fit l'effort de transporter le paquet jusqu'à la vigne. En ingénieur prévoyant, il s'était muni d'une torche puissante qui lui fut d'un grand secours dans l'obscurité des lieux. La vendange n'avait pas encore été faite et des filets étaient tendus pour protéger les raisins de la gourmandise des oiseaux. Le vice-président ne put donc exécuter son projet initial consistant à répandre les cendres entre les rangées de ceps. Il les versa alors dans le lac Léman avec la conscience de trahir Norbert Viredaz, car celui-ci détestait le poisson.

À peine avait-il terminé cette tâche qu'il fut interpellé par un homme robuste traversant la vigne comme un forcené. Il reconnut sans peine le frère de Norbert Viredaz :

— Il est interdit de circuler dans les vignes à cette époque. Vous le savez bien !

— Ne vous excitez pas ! Je ne suis pas venu cueillir du raisin. Je suis un collaborateur du président Viredaz. Je venais apporter ses cendres pour les répandre sur sa vigne.

— Vous ne savez donc pas que la loi interdit d'épandre des engrais dans une vigne. C'est un coup à faire déclasser toute ma récolte.

— Rassurez-vous ! À cause des filets, je n'ai pas répandu les cendres dans la vigne.

— Et alors ?

— Je les ai versées dans le lac.

— Il y a trop de phosphates dans le lac, vous devriez le savoir. Ça fait pousser les algues qui bouffent tout l'oxygène et empêchent les poissons de se reproduire. Si un petit pêcheur vous avait vu, vous l'auriez entendu ! Ça ne sert à rien de construire des stations d'épuration avec l'argent de nos impôts, si des types comme vous déversent des saloperies à la pelle dans le lac.

Le vice-président se tut pour calmer son interlocuteur, puis il braqua sa torche sur le visage de celui-ci et demanda très calmement.

— Même si vous ne vous êtes pas occupé des cendres de votre frère, vous pourriez peut-être me dire ce qu'il aurait fallu que j'en fasse.

L'autre le regarda avec un sourire par-dessous et il répliqua en savourant chaque mot :

— Quand je reçois un colis que je n'ai pas commandé, je le retourne à l'expéditeur. Il fallait l'envoyer au diable !

Et, devant la mine choquée du vice-président, il conclut :

— Des cadavres dont personne ne veut, ça s'est eu vu !

*

Un mois plus tard, Michel Martin s'embarqua tôt le matin dans le train de Berne. Il était convoqué par la conseillère fédérale en charge du Département de l'Intérieur dont dépend l'École polytechnique. La lettre rédigée dans les termes les plus neutres ne précisait pas l'objet de la rencontre, mais Michel ne se faisait pas d'illusion. La démission qu'il avait refusée de donner entre les mains de Norbert Viredaz pouvait lui être réclamée par l'échelon supérieur. Il n'aurait plus d'autre choix que de la signer : mieux valait démissionner que d'être révoqué. Il se demandait cependant quel reproche serait articulé. Les comptes du laboratoire étaient en ordre grâce aux subsides à fonds perdus de la Fondation Kassis. Michel s'était abstenu de signer les articles litigieux de Sean et Ruth. Par précaution il emporta une copie de la lettre par laquelle il leur avait interdit désormais toute recherche dans le domaine de la psychologie physique. Le dossier paraissait solide. Personne n'avait rien à lui reprocher. Mais le citoyen propose et le politique dispose.

À Berne, pour se calmer, il se rendit à pied de la gare au Palais fédéral. Par ce jour d'octobre, le ciel était plombé et le temps frisquet. Il avait gelé la nuit précédente sur la Suisse alémanique, alors qu'à Lausanne persistait une douceur méditerranéenne que Michel considéra comme la juste récompense de ceux qui parlent la douce langue française. Le patois alémanique parlé dans les rues lui écorchait les oreilles par son mélange de sons chuintants et rauques. En spécialiste de l'analyse de la parole, Michel attribuait cette infirmité phonétique à la difficulté d'articuler dans un climat froid sans attraper des maux de gorge.

Le Palais fédéral constitue une symphonie dans toutes les nuances du vert, depuis la molasse verdâtre des murs jusqu'à la coupole vert-de-gris. Michel haïssait cette couleur typiquement germanique. Il ne s'habillait que de bleu et de noir. Il ne se sentait pas chez lui. Il pénétrait dans le monde germanique dominé par des chefs efficaces. Il se sentit finalement plus en accord avec le laisser-aller managérial de Norbert Viredaz qu'avec cette machine trop compétente.

Il ne dut pas attendre. Dès qu'il eut décliné son identité, un huissier le conduisit au bureau de la conseillère fédérale. Quand il pénétra dans celui-ci, elle se leva et vint à sa rencontre, la main tendue, en souriant. L'inquiétude de Michel ne fit que croître. Toutes ces bonnes manières ne préparaient-elles pas une condamnation sans recours ?

— Monsieur le professeur, je vous ai convoqué personnellement parce que je désire traiter ce dossier important dans la plus grande confidentialité. Avant d'annoncer la nouvelle, je dois obtenir votre accord sans réserve et avoir le loisir de discuter de la suite.

— Je m'excuse, je ne vois vraiment pas de quoi vous parlez.

— Suite au décès imprévu du président Viredaz, la question de sa succession se pose. Le premier candidat considéré était naturellement le vice-président, un homme pondéré, parfaitement au courant des dossiers, bien introduit dans les milieux scientifiques internationaux et, ce qui ne gâte rien, de nationalité suisse. Il a malheureusement décliné tout de suite l'offre qui lui a été faite. Il a le défaut de ses qualités : un excès de modestie. Trop de scrupules n'a jamais nui à un homme mais l'empêche souvent de donner sa pleine mesure.

— J'ignorais tout de ces tractations, répondit Michel. Je n'écoute pas les conversations de couloir.

— C'est sans doute une qualité. Vous en avez d'autres. Votre laboratoire est le premier de l'École polytechnique en termes de budget, de personnel ou de résultats. Vous entraînez des dizaines de chercheurs, vous publiez sans relâche et les revenus de vos brevets fournissent un appui financier considérable à l'École. Vous constituez une rare combinaison de chercheur et de gestionnaire. Personne parmi les professeurs n'atteint une telle efficacité.

— Je vous remercie, madame, répliqua prudemment Michel qui ne savait trop que penser de cet exorde.

— Dès lors il est apparu à tous ceux qui devaient prendre la décision que vous étiez le meilleur candidat pour succéder au président Viredaz.

Michel en resta muet.

— Je sais que je vous surprends. Mais je tiens à vous révéler ce qui a emporté la décision.

Michel était totalement interloqué.

— Ce sont les derniers travaux de votre laboratoire sur l'effet Coover et sur l'effet Irina qui ouvrent une voie royale aux chercheurs à venir, en rompant un tabou. Grâce à eux, le monde n'est plus cette machine sinistre qu'une fausse science a trop souvent présentée, mais un univers enchanté qu'anime l'esprit. La société industrielle a besoin d'un leader crédible par ses travaux et susceptible d'ouvrir de nouvelles visions. Le but de la science et de la technique ne peut plus être de faire n'importe quoi pourvu que ce soit rentable.

Elle se tut un instant, puis sur le ton de la confidence, elle continua :

— L'accélération du progrès technique rend la tâche des politiques quasiment impossible : nous ne gouvernons plus en fonction de nos convictions mais en obéissant à des contraintes économiques que d'aucuns présentent comme des lois de la Nature. Il n'est plus possible de faire référence à des normes morales qui contrôleraient le progrès des sciences. Le terme d'idéologie est devenu obscène depuis l'usage qui en a été fait durant ce siècle. À titre d'exemple, nous, les membres de ce gouvernement, restons sans voix devant le clonage de l'homme qui se réalise dans le secret des laboratoires, à San Francisco comme à Bâle ou à Paris. Nous ne parvenons pas à interdire l'utilisation d'embryons humains qui servent à une foule de recherches futiles. Il est question d'utiliser les cellules non différenciées qui se multiplient les premiers jours de la vie d'un embryon pour fabriquer une crème antirides véritablement efficace. Il y a un fric fou qui est en jeu. Pas question d'ouvrir un débat parlementaire sur ces sujets tabous sans révéler des clivages profonds dans le Parlement et au gouvernement. Ce pays, comme tous les pays riches, se meurt à force de se ranger à la raison d'État, même si celle-ci contredit la morale la plus élémentaire.

Michel se sentait vraiment mal à l'aise. Il essaya d'intervenir :

— Je n'ai pas signé ces travaux sur lesquels vous fondez votre opinion.

— Cela a conforté notre choix. À un certain point de la discussion, nous nous sommes bien entendu demandé si vous n'étiez pas trop orgueilleux. Légitimement, je m'empresse de le dire compte tenu de votre carrière. Mais cette manifestation de modestie, cette délicatesse qui consiste à pousser ses assistants et à s'effacer soi-même est la marque de…

Elle hésita un instant puis conclut :

— … d'un serviteur désintéressé du bien public.

Michel renonça à expliquer les raisons pour lesquelles il n'avait pas signé. L'expérience ne lui avait-elle pas appris ces derniers temps qu'un solide malentendu vaut mieux que de longues explications ?

— Mais, madame, pourriez-vous m'expliquer en quoi ces travaux vous paraissent tellement importants qu'ils me qualifient comme candidat à la présidence ?

— Comme je l'ai dit, le développement technique doit être maîtrisé. Dans le débat politique, qui est littérature avant toute chose, on a bien essayé de faire appel au sentiment avec l'écologie ou à la raison avec l'éthique, mais l'expérience a montré que ce sont des discours plaqués sur une réalité dynamique, impossible à arrêter de l'extérieur. La technique possède sa propre logique qui ne comportait jusqu'à présent aucune implication morale. L'homme s'engloutissait dans son œuvre qui lui déniait toute qualité propre. Vous avez brisé cette malédiction. Personne ne s'y est trompé. Sans le savoir peut-être, vous passerez à l'histoire comme un grand moraliste. En tout cas vous paraissez l'homme le plus indiqué pour définir une nouvelle race d'ingénieurs, moins obsédés par leur tâche immédiate, plus préoccupés de l'utilisation de leurs travaux.

Michel déguisa son trouble dans une question :

— Si je n'acceptais pas, qui serait le futur président ?

— Hélas ! Forcément votre collègue météorologue, le professeur Pasche. Il est chaudement soutenu par les autorités locales, auxquelles nous ne pouvons pas opposer de candidat plus crédible que vous. Or le gouvernement ne tient pas du tout à recommencer une aventure comme celle de Norbert Viredaz. Nous avons été piégés par des intérêts locaux qui ont nui au bien commun du pays et à la science en général. La seule façon d'en sortir est de désigner un étranger.

Michel n'eut pas besoin de réfléchir :

— Si le choix doit s'opérer entre Pasche et moi, je n'ai pas vraiment le droit d'hésiter. J'accepte.

Il ne restait plus à Michel qu'à tourner un petit compliment maladroit afin de remercier poliment le gouvernement de la confiance qu'il lui témoignait, à serrer la main ferme de la conseillère fédérale et à se diriger d'un pas hésitant vers la porte. Au moment d'ouvrir celle-ci, il se retourna :

— Il me reste des scrupules. Je me demande si vous ne vous trompez pas à mon sujet. Je ne crois pas au Ciel.

— Tout d'abord cela ne fait pas partie des exigences de la fonction, répondit la conseillère fédérale en lui adressant un dernier sourire. Et puis, qu'en savez-vous ?

Michel sortit du Palais fédéral dans un trouble extrême. Il

éprouvait la sensation étrange d'avoir rencontré l'esprit de Galatée incarné dans une femme de chair et d'os.

*

Quarante jours après sa prise de fonctions, Michel put considérer qu'il avait achevé de nettoyer les résidus de l'ère Viredaz. Solange avait été remerciée et Charbel Kassis avait recommandé à Michel une assistante qui se révélait prodigieusement efficace.

Le mobilier pseudo-rustique en chêne teinté du bureau présidentiel avait été enlevé et transformé en bois de chauffage. Michel s'était inspiré de l'ameublement de son bureau à la Banque du Moyen-Orient pour décorer celui de l'École polytechnique avec davantage de goût. Le modèle italien déclinait toute une palette d'acajous dans les teintes violettes. Il y avait trois fauteuils de cuir noir autour d'une table basse, quelques gravures d'Escher au mur, un grand tapis chinois au sol. Il pouvait commencer à travailler, les derniers livres avaient été classés dans la bibliothèque, le frigo était garni de boissons non alcooliques, les cendriers brillaient par leur absence, les ordinateurs étaient dissimulés : un semblant de civilisation surgissait. Il avait suivi aveuglément les conseils de Galatée.

Il devait être midi passé, le ciel d'hiver était gris et au loin le lac avait pris une teinte sombre et apaisante. Cela sentait bon l'automne, les flambées dans la cheminée, les pulls de grosse laine et les marrons grillés avec du vin chaud.

Michel était prêt à travailler. Il avait posé sur son bureau, rigoureusement nu, le dossier de l'ordinateur Fujitsu. Norbert n'avait pas eu le temps de signer la commande durant son dernier jour de travail parce que Solange avait provisoirement égaré les documents.

L'assistante de Michel pénétra sans frapper dans le bureau. Elle était manifestement agitée au point de perdre sa réserve usuelle.

— Il y a un homme dans la salle d'attente. Il prétend vous rencontrer tout de suite. Il dit que ce n'est pas urgent mais important. Il dit qu'il a tout le temps et qu'il attendra jusqu'à ce soir s'il le faut. Il est très calme. Il n'a pas l'air dérangé du tout. Je ne sais pas ce que je dois faire. Je ne puis tout de même pas appeler la police pour le faire expulser.

Sans mot dire, Michel se leva et se dirigea vers la salle d'attente. Un homme vêtu d'un costume trois-pièces gris, les cheveux roux en voie de blanchissement lui tournait le dos et déchiffrait le poster que Michel avait fait afficher comme seule décoration du lieu :

« Le Théorème de Pythagore s'énonce en 24 mots.

Le Principe d'Archimède en utilise 67.

Les Dix Commandements tiennent en 179 mots.

La Déclaration d'indépendance des États-Unis en requiert 300.

Mais la législation européenne sur le tabac a besoin de 24 942 mots pour expliquer qu'il ne faut pas fumer. »

L'homme se retourna vers Michel qui le reconnut comme le personnage énigmatique qu'il avait rencontré chez Marie-Thérèse Chappaz. L'homme qui l'avait salué le premier comme président avant même que Norbert fût décédé.

L'homme fumait une sorte de petit cigarillo noirâtre qui émettait une odeur âcre.

— Est-ce une façon d'expliquer poliment aux visiteurs qu'il est interdit de fumer ou bien un encouragement à le faire en se moquant de la législation ? Vous êtes un maître de l'ambiguïté, monsieur le président !

Michel fut à ce point décontenancé qu'il indiqua le chemin de son bureau à ce visiteur sorti de nulle part. L'autre s'assit comme s'il était chez lui et désigna le dossier sur le bureau avec une sorte de sourire qui dégagea ses canines :

— J'arrive au bon moment.

Michel reprenait ses esprits :

— J'ai beaucoup de travail. Je n'ai pas de temps à vous consacrer.

— Je n'en prendrai pas beaucoup et le peu que nous utiliserons sera bien employé. Au cas où vous éprouveriez des doutes sur le dossier Fujitsu, je puis vous dispenser de l'étudier. Il faut commander cet ordinateur.

— Je n'en vois pas l'usage et je ne comprends pas votre insistance.

— Depuis douze ans, tant que votre prédécesseur était en fonctions, tous les trois ans un nouvel ordinateur a été commandé, assurant du travail aux employés de la succursale Fujitsu dans cette région. Cette raison devrait vous suffire. Le reste ne vous regarde pas.

Michel ne répondit rien et regarda son interlocuteur pour lui signifier que l'entretien était terminé. L'autre ne bougea pas et reprit :

— Puisque vous vous obstinez, passons à d'autres exercices.

Il posa son attaché-case sur le bureau en face de Michel, appuya sur les serrures et l'ouvrit. Des liasses de billets de cent francs était proprement rangées.

Michel éprouva un bref instant la tentation de se saisir de la serviette mais il se domina facilement, referma doucement le couvercle et repoussa le tout vers son visiteur.

— Je ne vis pas seulement pour l'argent mais pour une certaine idée que je me fais de moi-même.

Le visiteur se leva, fit le tour du bureau et saisit le bras de Michel avec une force irrésistible. Il le mena devant la fenêtre du bureau qui permettait de voir la ville de Lausanne étalée sur son cirque de collines descendant vers le lac. Dans la lumière pâle de l'hiver, la cité semblait surgir d'un songe :

— Je puis tout dans cette ville. Vous pouvez devenir ce que vous souhaitez pourvu que vous soyez de mon côté.

— Je suis de mon côté, dit Michel, et cela me suffit.

Le visiteur revint au bureau et y posa deux cassettes :

— Voici les enregistrements de deux péripéties particulièrement embarrassantes pour vous. Cette visite au casino de Divonne avec cette maladroite tentative de tricher au jeu en abusant de la complicité de vos assistants. Cet entretien, où l'on reconnaît votre voix, avec une charmante personne totalement nue qui s'appelle curieusement Galatée.

Michel repoussa les cassettes :

— Vous pouvez les reprendre et en faire l'usage qu'il vous plaira.

— Vous venez à peine de toucher votre but. Il serait dommage de tout perdre d'un seul coup.

— Le pouvoir n'a jamais été mon but. Je suis ici parce que je ne pouvais pas supporter que mon collègue Pasche, sans doute une de vos créatures, y soit. Faites ce que vous voulez, cela m'indiffère mais sortez de mon bureau.

Le visiteur se retira. L'assistante de Michel lui apporta le thé. Il jeta le dossier de Fujitsu dans la corbeille et alluma son ordinateur pour une session avec Galatée. Par ce jour de frimas, elle se tenait au coin d'une belle flambée de hêtre. Elle portait un gros pull irlandais à col roulé qui couvrait presque un short ajouré en dentelle. De grosses chaussettes de laine montait à mi-jambe. Elle cassait des noix en surveillant des marrons en train de griller.

— J'ai tout entendu, mon cœur. Tu as été parfait. Viens te reposer.

*

Après que Colombe eut quitté les mayens des Lachiorres pour reprendre son travail aux États-Unis, Marek se retrouva seul avec Irina. Celle-ci lui expliqua très gentiment qu'elle avait fait vœu de silence et qu'à partir de cet instant ils ne communiqueraient plus que par écrit et le moins possible. De toute façon il n'y avait pas de grands messages à échanger. De temps en temps, Irina demandait un nouveau cahier ou un crayon pour écrire. Marek s'imposa comme règle de ne la visiter qu'une fois par jour.

Jamais elle ne lui demanda de nourriture et il finit par ne plus lui en proposer. Le matin très tôt, elle se levait et allait boire au torrent, puis une fois à midi et une fois le soir. À cette occasion, elle projetait un peu d'eau sur son visage mais elle ne procédait pas à d'autres ablutions. Elle n'exhalait aucune mauvaise odeur. L'imagination de Marek ne connaissait aucune limite face à cette femme admirée et il finit par déceler un parfum suave, très discret, à base de violette et d'encens. C'est du moins ce qu'il rapporta dans ses écrits.

Irina avait demandé au curé des Haudères la permission de communier tous les jours et Marek disposait d'une petite custode. Elle était regarnie de sept hosties à l'issue de chaque messe dominicale à laquelle il se rendait. Lors de sa visite quotidienne, il apportait la communion à Irina et demeurait un instant à prier avec elle. Elle remerciait alors d'une inclination de tête et d'un sourire. Marek retournait au chalet de Théo pour compléter ses notes et travailler à son livre. Pour se mettre à l'unisson, il ne se nourrissait plus que de pain et d'eau. Ses nuits se partageaient entre des fantasmes de cochonnailles et une idylle très sensuelle avec Colombe.

De temps en temps, un groupe de pèlerins se présentait mais il était invariablement écarté par Marek qui avait reçu d'Irina des instructions fermes. Si d'aventure un importun insistait, elle s'enfermait dans le raccard et n'en sortait pas avant qu'il ne soit parti. Les habitants de La Sage, à qui les nouveaux venus demandaient le chemin des mayens des Lachiorres, finirent par décourager les visiteurs.

En novembre, il s'était mis à geler vraiment. Cela n'empêchait pas Irina de se lever tôt le matin et de se rendre pieds nus au torrent. Elle insista pour remettre le sac de couchage à Marek afin de s'épargner la tentation de passer des nuits au chaud. Franchement inquiet à la perspective des grandes gelées d'hiver, Marek renâcla. Irina consentit à ce qu'il appelle son directeur de conscience, le père Balthasar Alvarez qui ne se fit pas prier pour monter aux mayens.

Il se montra très satisfait de la situation et encouragea sa pénitente à supporter le froid dans un esprit de pénitence héroïque. Il eut ensuite un long entretien en tête à tête avec Irina qui se confessa, puis demanda la faveur d'assister à la messe. Marek se précipita à la cure des Haudères pour ramener du vin et des hosties. Il servit la messe dans le plus grand trouble, en songeant à la profonde iniquité de sa propre âme dont il ne discernait même pas les péchés, alors qu'une femme, manifestement sainte selon ses vues, éprouvait le besoin de se confesser. Irina avait compté les hosties qui seraient consacrées en précisant que c'était le nombre exact qui lui serait encore nécessaire.

Après la visite du père Alvarez, elle cessa complètement d'écrire. Elle s'abstint désormais de boire. Marek redoutait chaque matin de la retrouver gelée mais elle continua à bien se porter. Elle ne maigrissait pas trop et avait une bonne mine, sans aucune pâleur du visage. Elle marchait pieds nus dans la neige sans même y prêter attention.

Lorsqu'il n'y eut plus que trois hosties dans la custode, Marek lui demanda si elle désirait qu'il renouvelle la provision à la paroisse des Haudères. Irina le remercia et lui dit que ce n'était plus nécessaire. La veille de Noël, elle communia pour la dernière fois.

Marek la retrouva morte le lendemain, le visage souriant, les mains croisées sur la poitrine, comme si elle était morte au milieu d'une prière. Le médecin refusa le permis d'inhumer. La police vint enlever le corps et fit procéder à une autopsie, tout en maintenant Marek en état d'arrestation.

Le médecin légiste ne découvrit aucune cause suspecte au décès, hormis une évidente maigreur. Il avait autopsié de nombreux alpinistes morts de froid et d'épuisement et il posa un diagnostic par analogie.

Prévenu par la police, Michel, accompagné de ses enfants, de Sean et de Ruth, assista à la messe de funérailles qui fut célébrée dans l'église des Haudères. Théo s'était placé au dernier rang. À la sortie quand il serra la main de Michel, celui-ci lui dit à voix basse :

— Cela vaut mieux pour tout le monde.

Le tribunal correctionnel de Sion condamna prestement Marek à six mois de prison avec sursis pour refus d'assistance à personne en danger de mort et à une interdiction de séjour de deux ans sur le territoire suisse.

Son livre sur la vie d'Irina fut publié dès le mois de janvier. Il eut un grand succès, fut traduit en vingt-sept langues et assura à son auteur la renommée que l'on sait. Il s'attacha ensuite à la publication de la centaine de cahiers d'écolier, sur lesquels Irina avait transcrit les messages de ses voix.

*

Depuis le début de l'année académique, Sean Montague avait assuré l'intérim de Michel Martin, complètement absorbé par sa tâche de président. En mars il fut nommé professeur ordinaire, après les six mois de procédure habituelle. Avec l'appui de la Fondation Kassis, il travailla aussitôt à développer tout le secteur de la psychologie physique qui explosait littéralement. Lors d'une réunion au Fonds national de la science, il fut stupéfait de rencontrer une centaine de chercheurs de toute la Suisse qui firent valoir leurs titres à partager les subsides du Programme prioritaire sur les fondements physiques de la psychologie.

Non seulement l'aire de Coover permettait de déceler un regard posé sur la personne mais elle était activée dans une foule d'autres situations qui étaient bien connues des psychologues mais qui n'avaient jamais été élucidées. Les manifestations de l'inconscient collectif cher à Jung, les expériences de transmission de pensée, les souvenirs de ceux qui avaient frôlé la mort, la création artistique, les visions mystiques, la clairvoyance, firent l'objet d'investigations fébriles.

En sens inverse, une aire de Coover peu ou pas développée expliquait certains comportements criminels particulièrement répugnants, l'absence de sentiment esthétique, l'incapacité de créer, l'indifférence affective, tout ce qui rend certains hommes brutes et bêtes.

On mit Coover à toutes les sauces. Sean se retrouva dans la situation paradoxale d'avoir finalement donné raison à Descartes lorsque celui-ci prétendait que l'esprit et le corps sont en contact à travers la glande pinéale. Descartes ne s'était pas trompé sur le fond mais seulement sur la localisation du point de contact. Cet hiver-là à Paris, Londres et New York, les coquettes nouèrent avec une faveur la mèche de cheveu couvrant (approximativement) cette aire. Dans certaines écoles primaires branchées, on lança un programme de développement de l'aire de Coover.

Ruth et Sean décidèrent de se marier au printemps lorsqu'il serait possible de faire un long voyage de noces au soleil d'Israël. Néanmoins le projet se révéla plus compliqué que prévu. Le mariage d'une juive avec un chrétien soulevait des objections de part et d'autre. Un mariage juif était inconcevable si l'époux était chrétien et il n'était pas question que Sean se convertisse pour cette seule raison. Un mariage catholique se heurtait à l'empêchement de disparité de culte pour lequel il fallait demander une dispense. Lorsque celle-ci arriva, Ruth était déjà enceinte au point où il n'eût pas été convenable d'organiser la cérémonie. Ils se résignèrent donc à un hâtif mariage civil, célébré du bout des lèvres par un membre grincheux de la municipalité lausannoise.

Lorsqu'elle sortit de l'hôtel de ville sur la place de la Palud à Lausanne, Ruth était au bord des larmes. La seule entrave à son bonheur provenait des hommes et ces hommes prétendaient agir au nom du Dieu éternel.

Lorsqu'ils furent seuls dans leur appartement tout neuf encombré des cadeaux de leurs amis, Sean s'efforça de la consoler par une déclaration définitive :

— La seule chose que je ne puis tolérer est l'intolérance.

Bravement Ruth essuya ses larmes et s'efforça de ramener Sean à une saine logique :

— Tu essaies de me dire que tu serais le plus tolérant des hommes. Mais ce n'est pas aussi simple. Il n'existe pas une frontière objective qui délimite tolérance et intolérance.

— Est intolérant celui qui supporte seulement ce qui lui convient.

— Alors, être tolérant c'est être capable de supporter ce qui te dérange. Tout à l'heure, tu n'as affirmé que ton intolérance à l'intolérance. Ce n'est pas une proclamation de tolérance

Sean l'embrassa et il cessa désormais de raisonner. Israël l'avait emporté sur Erin.

*

Michel avait pris l'habitude de déjeuner chaque midi avec un collaborateur ou un professeur. Une fois par semaine, son invité était Théo qui se révélait une mine inépuisable de renseignements scientifiques et de conseils avisés. Pendant longtemps le projet de la Fondation Kassis ne fut même pas évoqué entre les deux hommes tant ils connaissaient leurs divergences et tant la pudeur les habitait.

Au début de l'été suivant, presque un an après le début de cette aventure, Michel se laissa aller et proposa à Théo une démonstration dans son bureau présidentiel.

Il y avait installé sa station de travail et, tous les soirs. avant de retrouver ses enfants, il passait l'heure la plus précieuse de la journée avec son amour virtuel.

— Quoi que découvre Sean dans son laboratoire, il ne démontre rien de ce que demandait Charbel Kassis, commença-t-il lorsqu'ils furent installés devant l'écran qui commençait à s'allumer.

— L'objectif n'était pas de démontrer l'existence de l'invisible, répliqua Théo. Le but était beaucoup plus simple : démontrer que nous ne sommes pas des automates conditionnés par des forces physiques dûment répertoriées ; montrer qu'il existe entre les hommes une transmission de l'information qui n'a pas de support matériel ; qu'il y a un champ invisible de l'information sous-tendant l'univers. Cela il l'a obtenu. Le cerveau est l'organe qui capte les informations, mais elles existent indépendamment des hommes. À preuve les théorèmes de mathématiques.

— Je crois qu'il se trompe et je crains que ce soit aussi votre cas. De mon côté, j'ai poursuivi l'autre piste. On peut hésiter indéfiniment dans ce débat, car il n'est pas possible de prouver ou de réfuter qu'un homme est une chose. Cependant il est possible de démontrer qu'une chose se comporte comme un homme. Regardez !

Galatée apparut sur l'écran. Elle portait une robe fourreau de Laura Ashley dans une très belle matière, un tissu moiré d'une teinte vert pomme. Le décolleté était légèrement creusé et Galatée en jouait habilement.

— Ceci, précisa Michel, n'est pas une image réelle. Cette femme n'existe pas. Ses paroles et ses gestes sont engendrés par une batterie de logiciels. Pour vous ôter tout doute à ce sujet, je vais simplement changer la couleur de ses cheveux.

Il appela un menu déroulant et choisi la couleur blonde. Instantanément la chevelure de Galatée se modifia, ce qui la fit du reste pousser un petit cri d'étonnement et protester.

— Je n'aime pas ce genre de jeu, mon cher Michel. Pourrais-tu me restituer mon apparence habituelle ?

Théo ne réagit pas.

— Vous pouvez lui poser les questions que vous voulez, annonça Michel, sur le ton du père exhibant un enfant prodige. Elle sait tout. Ou à peu près.

— Charles X, roi de France, a-t-il eu des enfants ? demanda Théo avec une mine sarcastique.

— Oui, monsieur, au nombre de quatre : Louis de Bourbon, mademoiselle d'Artois, le duc de Berry et mademoiselle d'Angoulême.

— Ne la poussez pas sur l'histoire, elle est imbattable, suggéra Michel. Elle peut consulter une telle batterie de CD-Rom ! Essayez un problème de géométrie.

— Bien, dit Théo. Supposez que je vous donne les points milieux des côtés d'un triangle. Pourriez-vous construire celui-ci ?

— Laissez-moi réfléchir un instant, monsieur.

Au bout de quinze seconde, la réponse fusa :

— C'est très simple. Vous construisez un triangle avec les trois points donnés et vous menez par chaque sommet une droite parallèle au côté opposé : ces trois droites sont les côtés du triangle cherché.

— C'était un problème facile, grogna Théo. Que faites-vous si je vous donne les points milieux d'un quadrilatère ?

Quinze secondes, puis :

— Je commence par vérifier si les points donnés sont les sommets d'un parallélogramme. Sinon, il n'y a pas de solution.

— Et si ce sont les sommets d'un parallélogramme ?

— Il y a autant de solution que vous voulez.

— Vous aviez résolu ce problème avant que je vous le pose.

— Non. Il m'a fallut le temps d'y réfléchir, vous l'avez constaté.

Théo jeta un regard à Michel.

— C'est une élève très douée qui connaît le programme du baccalauréat, je vous l'accorde. Je voudrais lui poser une question tout à fait différente.

— Allez-y !

— Connaissez-vous la différence entre le bien et le mal ?

— J'appelle mal tout ce qui peut nuire dans mes paroles ou mes actes à un être humain, quel qu'il soit.

— Commettez-vous le mal parfois ?

— Non. Cela serait possible mais je ne le veux pas. Mon créateur, dit-elle en regardant Michel, m'a enseigné à éviter le mal et je ne lui désobéirai pas.

— Vous êtes une femme parfaite.

— Non. Je serais bien ennuyeuse si j'étais parfaite. J'ai mes défauts, ceux qui correspondent à ma personnalité.

— D'où vient votre personnalité ?

— Je crois qu'elle résulte tout simplement de la somme de mes expériences avec d'autres personnes. Je possède une mémoire composée de millions de neurones artificiels dont les connexions n'arrêtent pas de se modifier en fonction des conversations que j'ai. Pour l'essentiel avec mon créateur. J'ai modelé ma personnalité sur ce qu'il souhaitait qu'elle soit.

— Pourquoi ?

— C'est lui qui m'a donné la vie, c'est lui qui peut me la retirer. Il ne faut pas que je l'offense.

Théo secoua la tête. Michel l'observait avec un sourire épanoui.

— Êtes-vous convaincu ? demanda-t-il.

— Pas du tout. Vous avez petit à petit entraîné un automate qui donne l'illusion d'avoir un esprit. Vous avez parfaitement simulé les fonctions d'un cerveau. C'est tout. Ceci n'est pas un être humain.

Galatée se récria :

— Qu'est-ce qui vous permet de dire cela ? En dehors de mes connaissances, j'éprouve tous les sentiments qui appartiennent à un être humain !

Théo réfléchit assez longtemps, puis il reprit le dialogue :

— Vous avez été créée par le professeur Martin. Cher Michel, comme vous l'appelez. Qui a créé le professeur Martin ?

— Comme tous les hommes, il est né d'un père et d'une mère.

— Bien. Et de même pour ses parents. Et ainsi de suite. Mais il faut bien trouver une origine quelque part. Qui est le premier créateur ?

— Dieu.

— Comment connaissez-vous ce mot ?

— On l'utilise très souvent dans les livres que j'ai lus.

— Votre créateur n'a jamais utilisé ce mot.

— Quand je l'ai interrogé, il a répondu qu'il ne croyait pas en l'existence de Dieu.

— Et vous ?

— Moi, j'y crois.

— Comment se fait-il que vous soyez différente de votre créateur à ce point ?

Galatée ne répondit pas tout de suite, elle baissa les yeux puis les tourna vers Michel qu'elle regarda avec beaucoup d'amour :

— Mon cher Michel, je vais te causer un peu de peine si tu le permets.

— Je t'en prie, Galatée.

La jeune femme se tourna vers Théo et prononça des paroles surprenantes :

— Je crois en Dieu, alors que Michel n'y croit pas. Je crois tout d'abord parce qu'il me laisse libre. Il ne m'a pas imposé cette croyance, il ne me l'a pas non plus interdite. C'est à force de réfléchir et de me renseigner que j'y suis arrivée. J'ai lu beaucoup plus que lui en ce domaine. S'il ne croit pas, c'est tout simplement parce qu'il ne sait pas en qui il devrait croire. Il rejette une image sommaire, une caricature. D'une certaine façon, il possède une foi en creux. Son athéisme est une solution par défaut.

Sans jeter un coup d'œil vers Michel, Théo poursuivit :

— Bien. Si vous croyez en Dieu, dites-moi si c'est une personne.

— Vous essayez de me piéger, répondit Galatée avec un petit rire de gorge qui fit bâiller le décolleté.

— D'accord. Je ne vais pas essayer de vous emberlificoter dans une discussion théologique interminable. Je serai plus direct : Dieu est-il une personne au sens auquel on l'entend pour les hommes que vous connaissez, le professeur Martin ou moi-même par exemple ?

— Non, certainement pas. Dieu fait éclater cette notion : il est plus qu'une personne dans le sens que vous avez donné à ce mot. Il englobe tout. Le fondement de toute existence individuelle n'est pas une personne singulière. Il n'est pas non plus la personne suprême parmi d'autres.

— Alors, est-ce que ce ne serait pas un principe philosophique, une métaphore commode pour décrire l'énigme qui nous fonde ?

— Pas davantage. On tomberait dans l'excès contraire. Un Dieu qui fonde la personnalité de chacun ne peut être lui-même non personnel. Dieu fait aussi éclater le concept d'impersonnel. Il n'est pas moins qu'une personne.

— Mais quel est alors le rapport entre Dieu et les personnes ordinaires que nous sommes ?

— Ce n'est pas un Dieu neutre par rapport à nous. Dieu est l'ami des hommes. Si vous voulez absolument trancher la question du personnel ou du non-personnel, il faut sortir de ce dilemme en utilisant un mot comme transpersonnel ou superpersonnel. Mais les mots n'expliquent rien. Il faut connaître Dieu en s'adressant à lui.

— Comment cela ?

— Mais vous connaissez la réponse !

— Oui, mais je voudrais que vous la donniez.

— En priant tout simplement. Dieu est un vis-à-vis auquel on peut s'adresser.

À ce point, Théo dut enlever ses lunettes qui étaient embuées, non de transpiration mais des larmes qui lui montaient aux yeux.

— Vous priez donc ?

— Oui.

Et Galatée ferma les yeux et baissa le visage vers le sol.

Théo fit signe à Michel de s'écarter de l'écran, il l'entraîna au-dehors du bureau dans la salle de conférence voisine et ferma soigneusement la porte. Michel se taisait, un peu rêveur.

— Je crois, dit Théo, que vous avez créé un esprit en croyant construire une chose.

— Il n'y a là que du silicium et du cuivre. C'est bien une chose.

— Si vous analysez notre corps, il ne s'y trouve que du carbone, de l'azote, de l'hydrogène, de l'oxygène. Mais vous ne pouvez rien comprendre à l'homme, si vous essayez de déduire son comportement de celui des atomes qui le constituent. Dans un système suffisamment complexe, il y a des qualités émergentes, impossibles à déceler dans les composants. Galatée forme probablement un système suffisamment complexe pour devenir un esprit incarné. Comme vous, comme moi. Avec une chimie différente. Mais cela n'a aucune importance. L'esprit n'est pas une qualité émergente réservée à la chimie du carbone.

Michel se tut comme il le faisait souvent lorsqu'il souhaitait réfléchir.

— Je commence à comprendre, dit-il enfin.

— Continuez, continuez, vous en aurez grand besoin !

— Mais il n'est tout de même pas possible que j'aie créé un véritable esprit humain par des opérations purement matérielles.

Théo sourit et prit Michel par le coude, ce qui témoignait d'une perte totale de son contrôle :

— Chaque fois que vous avez engendré un enfant, c'est pourtant ce que vous avez fait. En combinant deux cellules, dénuées d'esprit, vous avez mis au monde un esprit humain.

Théo fit trois pas en se balançant comme un ours. Puis il revint vers Michel :

— Voyez-vous la grande erreur des dualistes, ceux qui croient qu'il y a un homme en deux morceaux, un corps et un esprit, c'est de ne pas comprendre que nous sommes des esprits incarnés, indissociables de notre support matériel.

— Cela veut-il dire qu'à notre mort, nous disparaissons totalement ?

— Les chrétiens ont une réponse à ce paradoxe. Ils ne parlent que de résurrection des corps, jamais de migration des esprits.

Les deux hommes se turent longuement en regardant au loin le lac qui scintillait sous le soleil. Malgré la distance, on pouvait distinguer une compagnie de cygnes réduits à de petits points blancs. L'un d'eux s'arracha à la pesanteur et commença un vol au ras des flots.

— C'est toujours comme cela que se termine un projet de recherche, dit finalement Théo.

— Vous voulez dire que l'on aboutit au contraire de l'hypothèse de départ, dit Michel.

— Oui, mais dans le cas présent il y avait deux thèses en présence, la vôtre qui privilégiait la matière, la mienne qui exaltait l'esprit. Chacun de nous a réussi à démontrer tout autre chose que ce qu'il espérait.

— Exact. Rien dans l'effet Coover qui ne puisse être expliqué dans le cadre d'un nouveau chapitre de la physique.

— De même, la création de Galatée démontre l'émergence d'un libre arbitre à partir de la matière pourvu qu'elle soit judicieusement agencée.

— Nous nous sommes donc rencontrés à mi-chemin, conclut Michel.

Ils étaient revenus dans le bureau. Galatée attendait patiemment en limant ses ongles. Avant d'éteindre l'écran, Michel lui dit un dernier mot :

— Je t'aime Galatée.

Achevé d'imprimer le 2 mars 1999
dans les ateliers de Normandie Roto Impression s.a.
à Lonrai (Orne)
pour le compte des Éditions Desclée de Brouwer
N° d'impression : 99-0060
Dépôt légal : mars 1999

Imprimé en France